Sammlung Luchterhand 849

Über dieses Buch: Über immer kleinere Details wird mit immer größerem Aufwand immer mehr Wissen angehäuft, das immer weniger zur Lösung der Probleme der Menschen beiträgt. Diese Art von Wissenschaft ist für Erwin Chargaff der Feind von Aufklärung und Erkenntnis. Dem setzt er in seinen geistreichen, brillanten Essays die Forderung nach der gesellschaftlichen Verantwortung des Wissenschaftlers entgegen. Sein Gewissen muß standhalten vor dem Interesse der Industrie, der Verbraucher und der Politik.

Als einer der überragenden Gelehrten unserer Zeit, der selbst jahrzehntelang experimentelle Forschung betrieben hat, weiß Erwin Chargaff, wovon er spricht, wenn er den Wissenschaftsbetrieb vehement kritisiert.

»Wie soll man die Aktionsfabrik zurückfahren, auf die ›kleinere Wissenschaft‹, die Chargaff vorschwebt? Kann man das Unvermeidliche noch abwenden, oder müssen wir hinnehmen, daß zwanghafte Entwicklungen etwa zu einer Welt führen, die fünfzehn oder gar dreißig Milliarden Menschen käfigt? Chargaff will mit dieser Zukunft nichts zu tun haben.« (Ludwig Hofacker in seiner Laudatio anläßlich der Verleihung des Merck-Preises an Erwin Chargaff)

Über den Autor: Erwin Chargaff, 1905 geboren, war seit 1935 an der Columbia University, New York, tätig, seit 1952 Professor des Biochemischen Instituts. Er erhielt zahlreiche wissenschaftliche Auszeichnungen (u. a. 1974 National Medal of Science, 1984 Merck-Preis).
Veröffentlichungen u. a.: »Bemerkungen«, 1981; »Kritik der Zukunft«, 2. Aufl. 1986; »Warnungstafeln. Die Vergangenheit spricht zur Gegenwart«, 1986; »Zeugenschaft. Essays über Sprache und Wissenschaft«, 1985; »Abscheu vor der Weltgeschichte. Fragmente vom Menschen«, 1988; in der Sammlung Luchterhand: »Das Feuer des Heraklit. Skizzen aus einem Leben vor der Natur« (SL 844).

Erwin Chargaff
Unbegreifliches Geheimnis
Wissenschaft als Kampf
für und gegen die Natur

Luchterhand
Literaturverlag

CIP-Titelaufnahme der Deutschen Bibliothek
Chargaff, Erwin:
Unbegreifliches Geheimnis : Wissenschaft als Kampf für und
gegen die Natur / Erwin Chargaff. – Frankfurt am Main :
Luchterhand Literaturverl., 1989
  (Sammlung Luchterhand)
  ISBN 3-630-61849-9

Sammlung Luchterhand, August 1989
Luchterhand Literaturverlag GmbH, Frankfurt am Main, 1989. © 1980 by
Erwin Chargaff, New York. Lizenzausgabe mit freundlicher Genehmigung
der Verlagsgemeinschaft Ernst Klett Verlag – J. G. Cotta'sche Buchhand-
lung. Alle Rechte vorbehalten. Umschlagentwurf: Max Bartholl/Christoph
Krämer. Umschlagfoto: Roman Vishniac. Druck: Wagner, Nördlingen.
Printed in Germany
ISBN 3-630-61849-9

Inhalt

Unbegreifliches Geheimnis

Versuch über das Lebendige

I

Viele Jahrzehnte schon hatte er sich mit dem Auspacken von Verschleierten Bildnissen von Sais beschäftigt. Sobald er eines entschleiert hatte, stand schon ein anderes, etwas kleineres dahinter, und so ging das weiter. Längst hatte er gelernt, daß das einzige Geheimnis des Verschleierten Bildnisses ein Verschleiertes Bildnis war. Jetzt waren sie so klein, daß er verzwickter Geräte bedurfte, um sie überhaupt sichtbar zu machen. Aber er wußte es wohl: zahllose unsichtbare Bildstücke der gleichen Art warteten, immer winziger werdend, eines hinter dem anderen, darauf, von ihm enthüllt zu werden. Er war ein Auspackkünstler besonderer Art geworden, denn weder Bilder noch Hüllen waren mehr greifbar; die Wirklichkeit, die für Menschenaugen sichtbare Wirklichkeit, hatte sich schon längst zurückgezogen. Er aber entschleierte Schatten von Schatten, über deren Dimensionen genaueste Instrumente ihn indirekt versicherten. Sehen konnte man eigentlich nichts. Als er jung war, hatte er beschlossen, sich der Erforschung des Lebens zu widmen. Große Hoffnungen wurden eine kleine Gegenwart; so maskierte sich der Beruf als Berufung. Erinnerte er sich überhaupt noch, welcher Art die Worte waren, die über seinem Anfang standen? Kam das kalte Schaudern im Rückgrat jemals noch über ihn? Oder war er nichts als ein automatischer Greifarm, der alles zerfetzte, was dem Lebendigen anlag; der alles ergriff, was er nicht begreifen konnte? Registrator der Verwesung, kannte er das Leben nur als Tod: eine Negation, aus der er seine positiven Gedanken bezog.

II

Unbegreifliches Geheimnis? Vor vielen Jahren war er diesen Worten begegnet, als er einmal in einem Philosophischen Wörterbuch die recht nutzlose Definition des Wortes »Leben« nachlas. Da fand er ein Zitat aus Hegels *Jenenser Logik*: »Am Leben gehen dem Denken . . . schlechthin alle seine Gedanken auf; die Allgegenwart des Einfachen in der vielfachen Äußerlichkeit ist für die Reflexion ein absoluter Widerspruch, ein unbegreifliches Geheimnis.«

Damals war er jünger, und die Warnung des weisen Mannes bekümmerte ihn bis auf ein angenehmes Gruselgefühl nur wenig. Denn er war zum Naturforscher erzogen und er hatte gelernt, daß es die eigentliche Aufgabe der Naturwissenschaften war, »der Natur ihre Geheimnisse zu entreißen«. Dabei fühlte er sich nicht einmal als ein Handtäschchendieb, sondern als kühner Reisender auf wilden und finsteren Kontinenten. Außerdem war er voll guter Hoffnung. »Was nicht ist, wird werden«, sagte er sich, »alles kommt«. So viel gab es zu entdecken; jede Arbeit, die er las, überschüttete ihn mit den herrlichsten Fragezeichen. Wenn er nur das geeignete Netz fände, würde er sie alle einfangen. Auch war er nicht allein, sondern von vielen gleichgestimmten Sammlernaturen umgeben.

Jahrzehnte später und nach Tausenden engbedruckter Seiten war er weitergekommen und war doch nicht weiter. Namen waren durch viele andere ersetzt worden, die ihrerseits zahllose neue Bezeichnungen erzeugten. Er hatte die Dunkelheit zerfasert, aber sie war dunkel geblieben. Er hatte der Natur einige Geheimnisse entrissen, aber eigentlich wäre es auch ohne Entreißen gegangen, denn erstens wurden sie von der Natur gar nicht so fest zurückgehalten, und zweitens war es nicht die Natur. Manchmal, in einem lichten Augenblick, fragte er: »Was macht man mit einem entrissenen Geheimnis, wo hebt man es auf?« Und er mußte zugeben, daß es jetzt so viele Diebe gab, daß keiner mehr Hehler sein wollte.

III

Ich verlasse jetzt die keineswegs autobiographische Skizze und betrachte die Frage aufs unallegorischste. »Leben« gehört zu jenen Wörtern, von denen ein jeder glaubt, daß er sie verstehe; aber vernünftig erklären kann er sie nicht. (So ähnlich ging es dem Heiligen Augustinus beim Wort »Zeit«.) Beim Versuch, das Leben zu definieren, führen die Wörterbücher geradezu tautologische Affentänze auf. Solange es noch eine Seele gab, hatten sie es allerdings etwas leichter. So der klare und knappe Samuel Johnson: »*Life:* Union and co-operation of soul with body; vitality; animation, opposed to an *inanimate stage*.« Oder »*To live:* To be in a state of animation; to be not dead«[1]. Ähnlich auch noch Sanders[2] (»das beseelte Dasein, die ein solches Dasein wirkende Kraft«) oder, ohne sich auf etwas festzulegen, Heyne[3] (»Führung eines Daseins aus innerer Kraft«). Das allerneuste Wörterbuch[4] gibt schließlich jeden Versuch einer Definition auf und tautologisiert ohne Erröten (»Das *Leben*: das Lebendigsein, Existieren) — (*lebendig*: lebend, am Leben«). Nur die Franzosen (Littré, Robert, Larousse) und die Amerikaner (im »Großen Webster«) bemühen sich wenigstens, solche Gesichtspunkte, wie die Organisation der Materie und die Fähigkeit zu Stoffwechsel, Wachstum, Vervielfältigung, usw., zur Definition heranzuziehen.

Es wird sich, denke ich, herausstellen, daß es unmöglich ist — und heute mehr als je —, eine hinreichende Definition des Wortes, und daher auch des Begriffes, »Leben« zu geben. Daß es heute soviel schwerer ist, kommt daher, daß wir bereits auf einige Jahrhunderte biologischer Forschung zurückblicken können, und daß infolgedessen das Gestrüpp von Tatsachen und scheinbaren Tatsachen, das jeder Erklärer durchqueren muß, undurchdringlich dicht geworden ist. Wie immer man das Leben zu erklären versuchen mag, es wird immer eine Reihe von Fakten geben, die in die Definition nicht hineinpassen. Es geht mit der Naturforschung wie mit den zusätzlichen neunhundert Füßen, die *the centipede* auf seiner Reise von England nach Deutschland, wo er als »Tausendfüßler« eintraf, hinzuerworben hat: es sind eigentlich immer die gleichen Füße, aber irgendwie muß Platz für sie gefunden werden, denn sonst ist man nicht auf der Höhe seiner Zeit.

In alten Zeiten, so scheint es mir, war man nicht auf Erklärungen bedacht. Die Schöpfungsgeschichte geht unmittelbar zur Sache: »Und Gott sprach / Es errege sich das Wasser mit webenden und lebendigen Thieren / und mit Gevogel / das auff Erden und unter der Feste des Himels fleuget.« Und bevor Sokrates sein Katz-und-Maus-Spiel mit dem Intellekt begann, brauchte die Frage nach der Entstehung des Lebens dessen Definition nicht einzuschließen. So z. B. Anaximandros (611-546 v.u.Z.): ». . . die Lebewesen seien aus dem Feuchten entstanden, das unter der Einwirkung der Sonne verdunstete; der Mensch sei ursprünglich einem anderen Lebewesen, dem Fische, ähnlich gewesen«[5].

Die Kardinalfrage »Was ist Leben?« — sie lieferte Schrödinger den Titel für sein kleines, schönes, einflußreiches Buch[6] — muß im Laufe der Jahrtausende oft gestellt worden sein; vielleicht nicht ganz so oft, wie man jetzt glauben würde, denn frühere Zeiten waren weniger fragelustig. Die Antwort wechselte, wie zu erwarten, mit den Zeiten, hätte sich aber auf die eine oder andere, nicht unbedingt umkehrbare Gleichung reduzieren lassen; etwa: Körper + Seele = Leben; oder, denn der Mensch war immer anthropozentrisch: Mensch – Seele = Tod. Oder auch, um den objektiven Anforderungen experimentierfreudiger Zeiten entgegenzukommen: Körper + Pneuma = Leben, wobei offengelassen bleibe, ob »Pneuma« manchmal mehr dem lateinischen *spiritus* entsprach und manchmal eher unserem Wort »Luft« oder »Atem« oder gar »Sauerstoff«*.

---

* In diesem Zusammenhang möchte ich auf ein vor kurzem erschienenes, materialreiches und zugleich seltsam primitives Buch von C.U.M. Smith hinweisen, das die Entwicklung biologischer Denkmethoden schildert.[7]

Über die Luft oder einen ihrer Bestandteile als lebensnotwendigen Stoff konnte man diskutieren, ja man konnte sogar Versuche darüber anstellen. Erst die Entdeckung anaerober Mikroorganismen stellte die absolute Notwendigkeit der Luft — oder eigentlich des Sauerstoffs — in Frage. Manchen muß jedoch bald aufgefallen sein, daß die zuletzt angeführte Gleichung nicht umkehrbar war; sie mußte lauten: Körper + Pneuma → Leben; ein ersticktes Tier wurde durch erneute Luftzufuhr nicht wiederbelebt; es verweste. Und daß es — gegenüber der Eintönigkeit des Geborenwerdens — so überaus viele Todesarten gab, muß früh die Überzeugung herbeigeführt haben, daß Leben etwas ganz Besonderes sei, der Phantasie, der Dichtung, der Meditation viel zugänglicher als der Forschung. So wird denn auch noch heute das Leben durch den Tod definiert und dieser durch jenes.

IV

Denn das Lebendige wird immer auf der Folie des Todes gesehen. Was der junge Geist wohl zuerst gewahr wird, ist der Wechsel: das Sprießen der Blätter und ihr Fall, das Blühen der Natur im Frühling und ihr Welken im Herbst, der Schnee und seine Schmelze, die immer breiter werdende Quelle und ihr Münden als Fluß, das Altwerden der Eltern und ihr Sterben. Aber die Blätter kommen wieder und die Eltern nicht; ewig sprudelt die Quelle; jedes Jahr fällt Schnee. Es muß sehr lange gedauert haben, viele Jahrtausende, bis ein Mensch und dann ein anderer zu ahnen begann, daß auch die ewige Wiederkehr vielleicht nicht ewig sei, sondern unterworfen einem der Kürze des menschlichen Lebens weit überlegenen Bogen von Wechsel und Verfall*.

---

* Vom zweiten Lehrsatz der Thermodynamik hat — so glaube ich mich zu erinnern — Einstein gesagt, er sei das einzige Naturgesetz, von dessen ewiger Unumstößlichkeit er überzeugt sei.

Das wachsende Kind sieht sicherlich das Leben, lang bevor es vom Tod erfahren hat; aber erst dann wird es jenes bewußt erkennen. Ich würde sagen, es ist das Gewahrwerden der Leben und Tod zusammenhaltenden eisernen Klammer, das den Eintritt des Individuationsprozesses bezeichnet.

Schöpfungsmythen haben wahrscheinlich den Anfang aller Völker begleitet, und trotz den Anstrengungen der exakten Wissenschaften sind sie noch immer irgendwie am Leben, wenn auch verschämt und uneingestanden; vielleicht weil die meisten Menschen mehr von Adam und Eva gehört haben als von ihren Urgroßeltern. Jedenfalls bildet die Schilderung der Schöpfung des Lebens und insbesondere des ersten Menschen einen wichtigen Bestandteil dieser Geschichten. Als die Vorsokratiker, z. B. Anaximander, Anaximenes oder Empedokles, über die Entstehung und sogar die Entwicklung der Lebewesen nachdachten, blickten sie gewiß auf eine ungeheure, uns nicht mehr zugängliche Reihe von Sagen, Aussprüchen und Vorschlägen zurück. Die Frage »Was ist Leben?« muß vor ihnen allen aufgestanden sein; aber ich glaube nicht, daß sie beim Versuch einer Antwort ohne weiteres zum Mikromanipulator oder zum Elektronenmikroskop gegriffen hätten, wären diese schönen und nützlichen Apparate ihnen zugänglich gewesen. Die Frage ist so riesenhaft, und sie greift so unmittelbar in den Bereich des Unsagbaren, daß ein Keckheitsinkrement von vielen Jahrhunderten sich zuerst ansammeln mußte, bevor man an experimentelle Antworten auch nur denken konnte, Antworten, deren Zahl und Aussagekraft auch unter den besten Umständen in einem grotesken Mißverhältnis zu der Unermeßlichkeit der Erscheinung stehen mußten.

Ein toter Riese erschlägt keine Fliege. Das müssen auch die Neandertaler bemerkt haben; aber vielleicht erwogen sie die Möglichkeit — oder hatten sogar von Präzedenzfällen gehört — ihn mit Hilfe von Magie wieder zum Leben zu bringen. Die Wunder der modernen Wissenschaft haben uns den Glauben an Wunder geraubt. Das war nicht immer so;

und ich kann mir leicht vorstellen, daß der hundertste Geburtstag des Apollonios von Tyana mit noch mehr Inbrunst gefeiert wurde, als es kürzlich Einstein widerfahren ist. Schließlich aber starb auch Lazarus. Sogar die gläubigsten Christen müssen das gewußt haben, und also auch, daß es eine Kraft gibt, die größer ist als die aller Wunder. Diese Kraft will ich jedenfalls nicht Zufall nennen, denn Zufall ist nur die Gottesfurcht der Gottlosen, und wir bewegen uns in andern Sphären.

V

Ganz abgesehen von den vielen übertragenen Formen, in denen die Wörter »Leben« und »Tod« gebraucht werden, haben sie eine jedem Menschen verständliche konkrete Bedeutung, wenn er auch unfähig sein mag, sie in deutliche Worte zu fassen. Eine Mutter, die einem Kind »das Leben geschenkt hat«, weiß sehr gut, was sie ihm geschenkt hat. Vom neuen Hündchen, das lustig mit dem Schwanz wedelt, sagt man, es sei voller Leben; aber wenn der böse Mann es ertränkt hat, sagt man nicht, jetzt sei es voller Tod, denn »es«, das weiß jedes Kind, ist nicht mehr hier, sondern woanders.

Zwischen der Erkenntnis, daß das Leben etwas Besonderes ist, und dem ersten Versuch, es zu verstehen oder zumindest zu erklären, muß ein sehr langer Zeitraum vergangen sein; wie lange, kann ich nicht sagen, aber gewiß viele zehntausend Jahre. Jedenfalls muß es früh aufgefallen sein, daß man das Leben zwar aus der Entfernung beobachten, aber nicht eigentlich untersuchen kann. Wollte man wissen, was das lebende Tier im Kopfe habe, so war es tot. Wollte man sehen, was den Menschen atmen mache, so atmete er nicht mehr. Vielleicht ist es auch nicht so gewesen, denn ich bin mir bewußt, daß es mir völlig unmöglich ist, mich in das Jahr −1000 oder −500 zu versetzen; und selbst wenn die schriftlichen Quellen nicht so spärlich wären, würden sie mir wenig nützen.

Trotzdem will ich den Vorsokratikern — dem, wie Nietzsche sie nennt[8], »bestverschütteten aller griechischen Tempel« — einen kurzen Besuch abstatten. Ich komme nicht mit leeren Händen, denn ich habe die neuesten Lehrbücher eingepackt — Noah-artig, von jeder Wissenschaft ein Paar — und dazu noch einige unserer vulgär illustrierten, populären Zeitschriften, damit Heraklit etwas zum Schaudern hat. Aber noch bevor ich Gelegenheit gehabt habe, sie auf unsern Wissensgipfel emporzugeleiten, merke ich schon, daß das nicht leicht sein wird, denn die Vorsokratiker, von der Mittelmeersonne weise gebrannt, waren vielleicht die tiefsten Naturphilosophen, die es je gegeben hat.

Nach kurzem Einblick kann ich den Empfang voraussagen, den sie den von mir ausgebreiteten »hyperboreischen Eseleien«, wie sie es nannten, bereiten werden. Keine Einwände gegen die Mathematik, wenige gegen die Experimentalphysik, obwohl Demokrit die Kernphysik abscheulich fand; Zustimmung zur theoretischen Physik, besonders zur Quantenmechanik, die sie lobend als »geradezu metaphysisch« bezeichneten; mitleidiges Staunen über die Chemie — »ein freier Mann stinkt nicht«, sagte einer; scharfer Spott über Psychologie und Lachkrämpfe über künstliche Intelligenz; ziemliches Verständnis für Geologie und Paläontologie. Auf die lebhafteste Ablehnung stießen die meisten Fächer der Biologie, mit Ausnahme der deskriptiven und klassifizierenden Teile der Zoologie und Botanik. Darauf komme ich bald zurück. Alles in allem war der Schock geringer als ich gedacht hätte, aber das Mitleid größer. Ein vernünftiger Mann sollte etwas Besseres zu tun finden. Insbesondere die Beweiskraft wiederholter Versuchsergebnisse wurde angezweifelt. Je weniger eine Wissenschaft sich auf Experimente stützte, desto besser gefiel sie ihnen.

Wenn ich an die Vorsokratiker denke, kommen mir die Verse Hölderlins in den Sinn: »Reif sind, in Feuer getaucht,

gekochet / Die Frücht . . .« Für sie war das Geheimnis der
Welt in die Klarheit der Welt eingebaut. Hinter dem archai-
schen Lächeln standen die Trauer der Weisheit, die Weisheit
der Trauer. Gerne hätte ich ihr Wissen gelernt, und noch fast
lieber ihr Nichtwissen.

VI

Gekräftigt durch den Traumbesuch bei den weisen Alten
wende ich mich zu der Frage: kann man das Leben studieren? Zu dieser Frage pflege ich zu bemerken, daß ich zuerst
wissen muß, was unter »studieren« verstanden wird und was
unter »Leben«. Wenn mit Studieren eine wissenschaftliche
Untersuchung gemeint ist, so kann man natürlich alles
untersuchen, nur kommt nicht immer gleich viel heraus. Es
gibt nämlich geeignete und weniger geeignete Forschungsob-
jekte; wenn aus keinem andern Grunde, so aus dem, daß die
Rezeption desselben Forschungsergebnisses zu verschiedenen Zeiten ganz verschieden ausfallen kann. Das kann so
weit gehen, daß gewisse Befunde manchmal überhaupt nicht
zur Kenntnis genommen werden, wie es bei den Anfängen
der Genetik der Fall war. Außerdem könnte man darauf
verweisen, daß, wenn die Biologie, oberflächlich betrachtet,
wirklich das Studium des Lebens vorstellt, es jedenfalls
zahlreiche Menschen gibt, die sich als Biologen bezeichnen.
  Wenn wir uns auf die Naturwissenschaften beschränken,
können wir mehrere, von Grund aus verschiedene Formen
der Untersuchung unterscheiden. Die unverbindlichste, am
wenigsten störende Art der Erforschung ist die Beobachtung
der Erscheinungen von außen; sie greift auf keine Weise in
die Phänomene ein und beschränkt sich auf die Aufzeich-
nung, und höchstens noch auf die Deutung dessen, was
gesehen worden ist. Dieses Verfahren würde ich als *reine
Beobachtung* klassifizieren. Große Teile z.B. der Paläontologie, der Astronomie (zumindest wie sie früher betrieben

wurde), der Geographie, aber auch der Ethologie scheinen mir dieser Gruppe, die im allgemeinen nicht zu der Formulierung von sogenannten Naturgesetzen führt, anzugehören. In Alexander von Humboldt und J. H. Fabre erkenne ich vielleicht Beispiele für Forscher dieser Art; wobei zu bemerken ist, daß es nur selten vollkommene Muster geben kann, denn wir leben in einer höchst gemischten Welt.

Daher ist die Grenze zwischen reiner Beobachtung und derjenigen, die ich *deduktive Beobachtung* nennen möchte, nicht leicht zu ziehen. In beiden Fällen wird der störende Eingriff des Experimentes vermieden; aber während die erste Gruppe sich im wesentlichen mit der Registrierung des Beobachteten zufrieden gibt, versucht die zweite, von allgemeinen Gesetzen auszugehen oder neue Gesetze abzuleiten und die Erscheinungen der Natur in bestimmte Klassen einzuteilen. Wesentlich bleibt jedoch noch immer, daß die Erforschung keine Veränderung des Erforschten bewirken kann. Es gibt viele Beispiele, aber ich beschränke mich auf wenige Namen: Kepler, Newton, Einstein, und wenn man will, auch Darwin. Sogar Sigmund Freud wäre dazuzurechnen, wenn man von der Psychotherapie absieht, was allerdings schwerfällt. Es ist jedoch schon bei dieser Forschungsrichtung nicht immer leicht, deduktives und induktives Denken auseinanderzuhalten, eine Schwierigkeit, die bei der Erwägung der weiteren Untersuchungsformen immer größer wird.

Diese sind alle durch das wachsende Vorherrschen der *Induktion* gekennzeichnet. Es hätte wenig Sinn, diese Formen im einzelnen zu charakterisieren, denn sogar in derselben wissenschaftlichen Disziplin verändern sie sich je nach dem besonderen Gegenstand der Untersuchung. Handelt es sich um Messungen, wie in der Experimentalphysik oder der physikalischen Chemie, so gilt in vielen Fällen die Heisenbergsche Unsicherheitsrelation. Die Messung selbst stört den zu messenden oder zu wägenden Zustand; eine Überlegung, die wahrscheinlich von geringerer Bedeutung für die reine Chemie ist als für die Biochemie. In der Chemie, besonders in der organischen, aber auch in der anorganischen, spielen zwei Verfahrensweisen eine viel größere Rolle als in den meisten anderen Naturwissenschaften: die *Analyse* und die *Synthese*. Diese bietet ein gutes Beispiel für das von mir erwähnte Ineinandergreifen von Deduktion und Induktion. Der Plan der Synthese einer organischen Substanz verfährt deduktiv, indem er sich auf eine Reihe allgemeiner chemischer Gesetze stützt, aber aus den vielen besonderen Ergebnissen können induktiv neue allgemeine Regeln abgeleitet werden.

Wenn wir uns der Biologie, also der Erforschung des Lebens, zuwenden, verändert sich die Sachlage abrupt. Das kommt daher, daß wir das Leben eigentlich nur an einer einzigen Eigenschaft erkennen können: daß es vorübergeht, daß es vergänglich ist. Man könnte sagen, daß wir das Leben meistens in seiner Antithese, im Tod, studieren. Auf den durchaus möglichen Einwand, daß wir die Kategorie des Lebens überhaupt nicht verstehen, und daß das Wort »Tod« nur das vokabularische Antonym des Wortes »Leben« ist, will ich vorläufig nicht eingehen.

VII

Ist Leben ein Singular? Was haben der Mensch und der Colibazillus gemeinsam? Die Antwort auf diese Frage wird sehr verschieden ausfallen, je nachdem, ob man einen Philosophen oder einen Mikrobiologen befragt. Besser gesagt, sie wäre früher verschieden ausgefallen, denn jetzt sind wir alle in derselben mechanistischen Brühe gekocht. Die Einheitlichkeit des Lebens bei solcher Vielfalt, die Vielfalt bei so viel Einheitlichkeit, sie sind das große Geheimnis, auf das Hegels von mir eingangs zitierte Worte anspielen. Daran hat sich trotz den seither vergangenen, von naturwissenschaftlicher Riesenarbeit erfüllten 175 Jahren wenig verändert. Um das konzeptionelle Versagen der Wissenschaft gegenüber dem Leben zu erklären, habe ich vor kurzem eine etwas phantastische Überlegung gewagt[9], die ich hier wiederholen möchte:

> Die Hilflosigkeit der Naturwissenschaften vor dem Leben hat jedoch meines Erachtens tiefere Gründe. Es ist wahrscheinlich kein Zufall, daß unter allen Wissenschaften es die Biologie ist, die ihren eigentlichen Gegenstand nicht zu definieren vermag: wir besitzen keine wissenschaftliche Definition des Lebens. In der Tat werden die genauesten Untersuchungen an toten Zellen und Geweben vorgenommen. Ich sage es nur zögernd und furchtsam, aber es ist nicht ausgeschlossen, daß wir hier einer Art von Ausschließungsprinzip gegenüberstehen: unsere Unfähigkeit, das Leben in seiner Wirklichkeit zu erfassen, mag der Tatsache zuzuschreiben sein, daß wir selbst am Leben sind. Wäre dies so, dann könnten nur die Toten das Leben verstehen; aber sie publizieren in andern Zeitschriften.

Da die Molekularnekromantie noch nicht eine etablierte Wissenschaft ist, will ich mit diesen Überlegungen nicht fortfahren, sondern lieber darauf hinweisen, daß die Einzahl »Leben« eigentlich nur durch die Negation gewährleistet ist. In jeder andern Hinsicht ist es die alles überströmende Vielfachheit des Lebendigen, die uns immer wieder erstaunt. Ich würde vielleicht meine Kompetenz überschreiten, wenn ich sagte, Leben sei eines, aber das Lebendige eine Myriade. Und doch mag es so sein. Aber dann würde ich auch sagen, daß man nicht das Leben erforschen kann, sondern nur das eine oder andere Lebendige. Dagegen sträubt sich jedoch der Integrationsdrang der induktiven Wissenschaften. In einem begrifflich begrenzten Gebiet wie der Chemie ist es nicht allzu schwer, eine hinreichende Anzahl von Prämissen anzuhäufen, so daß der immer wieder nötige Sprung zur Verallgemeinerung, zum Gesetz gewagt werden kann. Nicht so in der Erforschung des weit offenen Lebens, von der ich sagen

würde: je bescheidener das Unterfangen, um so wahrschein-
licher der Erfolg.

Mit der folgenden Bemerkung, die er an den Rand eines
Buches schrieb, hat William Blake sicherlich nicht an die
Wissenschaften gedacht, und schon gar nicht an die Biologie,
die es damals noch fast nicht gab*: »To Generalize is to be
an Idiot. To Particularize is the Alone Distinction of Merit.
General Knowledges are those Knowledges that Idiots pos-
sess«[10]. Als Blake in visionären Zeiten zweimal den »Geist
eines Flohs« zeichnete, war es ein zwar furchterregender,
aber durchaus realer Anblick; und ich bin gewiß, daß er in
der, wie ich gerne glaube, anatomisch korrekten Wiedergabe
nicht den Geist aller Flöhe darzustellen meinte**. Jedenfalls
will ich im folgenden nicht von der Erforschung des Lebens
sprechen, sondern von der Untersuchung des Lebendigen.
Wie erscheint das Lebendige dem mit allen Wassern des
Materiellen Gewaschenen?

VIII

Von den reinen Beobachtern des Lebendigen, die es sozusagen von außen betrachteten, also von einem Linné oder
Buffon, einem Brehm oder Fabre, aber auch von einem
Tinbergen oder von Frisch, will ich hier nicht reden. Das soll
eher als ein Zeichen der Achtung angesehen werden, denn
für mich sind das Beispiele ehrlichster Naturforschung der
alten Observanz. Es müßte aber ein ungewöhnlicher Mole-

---

* Die Bezeichnung »Biologie« ist nicht alt: sie wurde 1802 anscheinend
gleichzeitig von Treviranus in die deutsche und von Lamarck in die
französische Sprache eingeführt und erscheint 1813 im Englischen. Was
man damals Physiologie nannte, war allerdings dem ähnlich, was wir jetzt
Biologie nennen.
** Diese Zeichnungen Blakes sind leicht zugänglich in Kathleen Raines
schönem Buch, S. 178 und 179[11].

kularbiologe sein, der diese Art von Forschung noch als Biologie anerkennen würde. Schon daß die Objekte sichtbar sind, disqualifiziert sie fast. Es gibt ganze biologische Institute, deren Mitglieder das Leben nur im Zoo gesehen haben. Sie erziehen Jüngere, die es auch nicht mal vom Mikroskop her kennen. Des Kaisers allerneueste Kleider lassen ihn nicht einmal nackt erscheinen, sondern er ist unsichtbar und vielleicht gar nicht vorhanden.

Was die Aufmerksamkeit der Wißbegierigen oder Neugierigen — oder wie sonst man die ersten Lebensforscher nennen will — zuerst erregte, wird die Vielfalt der Äußerungen des Lebens gewesen sein, die unzähligen Formen und Farben, in denen es erscheint. Es ist kein Zufall, daß Goethe, dessen »sonnenhaftes Auge« das Weltall mit dem Geiste eines großen Dichters sah — und sind nicht Kunst und Dichtung die wahrste Blüte des Lebendigen? — die Bezeichnung »Morphologie« geprägt hat. So waren es denn auch Forschungen auf dem Gebiet der vergleichenden Anatomie, die die Vorstellungen über die Vielfalt und die Einheit des Lebendigen beeinflußten. In der *Kritik der Urtheilskraft* (§ 80) schreibt Kant:

Es ist rühmlich, vermittelst einer comparativen Anatomie die große Schöpfung organisierter Naturen durchzugehen, um zu sehen: ob sich daran nicht etwas einem System Ähnliches und zwar dem Erzeugerprincip nach vorfinde; ohne daß wir nöthig haben, beim bloßen Beurteilungsprincip (welches für die Einsicht ihrer Erzeugung keinen Aufschluß giebt) stehen zu bleiben und muthlos allen Anspruch auf *Natureinsicht* in diesem Felde aufzugeben. Die Übereinkunft so vieler Thiergattungen in einem gewissen gemeinsamen Schema, das nicht allein in ihrem Knochenbau, sondern auch in der Anordnung der übrigen Theile zum Grunde zu liegen scheint, wo bewundrungswürdige Einfalt des Grundrisses durch Verkürzung einer und Verlängerung anderer, durch Einwickelung

dieser und Auswickelung jener Theile eine so große Mannigfaltigkeit von Species hat hervorbringen können, läßt
einen obgleich schwachen Strahl von Hoffnung in das
Gemüth fallen, daß hier wohl etwas mit dem Princip des
Mechanismus der Natur, ohne welches es überhaupt
keine Naturwissenschaft geben kann, auszurichten sein
möchte. Diese Analogie der Formen, sofern sie bei aller
Verschiedenheit einem gemeinschaftlichen Urbilde
gemäß erzeugt zu sein scheinen, verstärkt die Vermu-
thung einer wirklichen Verwandtschaft derselben in der
Erzeugung von einer gemeinschaftlichen Urmutter durch
die stufenartige Annäherung einer Thiergattung zur
andern, von derjenigen an, in welcher das Princip der
Zwecke am meisten bewährt zu sein scheint, nämlich dem
Menschen, bis zum Polyp, von diesem sogar bis zu Moo-
sen und Flechten und endlich zu der niedrigsten uns
merklichen Stufe der Natur, zur rohen Materie: aus welcher und ihren Kräften nach mechanischen Gesetzen
(gleich denen, wornach sie in Krystallerzeugungen wirkt)
die ganze Technik der Natur, die uns in organisirten
Wesen so unbegreiflich ist, daß wir uns dazu ein anderes
Princip zu denken genöthigt glauben, abzustammen
scheint.[12]

So »speculierte« denn der scharfe Philosoph in seinem
»kalten, leeren Eishimmel«, wie Herder in einem Brief an
Hamann (28. 2. 1785) schrieb, in einem nicht unberechtigten
Anfall von Wut über seinen alten Lehrer[13]. Viel hat Kant
hier vorherspekuliert. Da saß er, zwischen den leeren Wän-
den seines kahlen Hauses, als einziger Schmuck ein Porträt
Rousseaus, und sah die Evolutionslehre voraus, den
Triumphlauf eines radikalen Reduktionismus, die völlige
Mechanisierung der lebenden Natur. Freute er sich über das
Kommende? Wahrscheinlich nicht, denn er pflegte den
Sturm der Gefühle zurückzudrängen; er war ein denkender
Kristall.

IX

Da die Medizin im wesentlichen eine praktische Form der *ars moriendi* vorstellt, mag es bedauerlich erscheinen, daß die Erforschung der Lebensvorgänge durch viele Jahrhunderte in den Händen der Ärzte war. Tatsächlich war das unvermeidlich, denn die Möglichkeiten für das höhere Studium derjenigen, die sich der Biologie widmen wollten, wiesen alle in die Richtung der Medizin. Erst gegen Ende des 18. Jahrhunderts und noch mehr im 19. Jahrhundert begannen die verschiedenen biologischen Disziplinen sich schärfer voneinander abzuheben. Die Zeit der großen Klassifikatoren war zu Ende, und die Zoologie und die Botanik, die Physiologie und die Anatomie, aber auch die Pathologie begannen sich dem einzelnen zu widmen. Für die Erforschung des einzelnen war das hauptsächliche Instrument der Biologie, bevor sie noch diesen Namen trug, besonders geeignet. Das Mikroskop eröffnete viele Wunder, und es begann der Abstieg in die Dezimalen; ein vielleicht verhängnisvoller Abstieg, denn es sieht nicht aus, als könnte er jemals enden.

Im Laufe der Untersuchungen am lebenden Gewebe sah man vieles, was man sehen wollte, und vieles, was nicht da war, denn die frühen Mikroskope waren sehr unvollkommen. Die Fasern und Kügelchen, und was sonst noch man zu sehen glaubte, waren vielfach Artefakte. Und doch hatte Robert Hooke schon 1665 die Zellen des Korks beschrieben. Dennoch mußten 175 Jahre vergehen, bevor Schleiden und Schwann die Zelle als die grundlegende Einheit des Gewebes wahrscheinlich machten. Rudolph Virchows berühmtes Postulat *omnis cellula e cellula* prägte die wichtige Erkenntnis.

Wäre es die Absicht dieser Zeilen, die historische Entwicklung der Biologie zu schildern, so müßte ich jetzt weitergehen zu der Entdeckung der einzelligen Lebewesen und sogar der Viren. Ich ziehe es jedoch vor, das Geheimnis des Lebendigen von einer andern Seite zu beleuchten oder, wie einige Leser vielleicht finden werden, zu verdunkeln.

Das Staunen über den Erfindungsreichtum der Natur kann verschiedene Formen annehmen. In Lichtenbergs bekanntem Ausspruch ist die Teleologie zu Ende gedacht: »Er wunderte sich, daß den Katzen gerade an der Stelle zwei Löcher in den Pelz geschnitten wären, wo sie Augen hätten.«[14] (Allerdings machte er nicht den zusätzlichen Schritt: zu sagen, daß Katzen mit Augenlöchern an andern Stellen von der Natur als untauglich ausgeschieden worden wären.) Überhaupt war Lichtenbergs Zeitalter groß im Lobe der Zweckmäßigkeit und dabei noch, im Gegensatz zu Lichtenberg, oft äußerst humorlos. (Nicht zufällig sind die Vereinigten Staaten von Amerika ein Kind jenes Jahrhunderts.) Wenn für La Mettrie der Mensch eine Maschine ist, so vergißt er, daß das Leben nicht aus dem Zweck kommt, sondern der Zweck aus dem Leben. Hier, wie so oft, erwies sich die herrliche Aufklärung als eine Verfinsterung. Dennoch wäre sie, denke ich, den wissenschaftlichen Errungenschaften unserer Tage eher gewachsen gewesen als wir es sind.

Gegen Ende des 18. Jahrhunderts fanden das Staunen über das Lebendige, die Bewunderung, ja die Vergottung der Natur ihren Ausdruck in Philosophie und Dichtung. Zahlreiche, oft sehr disparate Einflüsse wirkten auf diesen Aufschwung: Spinoza, Rousseau, aber auch Newton. In vielerlei Hinsicht erreichte der Enthusiasmus seinen Höhepunkt in der romantischen Bewegung, die ganz Europa ergriff; und aus vielen, nicht zur Veröffentlichung bestimmten Aufzeichnungen, z. B. von Novalis oder Coleridge, läßt sich das ablesen. Am stärksten, am umfassendsten findet sich die lyrische Belebung der Natur in Goethes Werken ausgedrückt. Goethe war vielleicht der letzte große Amateur der Naturforschung. Da bald nach ihm der grimmigste Expertismus ausbrach, hat er es seither büßen müssen, und so mancher Esel hat ihm völlig rechtmäßig beweisen können, daß er in diesem und jenem unrecht gehabt hat. Dennoch fällt es mir schwer einzuräumen, daß wer ein gesamtes Bildwerk überschaut, nicht mehr gewinnt als die, welche das eine oder andere winzige Steinchen des Mosaiks auf Hochglanz polieren; denn nie wieder wird ein ganzes Bild daraus werden. Auf der Jagd nach Splittern ist uns die erhabene Figürlichkeit des Lebenden verloren gegangen.

Es handelt sich jetzt nämlich nicht nur darum, die Splitter zu numerieren, sondern auch herauszubekommen, woraus sie gemacht sind. Wir kennen keine lebendigen Gestalten mehr, wir kennen nur Bestandteile, aber von diesen wollen wir immer mehr wissen. Viel mußte geschehen, bevor wir solche Fragen stellen konnten, zahlreiche neue Wissenschaften mußten entstehen. Zuerst gab es mehr Zaubermeister als Lehrlinge, dann blieben nur die Lehrlinge übrig, und schließlich nur die Besen.

X

Um, was ich die Splitter genannt habe, numerieren zu können, muß man sie zuerst haben. Dazu sind eine große Anzahl von Bereitungs-, Isolierungs- und Darstellungsverfahren notwendig. Auf diesen Gebieten sind in den letzten fünfzig Jahren sehr große Fortschritte erzielt worden, so daß viele Dinge, von denen man sich nie hätte träumen lassen, alltäglich geworden sind. Damit hat allerdings die in jeden Fortschritt eingebaute Banalisierung Schritt gehalten. Mit wenigen Ausnahmen geht bei der Untersuchung der Bestandteile lebender Organismen das Wesentliche, das Leben, verloren. Dieser Verlust wird von den Wissenschaften, die sich mit dem Präfix »Bio-« zieren, gerne in Kauf genommen, denn sie haben sich dazu überredet, daß dabei nichts Wichtiges abhanden gekommen sein kann, jedenfalls nichts Wäg- und Meßbares. Die wenigen Produkte der Lebensprozesse, deren Bereitung kein Todesurteil einschließt, sind z. B. bei den Tieren und Menschen: Blut, Haar, Nägel, Ausatmungsgase, Kot und Harn. Von diesen hat die Untersuchung der Blutkörperchen und des Plasmas, und im Falle von Pflanzen der Blätter, viel zu den gegenwärtigen Vorstellungen vom Leben beigetragen. Bei fast allem andern — ob es sich nun um ganze Organe handelt oder um einzelne spezifische Zellarten, um den Rohbau oder den Feinbau — ist der Tod in die Kalkulation eingeschlossen. Er ist so sehr nicht eingestandener Bestandteil aller Gleichungen, daß er schweigend weggelassen wird. *De minimis non curat scientia!**

Da es gelungen ist, eine beträchtliche Anzahl verschiedener spezifischen Zellen längere Zeit in einer Art von Scheinleben zu erhalten, werden jetzt solche Zellkulturen viel verwendet und haben begonnen, die vormals ubiquitären Bakterienkulturen aus den Laboratorien zu verdrängen. Ich spreche von Scheinleben, denn die Ernährungs- und Wachstumsbedingungen, unter denen die Zelle im gesamten Organismus existiert, sind von denen in der Kulturflüssigkeit sehr verschieden; und, was noch wichtiger ist, sogar ohne die Massenpsychologie der Zellen studiert zu haben, ist es für mich gewiß, daß die Loslösung eines Teilchens aus einem Ganzen nicht nur dieses, sondern noch viel mehr jenes verändern muß. Das gilt natürlich für jeden Bestandteil eines Lebewesens, denn auf die Vorstellung von einem Organismus ist der Gemeinplatz, daß das Ganze größer sei als die Summe seiner Teile, besonders anwendbar. Wenn der Begriff der Entelechie jetzt verhöhnt wird, so geschieht das zum Schaden der Wissenschaft.

Jedenfalls hat man mit Hilfe von Röntgenstrukturanalyse, Elektronenmikroskopie und einigen andern physikalischen Methoden viel über die Feinstruktur biologischer Materialien lernen können. Ich würde jedoch sagen, daß diese schönen Untersuchungen und die dabei erzeugten schönen

---

* Das ist nur im oberflächlich witzigen Sinne wahr, denn heutzutage kümmert sich der wahre Naturwissenschafter ganz besonders um das Allerkleinste; vielleicht in der Hoffnung, daß im Hohlraum der winzigsten, nur elektronenmikroskopisch sichtbaren Faser das Leben sitzt und ihm entgegenlacht.

Bilder wenig zum Verständnis des Lebens beigetragen haben; sie haben es lediglich illustriert oder, wenn man will, ästhetisiert. Für die Wertschätzung des Schönheitssinns der Schöpfung hätten mir Bilder von Blüten genügt oder D'Arcy Thompsons einzigartiges Buch[15]. Andererseits — und das gilt für alles, was ich in diesem Aufsatz und in diesem Buch sage — bin ich immer dankbar dafür, wenn etwas von dem Geld, das sonst für noch mehr nukleare Unterseeboote und dergleichen ausgegeben würde, an die Forschung geht. Eine Verbesserung der Lebensbedingungen der Höhlenbewohner unserer Großstädte wäre mir allerdings noch lieber.

Während die Strukturwissenschaften sehr viele Auskünfte über die Form einzelner Substanzen geliefert haben, haben sie zum Verständnis eines der größten Geheimnisse des Lebendigen, seiner besonderen Gestalt, recht wenig beigetragen. Ob das Unbelebte — Stein und Wasser, Luft und Licht — uns nur deshalb so einheitlich vorkommt, weil wir am Leben sind, weiß ich nicht. Die charakteristische Form aller Lebewesen — »ein jegliches nach seiner Art« — muß jedoch schon in den allerfrühesten Zeiten offenkundig gewesen sein. Warum der Elefant einen Rüssel hat und der Habsburger eine eigenartige Lippe, warum jeden Tag der Ruf »Ganz der Papa!« so manchen Neugeborenen begrüßt, kann man mir zwar erklären, aber verstehen kann ich es nicht.

Was jedoch die Art von Stoffen betrifft, aus denen die lebende Materie zusammengesetzt ist, so hat eine Wissenschaft, die erst im Laufe des 19. Jahrhunderts großjährig wurde, Wesentliches zum Verständnis beigetragen. Ich spreche von der Chemie.

XI

Nicht umsonst hieß die Chemie, welche die Lehre von den Stoffen ist, in alten Zeiten die Scheidekunst, denn sie ist die Lehre von den reinen Stoffen und von deren Beziehung zueinander. Reinheit erfordert Trennung; aber in der Natur herrscht der Begriff der Reinheit nicht: in ihr ist alles miteinander verflochten. Auf den ersten Blick würde man daher sagen, daß die Chemie eine unnatürliche, dem Leben fremde Wissenschaft ist, die, was die Natur zusammengetan hat, auftrennen oder zerreißen muß. Und in einem gewissen Sinne ist das wahr, aber es gilt fast für alle Naturwissenschaften. Jene bekannten Bäume des Paradieses haben sich als Giftbäume herausgestellt. Es ist jedoch ein derart gewohnheitsbildendes Gift, daß wir uns gar nicht vorstellen können, wie wir ohne es leben könnten.

Zucker und Fett waren in verschiedenen Formen schon seit uralten Zeiten bekannt, ebenso der Alkohol, und besonders seine Wirkung. Natürlich war nichts davon im chemischen Sinne rein. Aber es war, glaube ich, im 18. Jahrhundert, als zwischen den »mineralischen Stoffen« und den aus lebenden Organismen erhältlichen oder von ihnen ausgeschiedenen Substanzen unterschieden wurde. Das war im wesentlichen die Unterscheidung von anorganischer und organischer Chemie.* Mit Bezug auf diese sprach man oft von »Tierchemie« (Berzelius 1813, Liebig 1842).

---

* Angesichts des vorher in Abschnitt IX Gesagten mag es von Interesse sein, daß der Ausdruck »Organische Chemie« sich zuerst in den Studienheften des Novalis finden läßt. Ich kenne zwei Stellen, wo diese Bezeichnung vorkommt. Z. B. im »Allgemeinen Brouillon« (Nr. 135) aus den Jahren 1798/9: »Sauerstoff — Basis des Mineralreichs.
Hydrogen — Basis des Metallreichs.
Kohlenstoff — vegetabilische Basis.
Stickstoff — thierische Basis.
Da entständen vielleicht — 4 Chymien — 2 chemische Philosophieen. Die Eine vom Stickstoff herunter — zum Oxigène — die andre umgekehrt. Dem einen wäre die Natur ein unendlich modificirtes Oxigène — dem andern ein unendlich modificirter Stickstoff . . . Ox und Hydr auf Einer Seite — Kohlenstoff und Stickstoff auf der andern — anorganische und Organische Chemie.«[16]
Der metaphorisch-allegorische Amoklauf ist charakteristisch für die gesamte romantische Naturwissenschaft.

Wie so oft, ging die Analyse der Synthese voraus, und zuerst fand man es schwer sich vorzustellen, daß die von lebenden Organismen hergestellten Substanzen auch außerhalb derselben zubereitet werden können. Als diese Möglichkeit jedoch verwirklicht war und die ersten echten chemischen Laboratorien ihre Arbeit aufnahmen, ging es sehr schnell. Die organische Chemie, die in den Wörterbüchern noch immer als die Chemie der Kohlenstoffverbindungen beschrieben wird, ist weit über den Bereich der in lebenden Zellen angetroffenen Verbindungen hinausgewachsen und hat mit den unzähligen, synthetisch herstellbaren Substanzen aus Kohlenstoff, Wasserstoff, Sauerstoff, Stickstoff, Phosphor, Schwefel usw. eines der imposantesten Gedankengebäude der Wissenschaft errichtet; ein Gebäude, in dessen meilenlangen Korridoren viele Esel Rollschuh laufen können, ohne den Verkehr zu behindern. Sie hat allerdings auch, in ihrer industriellen Anwendung, mehr Schaden für die Umwelt und das Leben der Menschen gestiftet als die von ihr hergestellten Medikamente beheben können. Wie so oft im Leben: der Segen wird häufiger zum Fluch als der Fluch zum Segen.

Lange bevor die Chemie gelernt hatte, sich mit den zahlreichen, in lebenden Zellen vorkommenden — oder zumindest aus ihnen herstellbaren — Verbindungen zu befreunden, begann eine Unterabteilung der Chemie sich als selbständige Wissenschaft abzuzeichnen, die zuerst physiologische Chemie und später Biochemie hieß.* Nun haben alle exakten, ja alle Naturwissenschaften eine Eigenschaft gemeinsam, nämlich, daß die in ihnen zu einer bestimmten Zeit vorherrschenden Lehrmeinungen immer die Kompliziertheit des Beobachteten unterschätzen. Sie kämpfen, könnte man sagen, die Napoleoni-

* Die Bezeichnung »Biochemie« wird gewöhnlich erst unserem Jahrhundert zuerkannt. Ich war daher überrascht, das Adjektiv »biochemisch« bereits in der 1824 gehaltenen, wundervollen Antrittsrede des Johannes Müller zu finden, auf S. 38 des Wiederabdrucks dieser Ansprache bei v. Uexküll.[17]

schen Kriege mit den Waffen des Siebenjährigen Krieges. Wer das erkennt, wird als Phantast verunglimpft, und von ihm gelten die Worte, bei denen Jean Paul gewiß an etwas ganz anderes dachte:

> Ein *Vater* und Schöpfer der Zeit wird sehr bald deren Zuchtmeister und Feind; indeß ihr bloßer *Sohn* nur ihr Schüler und Schmeichler wird.[18]

So ging es auch mit der Chemie. Sie ist eine zerlegende Wissenschaft, bestrebt, alle Erscheinungen auf den einfachsten Nenner zu bringen. Als sie jedoch zum Leben vordrang — oder zu dem, was sie unter Leben verstand — mußte sie umlernen.

XII

Die Chemie ist vielleicht die realste aller exakten Naturwissenschaften. Weniger als die meisten andern leidet sie an metaphysischen Bauchschmerzen. Keine Wissenschaft kann ohne Axiome auskommen, auch nicht die Chemie; aber sie schafft sich besser Rat mit ihnen als z. B. die Physik. Als eine Art von Buchhalter oder Bücherrevisor der Wissenschaften ist die Chemie vielleicht etwas phantasielos und steif; aber sie ist gut wie Gold, unbedingt zuverlässig, peinlich sauber, kein Stäubchen wird geduldet. So sind auch ihre Bücher immer tadellos in Ordnung: die Atomgewichte, das Periodische System der Elemente, die schönen, harmonischen Strukturen der organischen Chemie und all die Konstanten, genau auf viele Dezimalen. Vielleicht hat das erprobte Faktotum ein besseres Gewissen als es haben sollte, aber das ist eine andere Geschichte.

Jedenfalls — und ich habe das schon früher erwähnt — sieht es auf den ersten Blick so aus, als ob das Lebendige, indem es sich dieser treuen und sauberen Hausgehilfin anvertraute, an die Falsche geraten sei. Denn nichts ist, chemisch gesehen, unsauberer als das Leben. Trotzdem erwies sich das Treuhandverhältnis des Lebendigen zur Chemie als sehr erfolgreich, d. h. es kamen viele Publikationen heraus, und viele Forscher bezogen und beziehen ihr dürftiges, aber sicheres Brot aus dieser Verbindung. Das kommt daher, daß die Wissenschaften, wie das Wasser, dorthin fließen, wo es hinuntergeht — im Falle der Chemie zu den meßbaren Abgründen der Genauigkeit, den wägbaren Winzigkeiten.

Während der lebende Organismus ein Kontinuum ist — seine einzige Grenze der Tod —, müssen die einzelnen Wissenschaften trennen, unterscheiden. Eine jede gräbt sich ihren Schacht, der selten den einer andern kreuzt. Es gibt demnach eine Stufe, auf der das Lebendige ganz chemisch, eine andere, auf der es ganz physikalisch gesehen wird; die Zytologie und die Genetik, die Immunologie oder die Virologie, die Nervenphysiologie oder die Mikrobiologie: sie treiben alle ihre Gänge, ein jegliches nach seiner Art. Die Interessengemeinschaft, zu der sie sich vereinigt haben, die Molekularbiologie, ist eigentlich nur eine Dachorganisation, deren Mitglieder das gemeinsam haben, daß sie das Leben studieren, indem sie es ignorieren.

Es wäre nicht uninteressant, sich mit der Frage zu befassen, warum es die Chemie, bzw. die Biochemie ist, die heutzutage die führende Rolle in der Erforschung des Lebens übernommen hat. Ich würde sagen, daß das der mechanistisch-materialistischen Richtung zuzuschreiben ist, welche die Naturwissenschaften seit etwa der Renaissance eingeschlagen haben. Zuerst wollte man wissen, woraus das Lebendige besteht, und erst dann, wie sich die Bestandteile zueinander verhalten, um die Bedingung des Lebens zu gewährleisten. Das gilt allerdings hauptsächlich seit dem 19. Jahrhundert. Früher fragte man, unter dem Einfluß der großen Fortschritte der Physik, mehr nach der Mechanik des Lebens (Descartes, La Mettrie). Das Buch des Algarotti *Il newtonianismo per le dame* war schließlich einer der großen Erfolge der Rokokozeit.

Im allgemeinen werden naturwissenschaftliche Fragen erst kurz vor dem Zeitpunkt gefragt, an dem ihre Beantwortung möglich ist. So konnte sich die Biochemie auch dann erst entwickeln, als die organische und physikalische Chemie genügend vervollkommnet waren.

Der Aufbau einer Zelle — und ich meine immer die lebende, oder, besser, die gelebt habende Zelle — kann auf zwei Arten betrachtet werden: erstens auf Grund der verschiedenen chemischen Verbindungen, aus denen sie zusammengesetzt ist; zweitens auf Grund der morphologisch und funktionell unterscheidbaren Organelle, die an ihrem Bau teilhaben. Hier will ich von der ersten Klassifikationsart sprechen, der chemischen.

Obwohl, wie ich früher ausgeführt habe, es eigentlich verboten ist zu generalisieren, muß man das manchmal tun; wenn aus keinem andern Grunde, so aus Platzmangel: sonst würde sich dieser kurze Essay zu einem Ungeheuer von zehntausend Seiten aufblasen, und gescheiter wäre man dann auch nicht. Man kann also sagen, daß die einzige uns bekannte Form von Leben im Wasser vor sich geht: der hauptsächliche Bestandteil aller Gewebe ist das Wasser. In dieser Beziehung haben wir das Urmeer nie verlassen, an das der Salzgehalt unseres Blutes uns immer erinnert. Dieses Wasser ist nicht nur das Lösungsmittel, worin die Reaktionen des Stoffwechsels stattfinden, sondern es ist auch teilweise ein unerläßliches Strukturelement der verschiedenen hochmolekularen Substanzen, aus denen die Zelle besteht.

Während also etwa 70 % des Gewebematerials aus Wasser besteht, ist der Rest hauptsächlich in vier Substanzgruppen unterteilbar, die ich in meinen Vorlesungen meistens als die plastischen Zellbestandteile vorstellte. Diese sind 1) die Eiweißstoffe oder Proteine; 2) die Polysaccharide; 3) die Nukleinsäuren; 4) die Lipoide. Die Proteine bestehen im wesentlichen aus Aminosäuren, die Polysaccharide aus Zuckern, die Nukleinsäuren aus Purinen, Pyrimidinen und Zuckerphosphorsäuren, die Lipoide sind fettähnliche Verbindungen. Die ersten drei Gruppen bestehen zum Teil aus Substanzen von sehr hohem Molekulargewicht und sind im Prinzip löslich in

Wasser. Die Lipoide sind nur in verschiedenen organischen Flüssigkeiten löslich. Manche dieser plastischen Bestandteile sind in der Zelle miteinander verknüpft; man kennt Mukoproteine, Nukleoproteine, Lipoproteine, aber auch Lipopolysaccharide. Das Widerspiel von Hydrophilie und Hydrophobie ist sicherlich ein Kennzeichen des Lebendigen. Dazu kommt noch eine Fülle von in geringer Konzentration auftretenden Verbindungen, die meisten unerläßlich für die Lebensfunktionen und für die besondern Leistungen differenzierter Zellen.

Jede der hier angeführten vier Hauptgruppen umfaßt eine riesige Anzahl verschiedener Verbindungen, besonders die Gruppe der Proteine. Manche Moleküle erfüllen strukturelle, manche metabolische Aufgaben, viele beides. Das Wort »Aufgabe« ist möglicherweise von mir in die Betrachtung hineingetragen worden: selbst wenn wir versuchen, eine ego- oder anthropozentrische Denkweise zu vermeiden, biozentrisch sind wir alle. Vielleicht ist es falsch, von der Aufgabe des Lebens zu sprechen — manche würden es einen Fluch nennen — ebenso wie man nicht sagen kann, daß es die Aufgabe des Seienden ist zu sein. Vielleicht sollte ich den Komtur im *Don Giovanni* befragen, was er von all dem hält.

XIII

Mit dem Anwachsen der Forschung ist die Kompliziertheit der ans Licht gebrachten Phänomene ungeheuer gewachsen. Wäre Einfachheit wirklich das Siegel der Wahrheit, so müßte man schließen, daß wir in die falsche Richtung gehen, daß die biologische Forschung sich immer weiter vom Begriff oder von den Begriffen des Lebendigen entfernt, sich hinunterschraubend in ein Pseudoparadies, für das früher der Name Hölle gebräuchlich war. Alle Wege führen nach Rom; aber wenn ich von Paris ausgehe, nehme ich lieber den Weg über Genua als über Smyrna. Oder ein vielleicht zutreffenderes Bild: Nehmen wir an, daß ich einen Blinden vor eine Statue stelle, ihm einen Hammer in die Hand gebe und ihn auffordere herauszufinden, worum es sich da handle. Der naive, seinem Instinkt folgende Blinde wird den Hammer weglegen und sich auf sein Tastgefühl verlassen, der wissenschaftlich Begabte wird eifrig draufloshämmern und dann, ratlos die Trümmer befühlend, verlangen, man solle sie einer chemischen Analyse unterziehen. Welcher ist der Wahrheit nähergekommen?

Der Chemiker mag das abgetötete Gewebe wie ein Bergwerk behandeln, aus dem er neue chemische Stoffe zutage fördert; er wird wenig über das Leben lernen, aber die Chemie bereichern. Wenn ein Biologe das gleiche tut, hat er unrecht; und noch mehr der Arzt, der sein ambitiöses Hobby als Dienst am Kranken verkleidet. Aus dem großen Geldaufwand der letzten Jahrzehnte hat daher nach meiner Meinung die Biochemie, insoweit sie Chemie ist, mehr gewonnen denn als Zweig der Biologie.

Jedenfalls waren es die Eiweißstoffe, deren Kenntnis zuerst rasch zuzunehmen begann. Dabei galt es, am Anfang ein großes Hindernis zu überwinden, das darin bestand, daß die Mehrheitsmeinung der Forschung nicht willens war, die Existenz von Verbindungen von sehr hohem Molekulargewicht, also von Hochpolymeren, anzuerkennen. Die Bereitstellung der notwendigen physikalischen Apparatur, z.B. der Ultrazentrifuge, half, den Widerstand zu überwinden. Später kamen genaue Verfahren zur Bestimmung des Gehalts an den verschiedenen Aminosäuren, zur Festlegung der Anordnung der Aminosäuren in den Proteinketten, zur Abzeichnung der Molekularstruktur mit Hilfe der Röntgenkristallographie usw. Zahlreiche Proteine sind als chemische Verbindungen jetzt völlig beschreibbar.

Schon früher war man übereingekommen, daß viele Proteine eine lebenswichtige Funktion besaßen, indem sie als Enzyme, als Biokatalysatoren tätig waren. Ohne sie sind unsere gegenwärtigen Vorstellungen über die Chemie der Lebensvorgänge nicht denkbar. Als man Erfahrungen über die unglaubliche Spezifität enzymatischer Reaktionen zu sammeln begann und erkannte, daß diese auf einer spezifischen Struktur des betreffenden Enzymproteins beruhten, erhob sich die Frage, auf welche Weise diese Spezifität bei der immer wieder erfolgenden Erneuerung des Zellinhalts und bei der Fortpflanzung der Spezies erhalten bleibe. Mit andern Worten, wie konnte die von der Genetik erforschte Übertragung erblicher Eigenschaften auch die Erhaltung spezifischer chemischer Strukturen einschließen?

Die Arbeiten eines der großen Unbekannten in der Geschichte der Biologie lieferten die Antwort auf diese Frage. Ich habe oft von Oswald T. Avery gesprochen, z. B. in meinem Buch »Das Feuer des Heraklit«[9], in dem ich auch die Wirkung beschrieb, die er auf mein eigenes Denken ausübte. Eine vor kurzem erschienene Schilderung dieses ausgezeichneten Mannes ist lesenswert[19]. Um es kurz zu sagen, Averys Forschungen machten aus der Vererbungslehre eine chemische Wissenschaft, indem sie es wahrscheinlich machten, daß die Gene — die von der Genetik postulierten Erbeinheiten — aus Desoxyribonukleinsäure (DNS) bestehen. Daß es viele DNS-Moleküle von für die Spezies charakteristischer chemischer Zusammensetzung gibt, wies dann mein Laboratorium nach.

Man nimmt demnach an, daß die vererblichen chemischen Eigenschaften einer Zelle von ihrer DNS gesteuert werden. Bei den Eiweißstoffen ist die Wirkung, an der auch verschiedene Formen der Ribonukleinsäure (RNS) teilhaben, recht unmittelbar; in bezug auf die anderen, früher erwähnten Substanzgruppen ist man noch im Ungewissen. Das wird im allgemeinen nicht eingestanden, denn der Verallgemeinerungszwang ist in den meisten Naturwissenschaften ungeheuer stark geworden.

Die Forschungen der Molekularbiologie — eines Konglomerats, worin die Biochemie, die Strukturforschung, die Biophysik, die Genetik, die Mikrobiologie, die Immunologie, die Virologie und was nicht noch alles miteinander vermischt sind — werden mit sehr großer Intensität und noch größerem

Kostenaufwand vorangetrieben*. Dabei hat sich etwas Seltsames herausgestellt, was ich schon vor Jahren so formuliert habe: »Je mehr wir wissen, um so weniger wissen wir.« Kaum ist ein Prinzip festgelegt und in der DNS-Kette des Genoms mühsam untergebracht worden, so findet sich schon das Antiprinzip, für das wieder neue Kontrollelemente gefunden werden müssen, und das geht so endlos weiter, bis alle vergessen haben, wonach sie eigentlich ausgegangen waren. Faktoren und Kofaktoren, Kontrollen, Inhibitoren, Initiatoren und vieles mehr; und für ein jedes wieder ein ganzes System von Enzymen und Faktoren, für die alle wiederum der Erbapparat verantwortlich sein soll: wahrlich ein tropischer Regenwald, aus dem hie und da die Hilferufe der Suchenden matt erschallen.

XIV

Am Ende dieses Weges steht dann der blinzelnde Homunkulus und friert. Denn darauf ist man aus, so höre ich. Wie oft habe ich schon von der »Schöpfung des Lebens im Reagenzglas« gelesen? Mit von der Ewigkeit triefenden Fingern werden sie etwas zusammengestoppelt haben, was sie Leben nennen. Das »unbegreifliche Geheimnis«, das Lebendige, »das nach Flammentod sich sehnet«?

Es ist der Fluch kritik- und hemmungsloser Induktion, daß jedes Experiment ein neues angebliches Naturgesetz aufstellt. Ich bin sicherlich nicht der einzige, der die Natur vor lauter Naturgesetzen nicht mehr sieht. Dabei ist das meiste, was man

---

* Was Johannes Müller vor mehr als 150 Jahren in der früher erwähnten Bonner Vorlesung[17] von der vergleichenden Anatomie sagte (S. 51), verdient in einem neuen Zusammenhang wiederholt zu werden:

Eine neue herrliche Wissenschaft ist geboren und sie läuft Gefahr, inmitten ihrer Ausbildung in ihrer höheren Bestimmung verkannt, zu einer überflüssigen, nicht einmal nützlichen Kenntnis zu werden. Wenn es Aufgabe ist, in diesem Sinne die Wissenschaft zu bearbeiten, so wird sie bald zu einem Chaos von Kenntnissen gewachsen sein, in denen kein lebendiger Gedanke ist.

gefunden zu haben vorgibt, halb erlogen und halb gepfuscht.

Das hindert jedoch nicht den Triumphzug des Reduktionismus. Ob Helmholtz die Forscher der Gegenwart als seinen Nachwuchs erkennen und anerkennen würde, weiß ich nicht. Sie sind weiter gegangen als er gewagt hätte. Die Vorstellung, daß das Leben auf Grund der Prinzipien der Physik und Chemie erklärt werden könne, ist allgemein. Ebenso die Behauptung, daß die Bedingung des Lebens erfüllt sei, sobald die Makromoleküle des Zellinhaltes einen gewissen Grad der Kompliziertheit erreicht haben, so daß sie sich dann gleichsam automatisch zu einem morphologisch einzigartigen Gebilde zusammenschließen. Auf diesem Wege fortschreitend — das Leben ein schmutziger Mischkristall—, geht man immer tiefer in die Dezimalen; und wenn man schließlich alle Bestandteile einer Zelle im garantierten Originalzustand beisammen hat, wird man sie in den richtigen Verhältnissen mischen, und der Brei wird »Papa!« schreien.

Nun ist zwischen Erklären und Verstehen ein großer Unterschied; und wie man wagen kann, etwas zu erklären, was man nicht versteht, habe ich nie begriffen. In der heutigen Biologie ist es aber so, und da sie alles, was sie macht, zu einem Triumph erklärt, ist gegen sie nicht aufzukommen. Manchmal kommt es allerdings vor — z. B. bei den zahlreichen »Vorfällen« (ein neues Synonom für »Unfall«) in den Atomkraftwerken —, daß der Fachmann sich in seiner ganzen Nacktheit präsentiert; und ich fasse wieder Mut. Vorläufig jedenfalls hat die Wissenschaft mehr Leben zerstört als geschaffen. Sie zerbricht sich aber gerne den Kopf darüber, ob es noch irgendwo im Weltall Leben gebe. Die Suche nach »extraterrestrial intelligence« wäre eindrucksvoller, wenn die sie Ausführenden etwas mehr »terrestrial intelligence« gezeigt hätten. Die an den albernen Experimenten Beteiligten waren aber nur Astrognomen.

An dem öden Streit zwischen Reduktionisten und Antireduktionisten habe ich nie eine rechte Freude gehabt, selbst dann nicht, als die Vorzeichen noch umgekehrt waren und man von Vitalismus und Antivitalismus sprach. Die einen reden aus halbem Wissen, die andern aus halbem Gefühl. Zum Beispiel muß ja nicht alles heute geschehen, und es ist denkbar, daß in zweihundert oder dreihundert Jahren neue physikalische und chemische Gesetze hinzugekommen sein werden, auf Grund deren die »Erklärung« des Lebens möglich sein wird. Jedenfalls steht es einer Zeit, da die Physik selbst Schwierigkeiten hat, einige ihrer eigenen Beobachtungen aus ihren eigenen Regeln zu erklären, nicht zu, sich darüber besondere Sorgen zu machen.

Außerdem ist es sehr wahrscheinlich, daß das Leben zu den Begriffen gehört, die man weder erklären kann, noch zu erklären braucht; ebenso wenig wie es einen Sinn hätte mir zu erklären, wie Mozart sein d-Moll-Quartett geschrieben hat. Die szientistische Tünche, die auf unser Dasein geschmiert worden ist, hat zu den Freuden unseres unseligen Zeitalters nicht beigetragen.

Der Streit zwischen den beiden Lagern läßt sich etwa auf die folgende Gleichung bringen: Leben = Physik + Chemie + x + y + z. Die Reduktionisten leugnen die Existens von x, y und z, bestenfalls mit dem Eingeständnis, daß wir in der Physik und Chemie noch nicht ganz so weit sind. Was sich hinter diesen Unbekannten verbirgt, werden sie sagen, ist, was man die Organisation der Zelle nennen kann. Die Zellwand und die Membranen, das Zytoplasma mit seinen Mitochondrien und Mikrosomen, der Zellkern mit seinen Chromosomen — bereite sie unversehrt, bringe sie alle in die richtige Lage zueinander, und du bekommst eine lebende Zelle. Es klingt wie ein technisches Problem. Da man bei manchen Phagen und Viren die Selbstvereinigung isolierter Bestandteile zu einer morphologisch komplizierteren Gestalt beobachtet hat, scheute man sich nicht, der Natur einen Grad von Automatismus zuzutrauen, vor dem frühere Jahrhunderte zurückgeschreckt wären.

Die biologischen Wissenschaften sind gegenwärtig so sehr von reduktionistischem Denken durchwachsen, daß sie sich seiner nicht mehr bewußt sind. Ebenso wie Molières Monsieur Jourdain erstaunt ist zu hören, daß er sein ganzes Leben lang in Prosa geredet hat, wären viele Biologen überrascht zu erfahren, sie seien Reduktionisten. Die meisten machen sich überhaupt nicht viele Gedanken, denn ihre Bibel, fürchte ich, ist Jacques Monods *Zufall und Notwendigkeit*, eines der leersten Bücher, die mir begegnet sind.

Diese Gedankenrichtung hat auch dazu geführt, daß die lebende Zelle jetzt häufig als ein Computer angesehen wird. Man sagt z. B., sie sei für die eine oder andere Leistung »programmiert«. Als Träger des »Programms« wird meistens die DNS angerufen. Wer als Programmierer der sich selbst vervielfältigenden Datenverarbeitungsmaschine auftritt, wird nicht gesagt; ich nehme aber an, es ist der Herr Zufall, der, von der *dira necessitas* der Evolution getrieben, zufällig etwas Sinnvolles getippt hat. Daß das der Weg zur Massenverblödung ist, brauche ich nicht näher auszuführen.

Dieselbe Richtung, die die Zelle als Maschine betrachtet, schreibt andererseits verschiedenen Bestandteilen der Zelle Eigenschaften zu, die man gemeinhin dem Verstand vorbehält. So sagt man von mancher enzymatischen Reaktion, daß sie »auf- oder abgedreht« wird; eine Nukleotidkette wird richtig oder falsch »gelesen«, bzw. »transkribiert«; eine Zelle »begeht Selbstmord«; ein System funktioniert »fehlerhaft«; eine »Information« wird »übersetzt«, usw. Das auffälligste Beispiel sehe ich in der Verwendung des Wortes »erkennen«. Ohne die dem Lebendigen unterschobene Intelligenz könnte die gegenwärtige Biologie gar nicht auskommen. Ein Enzym »erkennt« sein Substrat, ein Hormon oder ein anderer Wirkstoff seinen spezifischen Rezeptor auf der Zelloberfläche. Ein seiltänzerischer Rücksprung ermöglicht es dann, auch die Gehirntätigkeit des Menschen als eine erweiterte Zellautomatik zu behandeln.*

---

* Ein überraschend frühes Beispiel für die klare Erkenntnis der sich hier abspielenden Hypostase findet sich in Pascals Fragment, das den Titel *Disproportion de l'homme* trägt (Pensées, Nr. 199, Lafuma).

Nun könnte man gegen all das einwenden, daß es überhaupt nichts mit dem Leben an sich zu tun hat, sondern nur gewisse Äußerungsformen des Lebendigen beschreibt; Lebensbedingungen, die sich genau so gut anderer Stoffe und anderer Verfahrungsweisen hätten bedienen können. Ich bin geneigt das zuzugeben, muß aber darauf hinweisen, daß trotz der enormen Vielfalt seiner Erscheinungsformen alles zu unserer Kenntnis gelangte Lebendige auf die vier von mir vorher erwähnten plastischen Substanzgruppen beschränkt zu sein scheint. Sogar die aus der Lebewelt ausgestoßenen Halbexistenzen, die jämmerlichen Viren und Phagen und ähnliches niedrige Geschwänze scheinen nichts anderes zu enthalten, obwohl oft nicht alle vier. Das bedeutet jedoch vielleicht nicht mehr als die Feststellung, daß alle Weingläser aus Glas sind, was nichts über die Qualität des in ihnen enthaltenen Weines aussagt. Es hat aber früher Leute gegeben, die sich mehr um den Wein als um die Gläser gekümmert haben. Da es diese ohne jenen geben kann, aber nicht umgekehrt, war die Forschung der letzten hundert Jahre, wie starr und stier sie auch oft gewesen sein mag, erfolgreicher als die wahrscheinlich edleren Bestrebungen der Vitalisten.

Vitalisten? »Ja aber gibt es das noch? Dann schon gleich Astrologie oder gar Antidarwinismus!« Natürlich gibt es alles; dafür sorgt die herrliche Vielfalt der Natur. Wie viele es sind — man nennt sie jetzt meistens Nichtreduktionisten —, weiß ich allerdings nicht; die Fragebogen der Volkszählungen haben sich noch nicht danach erkundigt. Außerdem sind sie erheblich eingeschüchtert, denn die erklärenden Wissenschaften, mit ihren vorläufigen Gewißheiten, haben sie überschwemmt. »Bis auf weiteres wissen wir mit Sicherheit das Folgende . . .«, das scheint das Motto unserer Zeit zu sein, denn im Orkus warten noch viele Dinge darauf, entdeckt zu werden.

Jedenfalls hat es immer Leute gegeben, die vor der Gleichung: Leben = Physik + Chemie + x + y + z das Gefühl, oder sogar die Überzeugung hatten, daß x + y + z das

Wesentliche am Leben seien; und andere, Kühnere, lassen sogar die Physik und Chemie ganz weg. In früheren Zeiten hätte man die »Kraft des Lebens« angerufen, die *vis vitalis*; später hat man von spezifischer Lebensenergie gesprochen.

XV

Was macht man mit einem Mann, der sagt: »*Ich weiß*«? Zuvörderst rückt man ihm mit Wittgensteinschen Schmetterlingsnetzen zu Leibe und erkundigt sich, woher er wisse, daß er wisse. (Konjunktive sind zur Verwirrung des Befragten besonders geeignet.) Stellt es sich allerdings heraus, daß er weiß, daß der Mond aus Käse besteht, so kann man mit spektroskopischer Gegenevidenz aufwarten und neuerdings leider sogar mit einer vollen chemischen Analyse einer Bodenprobe. Beharrt er auf seinem Wissen, so sperrt man ihn vielleicht in ein Narrenhaus und behandelt ihn mit einem der vorzüglichen Produkte der Schweizer Beruhigungsindustrie. Bald wird es ihm gleichgültig sein, woraus der Mond gemacht ist.

Schwieriger ist ein anderer Fall. Nehmen wir an, der Mann sagt: »Ich weiß, daß mein Erlöser lebt«. Es wird nichts nützen, wenn man ihm erklärt, daß das der Titel der 160. Kantate von Johann Sebastian Bach ist, einer Kantate, die ihm jedoch jetzt abgesprochen wird. Er wird mit Recht erwidern, daß die apokryphe Komposition ihn nichts angeht. Wenn man ihm jetzt mit erkenntnistheoretischem Kleingekröse kommt und ihn ersucht, zuerst einmal die Wörter »wissen, Erlöser, leben« genauer zu definieren, so wird er wahrscheinlich den Ausfrager hinauswerfen, *denn er weiß*. Das mag die Lage gewesen sein, in der sich tief denkende »Vitalisten« in der Vergangenheit befanden: ob aus Frömmigkeit, ob aus Weisheit — sie wußten.

In unserer Zeit sind die menschlichen Gemüter nicht fest, sie wanken nach oben und unten, nach vorne und hinten, nach rechts und links. Wenn es aber noch einen festen Geist gibt — und sei er noch so skeptisch —, nichts, was von außen kommt, wird ihn ins Wanken bringen, weder chemische noch Psychoanalyse, kein Spektrum, keine Gleichung, kein Mehrheitsbeschluß. Nur was sein eigenes Herz ihm vorschreibt, wird er aufheben und lesen; und vielleicht wird er Pascals schönen Satz wiederholen: »Le cœur a ses raisons que la raison ne connaît point.«

Ich weiß nicht, ob es je eine Zeit gegeben hat, die so sehr den Sinn für das Absolute verloren hat wie unsere. Einen Rest dieses Sinnes muß man sich jedoch erhalten haben, wenn man die Stärke haben soll, der Tyrannei des Exakten zu widerstehen. Für mein Teil bin ich gewiß nicht ein Vitalist, und ich denke nicht, daß weitere Forschung — ob in der bisher eingeschlagenen Richtung oder in einer andern — uns schließlich eine neue, dem Lebendigen eigentümliche Kraft enthüllen wird. Der Begriff »Kraft« selbst gliedert die Suche nach ihr in eine Mechanistik ein, die mit dem Lebendigen nichts zu tun hat. Ich betrachte hingegen die Erforschung der Äußerungs- und Erscheinungsformen des Lebendigen als ein legitimes Interesse der Wissenschaft; allerdings mit dem Vorbehalt, daß es höchst unwahrscheinlich ist, daß irgendetwas von dem, was wir finden, uns dem Verständnis des Lebens näherbringt. Die Natur zu erforschen, braucht nicht zu bedeuten, daß wir sie noch einmal erschaffen wollen, und noch dazu besser als das erste Mal. Es gibt Kontinente des Unbrauchbaren, des Nutzlosen, des Phantastischen, des Schönen, des Chaotischen, die zu bereisen zu den größten Wonnen des Geistes gehören kann. In diesem Sinne sind die Naturwissenschaften noch besser als das Schachspiel.

Wenn ich mich nicht immer gescheut hätte, irgendwelchen Vereinigungen oder Sekten als Mitglied anzugehören, könnte ich bestenfalls zugeben, daß ich ein milder, nichtdogmatischer Nichtreduktionist bin. Selbst wo ich die Wahrheit nicht erkennen kann, erkenne ich doch das vorschnelle, seichte Geplapper. Wenn ich auch nicht weiß, wer recht hat, fühle ich doch, daß die Bewohner des reduktionistischen Tiefplateaus unrecht haben. Es war nicht ohne Grund, daß ich mich schon vor Jahren als den »Timon von New York« bezeichnet habe. Leider wird es die Zukunft, die über Recht und Unrecht entscheiden könnte, nicht geben.

Ich bin weiß Gott kein Fachmann auf dem Gebiet des modernen Vitalismus, wenn es so etwas noch gibt, und habe seinen Debatten mit den viel lautstärkeren Vertretern des Reduktionismus nur mit halbem Ohr gelauscht. Diese sind fraglos in einem siegreichen Vormarsch begriffen, denn alle Einwände — und seien es die eines Driesch oder Spemann — werden jetzt mit der triumphalen Feststellung zurückgeschlagen, daß wir in der Desoxyribonukleinsäure endlich das magnetische Band für den Computer Leben gefunden haben. Die paradigmatische Maschine des 18. Jahrhunderts war die Uhr, die des 20. ist der Computer. (Im 19. Jahrhundert war es vielleicht die Dampfmaschine.)* Die DNS fungiert heute als ein wahrhaftiger *deus ex machina*, oder besser als *deus-machina*.

Allerdings verstehe ich nicht recht, was das mit dem Leben zu tun haben soll. Eigentlich sollte die DNS genau so gut im Tode funktionieren. Wenn man mir dann entgegenhält, daß auch der programmierte Streifen versagt, wenn dem Computer der elektrische Strom entzogen wird, so erwidere ich, daß wir hiermit wieder bei der *vis vitalis* angelangt sind, nämlich in diesem Falle bei der Elektrizität. Die schiefen Allegoriker haben jedoch manchen andern Vergleich parat, z. B. den der lebenden Zelle mit dem »Schnellbrüter«; aber darauf gehe ich nicht ein.

Die innere und äußere Mannigfaltigkeit der lebenden Natur ist so riesengroß, daß es schwer fällt einzusehen, daß ein recht primitiver Text, wie ihn ein bestimmtes DNS-Molekül vorstellt, für den unermeßlichen, sich immer wieder

---

* Es ist möglich, daß das Erzmodell des 22. Jahrhunderts das Rad sein wird, falls es zu jener Zeit bereits wieder erfunden ist.

erneuernden Formenreichtum der Organe in ein und demselben Organismus, nicht zu reden von der Unzahl verschiedener Lebewesen, verantwortlich sein kann.

Ein großer Dichter, der in seiner Art auch ein sehr bedeutender Naturforscher war, Goethe, stand an der Grenze zwischen der alten und der neuen Naturwissenschaft. Ich glaube nicht, daß sich für ihn jemals das Problem des Vitalismus oder Reduktionismus ergab. Immer wieder sprach er von dem tiefen Eindruck, den er vom Überquellen der Natur empfing.* Sie war der einzige Gottesbeweis. Einer der vielen Besucher brauchte nur etwas weniger lästig zu sein als sie meistens waren; und es drang nur so hinaus. So berichtet der Engländer H. C. Robinson in seinem Tagebuch vom 2. August 1829:

> No doubt, said he, but all truth comes from God, but when these people say that it is through the Church God announces truth, they are not aware that God speaks by and through everything. Every insect, every leaf has something to say.[21]

Jedes Insekt, jedes Blatt hatte für ihn seine besondere Sprache. Wäre er erfreut gewesen zu hören, daß diese Sprache DNS heiße?

XVI

Unter den gegebenen Umständen und in der unserm Jahrhundert angemessenen Zwangsjacke will ich nicht leugnen, daß der Desoxyribonukleinsäure wahrscheinlich eine wichtige Funktion zukommt. Ich will jedoch nicht sagen, daß ich

---

* Die enthusiastischste Darstellung in dem lange Zeit Goethe zugeschriebenen Aufsatz *Die Natur*[20] stammt nicht von ihm, sondern von G. C. Tobler, der die aus Gesprächen mit Goethe erwachsene Niederschrift 1782 im »Journal von Tiefurt« veröffentlichte.

weiß, was diese Aufgabe oder Aufgaben wirklich sind. Nimmt man an, daß die Erbeinheiten, die Gene, und vielleicht noch einiges andere in ihr verschlüsselt sind, so muß man schließen, daß die Natur eifrig darauf bedacht sein muß, dieses so überaus wichtige Lebenselement vor schädlichen Veränderungen zu bewahren. Wechsel und Veränderung sind in das Gefüge der Natur eingebaut, aber selten in Form von Katastrophen. Die Natur versucht vieles gleichzeitig und macht wenig ewig.

Nun scheinen sich aber die Nukleinsäuren, wie fast alle Zellbestandteile, während des Lebens fortwährend zu erneuern. Das Strömen im Verharren ist ein Anzeichen des Lebendigen: ein Wort nach dem andern wird ausgelöscht und fast immer durch ein völlig gleiches ersetzt. Aber manchmal geschehen doch Irrtümer, und um diese zu verhindern oder wiedergutzumachen, verfügt die Zelle über eine Fülle von Reparaturmechanismen, deren biochemische Untersuchung die Forschung ins Endlose gelockt hat und noch weiter lockt. Eine Veränderung des »Textes« der DNS kann, wenn sie an einem geeigneten Ort stattgefunden hat, zu einer Mutation führen. Was noch schwerer ins Gewicht fällt als diese spontanen Veränderungen ist die Tatsache, daß die Nukleinsäuren aus physikalischen und chemischen Gründen überaus empfindlich gegen alle Arten von Strahlen sind, z. B. gegen UV-Strahlen und besonders gegen ionisierende Strahlung. Auch mit verschiedenen chemischen Verbindungen, besonders den als mutagen erkannten, reagieren sie leicht.

Das enorme Anwachsen der chemischen Industrie mit der von ihr herbeigeführten Verschmutzung der Umwelt und, wahrscheinlich noch gefährlicher, das Überhandnehmen der Kernspaltung haben die Gefahren für das Überleben der Erbanlagen in unglaublicher Weise vergrößert. Wir ernähren uns mit Lebensmitteln, wir trinken ein Wasser, wir atmen eine Luft, deren Verschmutzung mit für die Nukleinsäuren gefährlichen Strahlen und Stoffen immer größer wird. Man kann sich fragen, ob unter diesen Umständen die von der Natur errichteten Schranken nicht im Begriffe sind zusammenzubrechen.

Unter Schranken verstehe ich nicht nur die Summe aller Reparaturmechanismen, sondern etwas weit darüber Hinausgehendes, welches das Lebewesen in seiner unveränderten Ganzheit sozusagen zusammenhält. Ich habe es einmal in einer Diskussionsbemerkung »das Gyroskop des Lebens« genannt. Wenn es so etwas gibt, kann es gewiß als wirkliche Bedingung des Lebendigen kein Gegenstand exakter Untersuchung sein, denn die Untersuchung würde es als erstes zerstören.

XVII

Es gibt Kategorien, vor denen unsere Grammatik versagt: Gott, Leben, vielleicht auch Zeit und Kraft, wahrscheinlich Tod, Anfang aller Dinge, Ewigkeit. Dieses »Donnerwort« hat schon Johann Rist sehr schön besungen, denn was man nicht sagen kann, davon kann man noch immer singen. Und so würde ich vermuten, daß man über den Sinn dieser Wörter viel mehr aus der lyrischen Dichtung lernen kann als aus Wörterbüchern der Philosophie oder der Naturwissenschaften. Wenn vollends zwei dieser Wörter zusammenkommen — Leben und Kraft —, wie soll man da mit ihnen fertig werden?

Ich glaube, daß wir einen viel zu engen Begriff vom Leben haben; auch unsere biologischen Wissenschaften sind auf den Augenblick zugespitzt. Man könnte sagen, daß das Leben nur als Werden erkannt wird und das Anorganische als Sein. Aber die Übergänge sind uns meistens verborgen. Wenn das Lebewesen stirbt, hört es auf zu werden und wechselt durch die Verwesung zum Sein hinüber. Den umgekehrten Weg ist nichts gegangen; oder es wäre richtiger zu sagen, daß wir den Weg vom Sein zum Werden nicht wahrnehmen könnten, wenn er mit sehr großer Langsamkeit vor sich ginge. Da wir das Werden messen zu können glauben, denken wir, daß wir auf diese Weise das Leben messen können, was jedoch nur in bestimmten Grenzen zutrifft. Der Eintagsfliege muß es erscheinen, daß sie das einzige lebende Wesen auf der Welt ist. Und umgekehrt, wenn wir von Lebewesen umgeben wären, deren Lebensspanne das Tausendfache der unsern ist, wüßten wir, daß sie leben? In diesem Sinne könnte man fragen: lebt nicht auch der Fels? — denn gegenüber den Größenverhältnissen der Welt sind wir selbst wissenschaftliche Eintagsfliegen. Unsere Instrumente und Apparate sind Abklatsche unserer eigenen Existenz. Die Quantensprünge der Ewigkeit gehen auf andern Skalen vor sich.

Ich habe vor Jahren diesen Gedanken Ausdruck zu geben versucht, in der verschlüsselten Form, die das autoritäre System der Naturwissenschaft auferlegt:

> . . . Can there be repeated events in a living system that are random? Can, for instance, heredity be based on randomness, except perhaps in the case of mutations? And even there, the randomness may be only apparent. It is possible that, when we are dealing with a very large number of very few components, the distinction between randomness and nonrandomness becomes impossible or even meaningless. One could even conceive of a »macro-randomness« being imposed on a large number of events which themselves all exhibit »micro-nonrandomness«. If someone drowns in a given river on a given date, this is random. But how can we be sure that the same drowning does not occur exactly every twelve hundred years? In other words, we possess not even a birds'-eye view, whereas what is needed is a distance of which we cannot even conceive; a distance for which theology has found other terms. Or to put it differently: in all of our work there will always be reached the point at which biochemistry ends and philosophy must take over.[22]

Ich habe im gegenwärtigen Aufsatz mehrmals die Überzeugung auszudrücken versucht, daß es ein strikt naturwissenschaftliches Verständnis des Lebens nicht geben kann. Nichtsdestoweniger besteht die Gefahr, daß eines Tages — oder vielleicht schon bald — irgendein zusammengewürfeltes Kunterbunt als »künstliches Leben« angesprochen und bejubelt werden wird.* Einige Freudenschreie dieser Art wurden auch schon früher vernommen; aber nachdem sie ihre Wirkung getan hatten, nämlich den vorgeblichen Lebensschöpfer mit hinreichenden Geldmitteln zu versehen, verstummten sie wieder. Wohl aber kann es eine wissenschaftliche Beobachtung des Lebens und seiner mannigfachen Äußerungen geben; und diese wird gewiß fortgesetzt und manchmal sogar vertieft werden. Dazu ist jedoch eine Art von Naturforscher notwendig, die fast ausgestorben ist.

Noch etwas anderes wird notwendig sein: eine größere Klarheit über den Sinn und das Ziel der Beobachtung des Lebendigen, und auch darüber, ob überhaupt von einem Ziel geredet werden kann. Wie es mir erscheint, haben Zielstrebigkeit und intellektuelle Gewinnsucht das Ziel vernebelt. Man darf nicht Botanik studieren, um einen Baum zu machen, ja nicht einmal Virologie, um ein Virus zu erzeugen. Unsere Knoten werden immer gordisch bleiben; daher sollte Wissenschaft eine Anbetung der Natur und nicht ein Kampf gegen sie sein. Wir müssen es erlernen, mit Unlösbarkeiten zu leben, sonst ertrinken wir in der Trivialität unzähliger erklärbaren Winzigkeiten. Die Betrebungen der heutigen Molekularbiologie erinnern mich an den Mann, der versuchte, die winzigen Splitter einer zertrümmerten griechischen Vase zu einem Nachttopf mit Rosenbordüre zusammenzukitten.

---

* Genau so wie es den Erforschern der »künstlichen Intelligenz« immer mehr an der natürlichen zu fehlen scheint, kann man voraussagen, daß das »künstliche Leben« immer künstlicher und immer weniger Leben sein wird. Der Begriff des Sakrilegs ist zwar der gegenwärtigen Forschung unbekannt, aber irgendwie wird Hybris durch Verdummung gerächt. *Pars brevis, vita longa*: das Teilchen zum Ganzen zu erklären hat sich nie gelohnt.

»Also, was ist Leben?«, fragt mich der gelangweilte Doktorand. Im Gegensatz zu Schrödinger kann ich darauf nur erwidern: »Ich weiß es, weil ich es nicht weiß; ich verstehe es, weil ich es nicht verstehe.« Gleich Lessing ziehe ich die Suche nach der Wahrheit bei weitem dem Besitz der Wahrheit vor, denn die Sehnsucht ist viel mehr ein Teil des Lebens als die Erreichung. Im Buch des Lebendigen zu lesen, kann ein großer Genuß sein und eine lehrreiche Erfahrung; aber nur, wenn man sich davon zurückhält, jede Seite mit Randbemerkungen und Korrekturen zu verzieren, oder sie gar nach der Lektüre auszureißen und wegzuwerfen.

Ich kann unter Umständen das einzelne Lebendige beobachten und beschreiben, aber über das Leben kann ich nur metaphorisch nachdenken. Es erscheint mir als ein ungeheuerer, ein unendlicher Strom, an dem alles Lebendige teilhat. Das einzelne Lebewesen ist nur ein Gefäß, ein System von Rezeptoren. Das Gefäß zerbricht, die Rezeptoren verkümmern, der Strom fließt weiter. Er ist ewig; er wird nicht mehr noch weniger; er war vor allen Gefäßen da und wird sie überdauern. Das Gefäß stirbt, aber nie der Inhalt. Liebe und Phantasie, Sehnsucht und Hoffnung, Mitleid, Erbarmen und Erlösung: sie sind die Stellen, an denen Strom und Gefäß einander berühren. Ein kleiner Schimmer davon, eine blasse Erinnerung reichen aus, um ein ganzes Leben zu erhellen.

[1] S. Johnson, *A Dictionary of the English Language*, 6. Aufl., Bd. 2 (London, 1785). »LEBEN (Hauptw.): Vereinigung und Zusammenarbeit der Seele mit dem Körper; Lebenskraft; Beseelung im Gegensatz zum *unbeseelten Zustand.*« — »LEBEN (Zeitw.): Sich in einem Zustand der Beseeltheit befinden; nicht tot sein.«

[2] D. Sanders, *Handwörterbuch der deutschen Sprache, 8. Aufl.* (Leipzig, 1911).

[3] M. Heyne, *Deutsches Wörterbuch*, Bd. 2 (Leipzig, 1892).

[4] Duden, *Das große Wörterbuch der deutschen Sprache*, Bd. 4 (Mannheim, Wien, Zürich, 1978).

[5] W. Capelle, *Die Vorsokratiker*, S. 87 (Stuttgart, 1938).

[6] E. Schrödinger, *What Is Life? The Physical Aspect of the Living Cell* (New York, 1945).

[7] C. U. M. Smith, *The Problem of Life* (New York, Toronto, 1976).

[8] F. Nietzsche, *Werke* in drei Bänden (Hrsg. K. Schlechta) Bd. 3, S. 465 (München, 1956).

[9] E. Chargaff, *Das Feuer des Heraklit* (Stuttgart, 1979).

[10] W. Blake, *Complete Writings* (Hrsg. G. Keynes), S. 451 (London, 1957). »Zu verallgemeinern heißt ein Idiot sein. Ins Einzelne zu gehen ist das einzige Kennzeichen des Verdiensts. Allgemeine Kenntnisse sind die von Idioten besessenen Kenntnisse.«

[11] K. Raine, *William Blake* (London, 1970).

[12] Kants *Werke*, Akademie-Textausgabe, Bd. 5, S. 418 f. (Berlin, 1968).

[13] J. G. Hamann, *Briefwechsel* (Hrsg. A. Henkel), Bd. 5, S. 388 (Frankfurt, 1965).

[14] G. C. Lichtenberg's *Vermischte Schriften*. Neue vermehrte, von dessen Söhnen veranstaltete Original-Ausgabe, Bd. 1, S. 168 (Göttingen, 1844).

[15] D. W. Thompson, *On Growth and Form* (Cambridge, 1942).

[16] Novalis, *Schriften*, 2. Aufl. (Hrsg. R. Samuel), Bd. 3, S. 266 (Stuttgart, 1960).

[17] J. von Uexküll, *Der Sinn des Lebens*, 4. Beiheft der *Scheidewege* (Stuttgart, 1977).

[18] Jean Paul, »Vorschule der Aesthetik«, 3. Abteilung, III. Kantate-Vorlesung, in *Sämmtliche Werke*, 3. Aufl., Bd. 19, S. 126 (Berlin, 1861).

[19] R. J. Dubos, *The Professor, the Institute, and DNA* (New York, 1976).

[20] Goethes *Naturwissenschaftliche Schriften* (Hrsg. G. Ipsen), Bd. 1, S. 9 (Leipzig, o. J.).

[21] Goethes *Gespräche* (Hrsg. W. Herwig), Bd. 3/2, S. 439 (Zürich und Stuttgart, 1972). — »Zweifellos, sagte er, aber alle Wahrheit kommt von Gott, aber wenn diese Leute sagen, daß Gott durch die Kirche die Wahrheit verkündigt, merken sie nicht, daß Gott durch alle Dinge redet: Jedes Insekt, jedes Blatt hat etwas zu sagen.«

[22] E. Chargaff, »Aspects of the Nucleotide Sequence in Nucleic Acids«, in *New Perspectives in Biology* (Hrsg. M. Sela), S. 85 (Amsterdam, London,

New York, 1964). — »Können wiederholte Vorgänge in einem lebenden System aufs Geratewohl stattfinden? Kann z.B. die Vererbung auf einem Zufall beruhen, außer vielleicht im Falle von Mutationen? Und sogar da mag die Zufälligkeit nur scheinbar sein. Es ist möglich, daß, wenn es sich um eine sehr große Anzahl weniger Bestandteile handelt, die Unterscheidung von Zufall und Nichtzufall unmöglich oder sogar sinnlos wird. Man könnte sich sogar eine »Makro-Zufälligkeit« vorstellen, die einer großen Anzahl von Geschehnissen auferlegt ist, die alle selbst »Mikro-Nichtzufälligkeit« aufweisen. Wenn einer an einem bestimmten Tag in einem bestimmten Fluß ertrinkt, nennt man das einen Zufall. Aber wie können wir sicher sein, daß genau der gleiche Unfall sich nicht alle 1200 Jahre ereignet? Mit andern Worten, wir verfügen nicht einmal über eine Vogelperspektive, während tatsächlich ein uns unvorstellbarer Abstand erforderlich ist; ein Abstand, für den die Theologie andere Ausdrücke erfunden hat. Oder mit andern Worten: in allen unsern Bestrebungen werden wir immer an einem Punkt ankommen, wo die Biochemie am Ende ist und die Philosophie einspringen muß.«

Über die Unfähigkeit, Brot zu backen

Bemerkungen zur reinen Wissenschaft

I

In seinem »Allgemeinen Brouillon« (Nr. 401) schreibt Novalis mit einer kleinen Verbeugung vor Kants *Kritik der praktischen Vernunft:*

> PHIL(OSOPHISCHE) TELEOL(OGIE). Die Phil(osophie) kan kein Brod backen — aber sie kann uns Gott, Freyheit und Unsterblichkeit verschaffen — welche ist nun practischer — Philos(ophie) oder Oeconomie. (Verschaffen ist *Machen* — Machen drückt nichts anders aus)[1]

Da ich in einem Lande lebe, wo selbst die Bäcker kein Brot mehr backen können — ein quatschiger Schwamm aus Kunststoff ruht versiegelt in einem Plastikbeutel — kommt mir die »Oeconomie« noch weniger praktisch vor als sie Novalis erschien. Aber davon soll hier nicht die Rede sein. Eher schon davon, ob das gewaltige Sprossen der Naturphilosophie, das, bald nach Novalis' Tod einsetzend, so viele Naturwissenschaften ins Blühen und Welken trieb, irgendwie mit der Unfähigkeit, Brot zu backen, zusammenhängt.

Gott, Freiheit, Unsterblichkeit: große Worte, und damals wagte man noch sie zu verwenden. Wir leben in kleinmütigeren Zeiten, die sich höchstens an das Wort »Freiheit« herantrauen, um damit Schindluder zu treiben.* Die Metaphysik

---

* Besonders das Englische schwingt schwerfällig zwischen zwei Wörtern: *freedom* und *liberty*. Hätte Präsident Carter den Heidenlärm, den er betreffs *civil liberties* entfesselte, anstelle dessen auf *civil freedom* bezogen, so hätte er seine schwungvolle Beschwerde wahrscheinlich zurückbekommen mit dem Vermerk »Adressat verzogen«. Je reicher eine Sprache an scheinbaren Synonymen ist, desto mehr Fallen stellt sie dem Ahnungslosen oder Unbekümmerten.

hat sich jetzt in den Schutz der Physik begeben; zitternd und kahl kauert sie in der finstersten Ecke, wo nur die Elementarteilchen aufleuchten, und wartet darauf, daß die letzten Dezimalen blank poliert werden. Es kommen aber immer neue hinzu. Eigentlich hätte die Arme ein schöneres Alter verdient. Aber das kommt davon, wenn man durch Jahrtausende mit einem Konto lebt, das ungedeckter ist als Phryne vor ihren Richtern, und dazu noch viel weniger einnehmend.

Ob die Philosophie uns jene hohen Begriffe wirklich verschafft oder, wie Novalis weiter ausführt, erzeugt hat, will ich offen lassen. Für mich sind sie viel eher in jenen heiligen Hallen zuhause, in denen Sarastro herrscht. Die muntern, mutwilligen, vielversprechenden Kinder der Philosophie, die Wissenschaften, handeln jedenfalls unter ganz andern Leitworten: Glaubwürdigkeit, Gültigkeit, Wahrheit; und neuerdings die häßliche, weil sinnlose Forderung: Relevanz. Wenn die wissenschaftliche Wahrheit für ein paar Jahrhunderte gilt und die Plausibilität für einige Jahrzehnte, so währt die Relevanz kaum ein Jahr. Relevant ist, was dem Modekopf nützlich scheint, weil es ihn weiterbringt. Da der Modekopf jedoch ein fauler Kopf ist, bin ich geneigt, mich zu der Behauptung zu versteigen, daß gute Wissenschaft irrelevant sein muß. Nur für die Handeltreibenden der Wissenschaft — sie kennen sie allein als Produkt, das man in Kilogramm wägt — gibt es den Begriff der wichtigen, der in Betracht kommenden Wissenschaft.

Ich möchte demnach die Unterscheidung zwischen relevant und irrelevant für die Wissenschaften ebenso ablehnen, wie ich es in der Lyrik, der Musik, der Malerei tue. Es gibt natürlich Verächter der einen oder anderen Wissenschaft, z.B. der Geschichte, wobei manche sie ablehnen, weil der Staub der Dokumente sie niesen macht, während andere wieder sich gegen die großen Verallgemeinerungen wenden. Ein anderes Wort, dem man oft begegnet, ist nicht so leicht loszuwerden: das Adjektiv »rein« wird häufig zur Unterscheidung von »angewandt« benutzt, allerdings hauptsächlich in den Naturwissenschaften. Unter angewandter Philosophie oder Philologie kann ich mir tatsächlich nichts vorstellen; die Bezeichnung »angewandte Chemie« ist jedoch, auch als Titel einer berühmten Zeitschrift, geläufig. Was sind also reine Naturwissenschaften, und wie kam es zu der seltsamen Unterscheidung, in der das Antonym von »rein« nicht »schmutzig« ist, sondern »angewandt«?

II

Ich falle mit der Tür ins Haus, indem ich J. B. Watson zitiere, den Begründer der so überaus amerikanischen Unterabteilung der Psychologie, des Behaviorismus. Ihm zufolge ist die Psychologie »ein rein experimenteller Zweig der Naturwissenschaft, dessen theoretisches Ziel darin besteht, das Verhalten des Menschen vorauszusagen und zu kontrollieren«.[2] *Ex ungue leonem?* Aber was ich sehe, ist ja keine Tatze, sondern ein Pferdefuß, mit dessen Hilfe der Seelenschinder den Teufel spielen will. Gibt es etwas Unschuldigeres, wenn es auch aufs rührendste den Mißerfolg gewährleistet, als das Verhalten des Menschen vorhersagen zu wollen? Aber kontrollieren? Hier sehe ich die dialektische Schaukel, die ich leider in allen Epochen der Wissenschaftsgeschichte vorfinde, in heftiger Bewegung. Voraussagen ist schwer, und dazu gehört mehr Geisteskraft, als ein Experimentalpsychologe im allgemeinen aufzutreiben vermag; kontrollieren ist leicht, ein Knüppel genügt. Wir sehen, Watsons Psychologie ist zwar eine rein experimentelle Wissenschaft, aber keine reine. »Ja,« höre ich den Einwand, »ist denn ›rein‹ ein Synonym von ›unnütz‹?«

Nein, das ist es nicht, ebensowenig wie Nutzen und Profit das gleiche bedeuten oder unschädlich und trivial. Und ob die Fähigkeit zur Kontrolle menschlichen Verhaltens etwas mit Freiheit zu tun hat, nicht zu reden von Gott und Unsterblichkeit, will ich auch offen lassen. Jedenfalls ist es kein Zufall, daß Watson, als er ungerechterweise aus seiner Professur verjagt wurde, als Leiter einer der größten Reklameagenturen es zu viel Geld brachte: ein Wissenschafter, der, was er predigte, auch verkaufen konnte. Übrigens ein wahrer Triumph der quantitativen Psychologie, denn als Einheit der menschlichen Verhaltungsweise erwies sich der damals noch unentwertete Dollar.*

Noch ein weiteres einschränkendes Attribut der Naturforschung ist oft anzutreffen. Auf englisch heißt es »basic research«; es handelt sich also um Grundlagenforschung. Hier ist es etwas schwerer, das vom Attribut vorausgesetzte Gegenwort zu finden. Vielleicht ist es Analogieforschung. Denn die Grundlagenforschung studiert sozusagen die Wurzeln, aus denen die Bäume der Wissenschaft wachsen; sie findet das vielen, scheinbar verschiedenen Phänomenen Gemeinsame; sie fördert zutage, was oft fälschlich ein Naturgesetz genannt wird, obwohl es sich in vielen Fällen nur um eine von unserer Vernunft der Natur aufgezwungene Regelmäßigkeit handelt. Aber ist nicht unsere Vernunft eine Lieblingsschülerin der Natur? *Ratio imitatur naturam*, schreibt Thomas von Aquin[3]. Er, der wohl wußte, daß das menschliche Denken nicht einmal das Wesen einer Mücke zu ergründen vermag, hätte es verstanden, daß der Forscher nur durch blindes Tasten kleine Teile der Oberfläche der Natur erahnen kann. Was wir Grundlage nennen, liegt immer noch weit oben.

III

Bevor es Naturwissenschaften gab, wurden sie angewandt. Natürlich sind manchmal Jahrhunderte, ja Jahrtausende, zwischen Beobachtung und Anwendung verflossen; aber es

---

* Als ich viele Jahre später vorschlug, das mit jeder neuen Arbeit ansteigende Molekulargewicht der DNS anstatt in Daltons in Dollars auszudrücken, stieß ich auf Hohn. Ich war eben immer kein Prophet in vielen Vaterländern.

ist die Anwendung und nicht die Beobachtung, die auf uns gekommen ist. Schiefe Ebenen hat es länger gegeben als das Rad. Ob jedoch die erste Beobachtung eines rollenden Kiesels als wissenschaftliche Entdeckung anerkannt wird, als erster Schritt auf dem Wege zum Rad, darüber mag man streiten. Allerdings verleitet uns die Betrachtung der gegenwärtig vorhandenen Naturwissenschaften dazu, Beobachtungen und Erfindungen, die einem ganz anderen Grunde entsprungen sind, nachträglich als wissenschaftlich anzusehen. Wißbegierde und der Drang, das Wissen zu kodifizieren, waren sicherlich nicht der Ursprung vorgeschichtlicher kultureller Fortschritte. Daß manche Affen Werkzeuge herstellen können, ist wohlbekannt. Aber auf die Idee, sie zu verkaufen, kam erst der Mensch. Trotzdem glaube ich nicht, daß man sagen kann, die Technik sei die Mutter der reinen Naturwissenschaften. Viel eher war es die Phantasie.

Erst viel später, da die Gewißheit sich verbreitete, daß viele Geheimnisse im Schoße der Natur ruhten — Geheimnisse, nicht unzugänglich dem menschlichen Intellekt — begann die Einbildungskraft die Oberflächen abzutasten und hier und da haltzumachen, dort, wo Ergiebigkeit den Forscher zu belohnen schien. Es soll aber nicht vergessen sein, daß, abgesehen von den letzten drei Jahrhunderten, es Philosophie und Religion waren, die die Phantasie des Suchenden lenkten. »Spekulieren heißt spiegeln«, lautet Franz von Baaders tiefsinniger Ausspruch. Die Formen des Spiegelbildes mögen zu verschiedenen Zeiten verschieden gewesen sein; aber was sich spiegelte, war immer dasselbe. Forschung war eine Enthüllung, die die Hüllen unversehrt ließ.

Solange alle Naturforschung von einem Mittelpunkt ausstrahlte, störte es nicht, daß sie stückweise bleiben mußte, denn alles hing zusammen: die Natur war Theophanie. Als jedoch die Naturwissenschaften sich dieses Zentrums begaben, denn Materie und Kraft waren nicht stark genug als

Achse, begannen sie um das Nichts zu kreisen. Doch blieb es wahr: wo das Nichts ist, ist immer noch etwas anderes, das sich nicht zu erkennen gibt.

IV

Es wäre also vielleicht näher der Wahrheit, wenn man sagte, daß die Naturwissenschaften der Betrachtung des Numinosen entsprangen. Vom Ursprung kann man zwar träumen, aber Ursprünge sind nicht leicht rekonstruierbar. Im Falle der Wissenschaften waren sie wahrscheinlich für jede verschieden. Wenn die Astronomie der der Zeitmessung dienenden Beobachtung des Himmels viel zu verdanken hatte, waren hinwiederum die ersten Chemiker vermutlich Zauberer, lang bevor sie ihre Talare gegen Laboratoriumskittel eintauschten, um sich vor den Reagenzien zu schützen. Und gar die Alchimie, diese zweckgebundenste aller Wissenschaften: transformierten nicht die Schwarzkünstler wie wild, bis sie uranfarben wurden im Gesicht? Hiroshima war eigentlich der wahre und endgültige Triumph der Alchimie. Andererseits muß auch das Bergwerkswesen viel zum Anfang der Chemie beigetragen haben. Der Bergwardein war ja eine Art von anorganischem Chemiker, bevor es diese Wissenschaft gab. In den alten Zeiten war es die Praxis, welche die Theorie befruchtete. Ich habe den Eindruck, daß dies erst sehr spät, im 18. Jahrhundert und möglicherweise noch später, in das Gegenteil umzuschlagen begann.

Ich weiß nicht, wie viele mir beistimmen werden, wenn ich sage, daß ich die Erforschung der Natur für eine wesentliche, ursprüngliche Tätigkeit des menschlichen Geistes halte; ebenso ursprünglich wie das Bestreben, sich in Dichtung, Musik oder Kunst auszudrücken. Und doch gibt es da Unterschiede. Die deutliche Ausprägung derjenigen Tätigkeiten, die fast ausschließlich auf der Phantasie des Menschen beruhen, erfolgte viel früher als die der Wissenschaften und insbesondere der Naturwissenschaften. Auch in diesen spielt die Einbildungskraft — oder soll ich sagen, ein nachtwandlerisches Tastvermögen? — eine wichtige Rolle, aber nicht sie allein. Selbst wenn mir meine Phantasie eingibt, daß der Mond aus Liptauer besteht, kann das der Beweiskraft einer dem Mond geraubten Gesteinsprobe nicht standhalten. Sollte es mir jedoch klar geworden sein, daß alles Irdische Schall und Rauch ist, so kann keine Analyse, kein Experiment diese Gewißheit erschüttern, denn Versuch und Untersuchung sind ja dann nur Erscheinungsformen der Nichtigkeit. Mit Ausnahme der judäo-christlichen Religionen in ihrer gegenwärtigen Form müssen den Gläubigen fast aller anderen Religionen unsere Naturwissenschaften überflüssig, ja unmöglich erscheinen.*

Um es anders zu sagen: die Phantasie mag an der Wiege unserer Naturwissenschaften gestanden sein, wie ich es am Anfang dieser Zeilen vorschlug; aber die induktive Denkweise, zu der der Geist des Westens neigt, drängte die Wissenschaften auf einen engen experimentellen Pfad, der sie einer einschränkenden Ordnung unterwarf. Gelehrig und paarweise marschieren unsere Vorstellungen von der Welt auf die Arche eines streng systematischen Noah, dessen grimmige Methodik keinen Spaß versteht. Daß diese Arche niemals landen wird, ist eine andere Sache.

V

Wie mir erscheint, haben die reinen Wissenschaften sich in der zweiten Hälfte des 18. Jahrhunderts abzuheben begonnen; sie sind im wesentlichen ein Produkt der in der Franzö-

---

* Allerdings wäre selbst in einer buddhistischen Welt die Käseproduktion weniger gefährdet als die Erforschung der Gärung. Auch Gautama hat sich ernähren müssen, nur hätte er, was er zu sich nahm, kaum als Energie bezeichnet. Auch Schopenhauer speiste gerne an der Table d'hôte des »Englischen Hofs«; der Wille, gut zu essen, überwältigte die Vorstellung der Nichtigkeit.

sischen Revolution gipfelnden Aufklärung. Ansätze hat es natürlich schon früher gegeben, aber sie sind in den meisten Fällen auf sehr wenige Vertreter des einen oder anderen Wissensgebietes beschränkt. Es ist klar, daß zur Entwicklung der Wissenschaften ganz bestimmte ökonomische, soziale und politische Bedingungen notwendig waren; Bedingungen, die der Aufstieg des dritten Standes erfüllte. Ob dasselbe auch unter einem ganz andern System hätte erfolgen können, weiß ich nicht, noch auch, ob die Hegemonie des kapitalistischen Bürgertums das Erscheinen der reinen Wissenschaften begünstigte oder verursachte, oder ob beide — Kapitalismus und Wissenschaft — nur Symptome eines verborgeneren und komplizierteren Prozesses waren.

Jedenfalls ist die Ausübung der reinen Naturwissenschaften, wie wir sie jetzt verstehen, an die Existenz von Universitäten und Instituten gebunden, und diese sind in der uns vertrauten Form nicht mehr als etwa 150 Jahre alt. Die Reformen, deren Versuchsstation vielleicht die von Wilhelm von Humboldt konzipierte Berliner Universität war, haben aus den Hochschulen wahre Brutstätten der reinen Wissenschaften gemacht.

Es hätte wenig Sinn, eine vollständige Liste der reinen Wissenschaften zu geben; schon darum nicht, weil sich immer wieder neue bilden, sei es durch Zellspaltung, sei es durch Urzeugung. Ich bin nicht in der Lage zu versuchen, den enormen ökonomischen Druck zu schildern, der es zuwege bringt, noch nicht völlig verbriefte Interessen in Dauerrechte auf Unterstützung durch die öffentliche Kasse zu verwandeln. Es würde sich lohnen zu untersuchen, mit Hilfe welcher Mechanismen der Kampf um mehr Brot sich als Kampf um neues Wissen verkleidet; aber das wird jemand anderer tun müssen. Eine Beschreibung der intellektuellen Gourmandise, der fiebrigen Wißbegierde, die man so oft unter jungen Gelehrten antrifft — »heute gelernt, morgen gelehrt« —, geht über meine Kraft.

In den Vereinigten Staaten gibt es im allgemeinen viel

weniger voneinander unabhängige Lehrstühle als in Europa, da dort sehr häufig viele Wissensgebiete in einem »Department« angesiedelt sind. Ein Blick auf den Katalog einer amerikanischen Universität mag daher lehrreich sein. Da gibt es z. B. eine philosophische Fakultät und sie umfaßt: Philosophie, Geschichte, mehrere »Departments« für Philologie und Literaturgeschichte, Linguistik, Archäologie und Kunst- und Musikgeschichte. In der naturwissenschaftlichen Fakultät findet man: Physik, Chemie, Mathematik, Astronomie, Geologie, Psychologie und Biologie. Aber allein die Biologie beherbergt mehr reine Naturwissenschaften als ich aufzuzählen vermag: Zoologie, Botanik, Mikrobiologie, Virologie, Immunologie, Genetik, Paläontologie, vergleichende Anatomie, Embryologie und viele mehr. Eine sozialwissenschaftliche Fakultät wird Nationalökonomie und Soziologie enthalten, und dazu noch Politologie, Geographie und vieles andere. Geht man vollends zu einer »angewandten« Fakultät, wie der medizinischen, so findet man neben den der Heilung und Leichenbestattung gewidmeten Hauptfächern viele weitere reine Naturwissenschaften: Anatomie und Bakteriologie, Biochemie und Physiologie, Pharmakologie und Histologie, Pathologie und Humangenetik, usw. Auch lassen sich durch die Voransetzung eines Präfixes wie »Molekular-«, »Bio-« oder »Paläo-« noch zahlreiche andere Wissenschaften bilden: eine Gelegenheit, die keineswegs mißachtet worden ist.

Dabei rede ich gar nicht von den Agrikultur- und Handelshochschulen, den theologischen und juristischen Fakultäten, den pädagogischen Akademien, den Technischen Universitäten und was es noch immer gibt. Wahrlich, wir leben in einem Augusteischen Zeitalter, angesichts dessen den Augustus sicherlich eine Gänsehaut überlaufen hätte. Aus dem Trivium und Quadrivium ist ein vielfaches »Centivium« geworden; und das hört nicht auf, stark zu wachsen und mäßig zu gedeihen. Anständiges Brot wird allerdings nicht mehr gebacken; die Städte verfallen; die Menschen verkommen. Wenn man mir sagt, daß wir jetzt mehr über ein Flagellum wissen als Eratosthenes über das Weltall, daß man jetzt schneller zum Mond reisen kann als Napoleon nach Mailand, so kann ich in meiner beschränkten Art nur erwidern, daß ein Luftpostbrief jetzt doppelt so lang braucht wie ein mit einem Schiff beförderter vor fünzig Jahren, also zu einer Zeit, als man sich noch des Nachts auf die Straßen trauen konnte.

VI

Wir leben nämlich mitten in einer überhitzten Ökonomie der Wissensindustrie, in einer explosiven Fülle an Wissensstoff. Allerdings, wenn man all das wissen könnte, was man wissen kann, wäre man ein sehr unglücklicher Mensch; denn wohin mit der Pracht, die zu nichts gut ist? Sie schmückt nicht, sie nährt nicht; dabei ist sie nur schwer verkäuflich. Tatsächlich leben wir in einem der ignorantesten Zeitalter. In den Magazinen liegt zwar immenses Wissen herum, aber wo ist die Tür zum Speicher? Attila oder Odoaker waren dem Wissen ihrer Zeit näher als einer unserer zerknitterten Staatsmänner. Wenig gut ist besser als viel gar nicht. Außerdem ist viel davon, was wir Wissen nennen, wenig haltbar. Hätte man mehr Zeit zu seiner Erzeugung verwendet, wäre es vielleicht solider geworden. Aber die Wissenschaften gedeihen durch den Verschleiß ihrer Vorräte, sie leben vom Umsatz; ähnlich den Parlamenten, die immer wieder neue Gesetze erzeugen, weil die alten gebrochen werden.

Bald nach der Gründung der reinen Wissenschaften wurde uns der Fachmann beschert. Jeder von uns bekommt nämlich einen kleinen Schlüssel zu einem winzigen Kellerloch; und da drin, so hört er, findet er alles, was er zum Forschen braucht. Ist das Löchlein, wenn er es verläßt, voller als er es anfangs vorfand, so ist er ein großer Mann. In anderen Zellen dieser Riesenwabe tummeln sich andere. Und so kommt es, daß ich auf derselben Seite eines Heftes der Zeitschrift *Nature* Berichte finde über den *6th European Nucleolar Workshop* in Weimar und den *8th International Congress of the Society for Forensic Haemogenetics* in London. Nun ist der Nukleolus sicherlich ein sehr wichtiger Bestandteil des Zellkernes, und daß auch Gerichtsmediziner und Kriminologen sich für die Genetik der Blutkörperchen interessieren, kann ich mir ebenfalls vorstellen, obwohl sie eigentlich größere Sorgen haben sollten. Zum Beispiel hat der Taschendiebstahl in den New Yorker Autobussen im letzten Jahr enorm zugenommen. Aber das ist ja nur ein winziges Muster der unbeschreiblichen Überspezialisierung unserer Wissenschaften. Ein einziges Heft einer biochemischen Zeitschrift enthält auf zwei Seiten Ankündigungen der in sechs Monaten des Jahres 1979 stattfindenden biochemischen Veranstaltungen. Die Zahl ist 67; und da der Vorrat an Synonymen für »bezahlte Ferien« beschränkt ist, kommen immer wieder die gleichen Bezeichnungen vor: *Congress, Meeting, Forum, Colloquium,* und gelegentlich *Refresher Course.*

Die meisten dieser Zusammenkünfte werden durch die Veröffentlichung von Sitzungsberichten verewigt; aber liest irgendwer das Zeug? Der Inhalt ist ja ohnedies bereits in der Form von wissenschaftlichen Arbeiten in den zahllosen Zeitschriften publiziert worden. Eine zähe Informationslava dringt in alle Fugen des Bewußtseins; das geistlose Geklapper einer leer laufenden Maschinerie übertönt jeden Gedanken. Ich glaube nicht, daß das Gemurmel uralter Priesterschaften ebenso perpetuierlich in Form von Hieroglyphen in die Wände gekratzt wurde.

Und dazu die Fülle von Lehr- und Handbüchern — sie haben an Bedeutung verloren, da das Allerneueste das Neueste immer schneller verdrängt —, die *Annual Reviews, Advances, Progress Reports* usw. Die Bibliotheken stöhnen; mit funkelnden Tasten warten die Computer darauf, daß jemand all ihr Speichergut irrtümlich auslösche.

Es wäre ein Fehler zu denken, daß diese Inflation von immer schneller zutagegefördertem Wissensgut auf die

Naturwissenschaften beschränkt ist. Die Geisteswissenschaften, nur durch viel geringere Aufwendungen vor dem Ärgsten bewahrt, benehmen sich nicht besser. Nur ist da der Altkleiderhandel mit des Kaisers neuen Kleidern für ein noch unschuldigeres Knäblein durchschaubar. Vor Lymphozyten hat der Laie mehr Respekt als vor Kafka. Die Natur produziert noch ihre Wunder, aber Racine schreibt nicht mehr. Trotzdem verarbeitet eine öde schnurrende Manufaktur alltäglich Shakespeare oder Goethe, Keats oder Rilke, Proust oder Joyce, Hölderlin oder Baudelaire, Wittgenstein oder Beckett. Die Werke der als Heizmaterial Dienenden sind allerdings in vielen Fällen schwerer erhältlich als Bücher über sie, denn diese werden vermutlich von all jenen, die auf der Leiter zum Parnaß noch tiefer unten stehen als die Verfasser der lehrreichen Exegesen, mit Spannung gelesen. Nicht besser geht es in den andern Fächern zu, und ein alexandrinisches Zeitalter wartet auf den Brand seiner Bibliothek.

Ob es sich um die Auslegung der Natur oder der Weltgeschichte handelt, um die Struktur einer Membran oder eines Gedichtes, jede wissenschaftliche Beschäftigung ist ein notwendiges Element der Karriere geworden; man forscht um zu essen. »Erklär, Vogel, oder stirb!« So sind denn auch fast alle Wissenschaften zu Erklärungswissenschaften geworden: wohl die niedrigste Form geistiger Betätigung, die ich mir vorstellen kann.* Seit der Entstehung des Menschengeschlechts ist keine Frage häufiger und dümmer beantwortet worden als die Frage »Warum?«

---

* Hierzu drei Zitate, das erste aus Barbey d'Aurevilly, das zweite aus Jean Paul. »C'est surtout ce qu'on ne comprend pas qu'on explique.«[4] — »Gäb' es nichts Unerklärliches mehr, so möcht' ich nicht mehr leben.«[5] Und am tiefsinnigsten eine Reminiszenz von Cioran: »Le Paradis était l'endroit où l'on savait tout mais où l'on n'expliquait rien. L'univers d'avant le péché, d'avant le *commentaire* . . .«[6]

VII

Ich denke nicht, daß es objektive, wertfreie, leidenschaftslose Wissenschaften geben kann. Vielleicht bildet die Mathematik eine Ausnahme; aber das sage ich wahrscheinlich nur, weil ich besonders wenig von ihr verstehe. Wir alle sind neben vielem andern auch die Produkte unserer Zeit, unserer Klasse, unserer Herkunft. Schäbige Zeiten machen einen jeden schäbig, leidenschaftliche einen jeden leidenschaftlich. Selbst Goethe, selbst de Maistre waren viel mehr von der Aufklärung und der Französischen Revolution gestempelt, als sie es hätten wahrhaben wollen. In unserer eigenen Zeit sehen wir immer nur die Ausnahmen; später aber werden sie die Regel. Unsere Wissenschaften repräsentieren demnach unsere Zeit ebenso vollkommen, wie es die fürchterlichen Taten tun, von denen ich in der Zeitung lese. Daß die Wissenschaften in allen Ländern, trotz anscheinend völlig verschiedenen gesellschaftlichen Systemen, einander so ähnlich sind, erscheint mir als Anzeichen dafür, daß die Systeme nicht so verschieden sind, wie es behauptet wird. Das mag mit der Unveränderlichkeit der menschlichen Natur zusammenhängen, die einen *novus ordo rerum* unmöglich macht, außer für kurze Augenblicke.

Wenn also unsere Wissenschaften wirklich der Ausdruck unserer Zeit sind, welche Eigenschaft sticht hervor? In den Naturwissenschaften — nicht in allen, aber besonders in der Molekularbiologie, der Physik und vielleicht auch der Chemie — sehe ich eine fiebrige Hast, als müßten sie vor Torschluß fertigwerden, als wäre unsere Zeit die letzte, die sich mit solchen Dingen befassen könne; als lautete die Parole: »Weitere Naturgesetze können nicht mehr angenommen werden«. Wer hat die Frist gesetzt, ist es die Unruhe des zu Ende gehenden Millenniums? In dieser Beziehung, glaube ich, unterscheiden sich die Naturwissenschaften von den andern. Daher spielt in jenen auch die Frage der Priorität eine größere Rolle; dies allerdings schon seit langer Zeit.

Wären die Naturforscher wirklich nur Schatzgräber im Garten der Natur, so hätten Prioritätsansprüche wenig Sinn, denn Finderglück berechtigt nicht zu Hochmut. Aber schon vor mehr als 120 Jahren kam den Brüdern Goncourt ein komischer Gedanke: »Penser qu'on ne sait pas le nom du premier cochon qui a trouvé une truffe!«[7]* Die Goncourts mußten die Situation recht gut kennen, denn damals hatte man schon begonnen, Naturgesetze auszugraben, als wären es Trüffeln. Hätten die Schweine sich wie Naturforscher benommen, so hätten sie die Trüffeln nicht nur gefunden, sondern auch ein Engrosgeschäft damit aufgemacht.

Der Naturforscher ist jedoch nicht nur ein Finder; viel mehr ist er ein Verpackungskünstler. Er ordnet das Chaos in übersichtliche Päckchen, deren Form und Gewicht vielfach ihm und nicht der Natur zuzuschreiben sind. Ich schrieb daher vor mehreren Jahren: »Scientific induction is actually the resultant of a parallelogram of rational and irrational forces. That is why in many respects Science is not a science, it is an art.«[8]

Es gibt demnach einen Stil auch in der Naturforschung; und wie jeder Stil ist er teils zeit- und modebedingt, teils wächst er aus der Natur des einzelnen.[9] Unsere Zeit ist durch die Bildung vieler neuer Disziplinen gekennzeichnet, denn je größer die Arbeitslosigkeit in den etablierten Wissenschaften ist, um so stärker der Drang neue zu gründen. Es ist der leichteste Weg, aus Eckenstehern Pioniere zu machen.

VIII

Kleine Ideen sind leicht zu haben in den Naturwissenschaften: halb Analogie, halb Plagiat, und dazu ein neues Packpapier. Solche Leute habe ich oft als Einfallspinsel bezeichnet;

---

* Sonst hätte, so nehme ich an, die Académie des Sciences dem genialen Entdecker ein überlebensgroßes Monument errichtet.

sie bevölkern die Wissenschaften, besonders die neugegründeten. Dort, wo es um die Konstruktion sogenannter Modelle geht, sind sie in ihrem Element. Auch schwirren sie gerne in die Stratosphäre der Trivialwissenschaft; entwerfen Raumkolonien, wo sie alles, was nicht ihresgleichen ist, ansiedeln möchten; machen die Soziologie — an sich schon nicht die gemütlichste aller Wissenschaften — unwohnlich, indem sie die Soziobiologie bei ihr einmieten, so daß jetzt schon zwei Wissenschaften ein künstliches Hühnerauge teilen.

Die Überheblichkeit und Großmannssucht unserer Naturwissenschaften habe ich schon früher oft besprochen, im Glauben, es handle sich um einen der Gegenwart eigenen Mißwuchs. Jetzt bin ich nicht mehr so gewiß, daß es früher nicht ähnlich zuging; nur war damals die Lärmkulisse viel geringer, denn es gab nur wenige Schreihälse und eine größere Anzahl ernster und stiller Forscher. Immerhin finde ich im Tagebuch der Brüder Goncourt am 7. April 1869 die folgende Notiz:

A Magny.

On disait que Berthelot avait prédit que dans cent ans de science, l'homme saurait ce qu'était que l'atome et pourrait à son gré modérer, éteindre ou rallumer le soleil; que Claude Bernard, de son côté, annonçait qu'avec cent ans de science physiologique, on pourrait faire la loi organique, la création humaine.

Nous n'avons fait aucune objection, mais nous croyons bien qu'à ce moment-là, le vieux bon Dieu à barbe blanche arrivera sur la terre avec son trousseau de clefs et dira à l'humanité, comme on dit au Salon, »Messieurs, on ferme!«[10]

Dabei muß man bedenken, daß Berthelot einer der bedeutendsten Chemiker Frankreichs war und Bernard der größte Physiologe. Alles in allem haben sie nicht schlecht prophezeit, diese Großen, und doch zugleich strohdumm. Zwar glauben wir, die Struktur des Atoms zu verstehen; aber in weiteren hundert Jahren wird dieser Glaube vielleicht wieder ins Wanken geraten sein; und auf die Idee, die Sonnenstrahlen abzudrehen, kann nur ein Trottel kommen. Was aber auch für unsere Naturwissenschaften charakteristisch ist, ist die Vorstellung, daß die Sonne den Naturforschern gehört. Das erinnert mich an den vor einigen Jahren erfolgten Vorschlag eines Geologen, auf dem Mond eine Atombombe zu detonieren, nur um zu sehen, was geschieht. Die Inbesitznahme der Welt durch die Naturwissenschaften ist also alten Datums.* Und dann kommt noch der Claude Bernard und faselt von »dem« Gesetz der organischen Natur. Unter einem solchen Singular kann ich mir nichts vorstellen. Oder ist gar unere alte Freundin, die Desoxyribonukleinsäure, die Gesetzgeberin? Sie war gerade drei oder vier Monate alt, als die Goncourts ihre Eintragung machten; und wer hätte das von dem Säugling erwartet? Und was vollends die »Schöpfung des Menschen« anbelangt, da erkenne ich den Molekularbiologen im präembryonalen Zustand, noch vor der befleckten Empfängnis. Unsere genetischen Ingenieure sollen sich freuen, einen solchen Abraham gefunden zu haben, und sie können mit erneuter Hoffnung weiterarbeiten an der Abfassung eines neuen Buches Genesis, natürlich im universalwissenschaftlichen Pidgin-Englisch. Ich komme zu dem Schluß, daß die Elephantiasis der naturwissenschaftlichen Einbildungskraft wahrscheinlich kongenital ist. Wie viel bescheidener waren die tiefsinnigen Inder, die über das All und das Nichts nachdachten!

---

* Seit kurzem wird übrigens der Mond auch als Ablagerungsstätte für den Atommüll der Vereinigten Staaten diskutiert. Vielleicht hätte man sich zuerst bei den Ameisen erkundigen sollen, was sie davon denken.

IX

Ich kehre zurück zu der Unfähigkeit, Brot zu backen, denn mir erscheint dieser traurige Mangel als ein Symptom der verderblichen Wirkungen, die dem Überhandnehmen der reinen Naturwissenschaften zur Last zu schreiben sind. Unser tägliches Leben wird von ihnen dirigiert. Unter ihrer Ägide verhunzen manche Ärzte die Gesundheit, werden viele Kinder nichts gelehrt, werden alle Erwachsenen verwirrt. Alles geschieht streng wissenschaftlich, und der Embryo hat Glück, wenn ihm nicht schon aus seinen Chromosomen das Horrorskop gestellt wird. Bald werden wir eingeladen werden, unsere Autopsien noch bei Lebzeiten zu gestatten, denn die Pathologen müssen auch leben. Von der Wiege bis zum Grab sind wir Objekte edelsten Wissensdranges, Nutznießer wissenschaftlich instruierter Industrien. Auf der Plastikhülle des Brotes sind die Kalorien aufgeschrieben, der Gehalt an Vitaminen und Mineralstoffen, die Zusätze von Chemikalien; nur ist das Brot ungenießbar. »Gott, Freyheit und Unsterblichkeit« sind auch im bereits an Ozonmangel leidenden Himmel vergangen, denn die Menschheit hat sich, um weniger zu schwitzen, mit dem dafür zuständigen Spray bespritzt. Und was die von Novalis angesprochene Dreieinigkeit betrifft, so hat es das Vieh besser, denn es war ja nie ein Mensch gewesen.

In den längst vergangenen Zeiten, als die Praxis die Theorie belehrte, war der Schaden gering. Jetzt ist es umgekehrt; und so gibt es den Bäcker an der Ecke nicht mehr, den Hausarzt oder den Schneider, der einem die Hosen flickte. Die Welt strotzt von Fachleuten, die nichts zustande bringen, aber das auf Tausenden von Druckseiten. Daß statistische Einzeldaten noch immer von Müttern in Schmerzen geboren werden sollen, erscheint als eine Anomalie. Aber das wird auch nicht mehr so lange weitergehen.

Was ich hier geschrieben habe, darf nicht als Ikonoklasmus ausgelegt werden, denn eine Ikone, die ihr Gewicht in

↳ Bildersturm

67

Gold wert ist, kann nicht zertrümmert werden. Unsere Welt mag nicht die beste aller möglichen Welten sein, aber sie ist die einzige, die wir haben. Wer Nein sagt zu seiner Zeit, sagt deshalb noch nicht Ja zur Vergangenheit. Früher waren die Menschen viel weiser als sie konnten; jetzt können sie viel mehr als sie sollten. Wir leben in einer schwachen Zeit mit starken Instrumenten; früher waren die Menschen stärker und gebrechlicher, wenn auch die Summe des Leides wahrscheinlich konstant geblieben ist. Aber inniger Glaube war vielleicht ein besseres Valium; und könnte man, als Gegenstück zum Begriff der Biosphäre, die Aisthesiosphäre konstruieren, die Gesamtheit all dessen, was die Menschen in ein und derselben Zeit empfunden haben, so würde man wahrscheinlich finden, daß diese im Schrumpfen begriffen ist. Wir leben in stumpfen Zeiten.

Man kann, was wir Fortschritt nennen, also den Wechsel der Zeiten, nicht aufhalten. Noch immer fallen die Blätter im Herbst, soweit sie nicht schon vorher chemisch vergiftet worden sind. Aber der rasende Wirbel der Wissensindustrie könnte vielleicht gedämpft werden. Wie das geschehen kann, weiß ich allerdings nicht. Als Mao Tse Tung vor ein paar Jahren die Universitäten in China schloß, war ich bereit, ihm einen Hahn zu opfern. Aber dann machte er sie wieder auf, und mein Hahn legte ein Ei.

[1] Novalis, *Schriften* (Hrsg. R. Samuel, H.-J. Mähl und G. Schulz), Kohlhammer, Stuttgart, 1968, Bd. 3, S. 315.
[2] Ich entnehme das von mir übersetzte Zitat einem Aufsatz in *Nature, 282* (1979) 148.
[3] Den aus der *Summa theologica* stammenden Satz finde ich im schönen Buch von J. Pieper, Thomas-Brevier, Kösel, München, 1956, S. 106.
[4] Barbey d'Aurevilly, *L'Ensorcelée* (S. 652 der Pléiade-Ausgabe) — »Man erklärt in erster Linie das, was man nicht versteht.«
[5] Jean Paul. *Flegeljahre*, Nr. 23.
[6] E. M. Cioran, *De l'inconvénient d'être né* (Gallimard, Paris, 1973, S. 195) — »Das Paradies war der Ort, wo man alles wußte, aber nichts erklärte. Die Welt vor dem Sündenfall, vor dem *Kommentar* . . .«

[7] E. und J. Goncourt, *Journal*, 15. Dezember 1857 — »Zu denken, daß man nicht den Namen des ersten Schweines kennt, das eine Trüffel gefunden hat!«

[8] E. Chargaff, »Building the Tower of Babble«, *Nature*, 248 (1974) 776. — »Wissenschaftliche Induktion ist in Wirklichkeit die Resultante eines Parallelogramms rationaler und irrationaler Kräfte. Daher ist in vielen Beziehungen die Naturwissenschaft keine Wissenschaft, sondern eine Kunst.«

[9] E. Chargaff, »Triviality in Science: a Brief Meditation on Fashions«, *Perspect.Biol.Med.*, *19* (1976) 324. Übersetzung in *Scheidewege, 7* (1977) 327.

[10] E. und J. Goncourt, Journal, Bd. II, S. 512 f. (Fasquelle et Flammarion, Paris, 1956). — »Man erzählt im Magny (einem Restaurant), Berthelot habe vorhergesagt, daß in hundert Jahren der Wissenschaft der Mensch wissen werde, was das Atom sei, und daß er in der Lage sein werde, die Sonne nach Belieben zu dämpfen, auszulöschen oder wieder anzuzünden; daß Claude Bernard seinerseits ankündigte, daß in hundert Jahren der physiologischen Wissenschaft man das organische Gesetz verkünden und die Schöpfung des Menschen bewerkstelligen können werde. Wir haben keineswegs widersprochen, aber wir glauben fest, daß in jenem Augenblick der gute Herrgott mit seinem weißen Bart auf Erden eintreffen wird, mit seinem Schlüsselbund, und er wird der Menschheit sagen, wie man es in der Kunstausstellung macht: ›Meine Herren, es wird geschlossen!‹«

Kommentar im Proszenium

Einige Bemerkungen über die Grenzen
der Naturwissenschaften

dicksohliger Schuh

Der Vorhang fällt. Phorkyas im Proszenium
richtet sich riesenhaft auf, tritt aber von den
Kothurnen herunter, lehnt Maske und Schleier
zurück und zeigt sich als Mephistopheles, um,
insofern es nötig wäre, im Epilog das Stück zu
kommentieren.
Bühnenanweisung am Schluß des dritten Aktes
von Faust II

I

Ein Kommentar ist nötig; aber ich fürchte, sogar Mephistopheles — wahrhaftig ein Molekularphilosoph, wie er noch
nicht im Buche steht — wäre um Worte verlegen. Auch
schreibt unsere Zeit keine Epiloge; dafür ist sie zu historisiert. Nur stellen sich später ihre Prologe häufig als Epiloge
heraus. Wir sind nämlich immer an der Schwelle großer
Entdeckungen, kriegen aber meistens wehe Füße von dem
ewigen Treppensteigen.

Zuerst ein paar Worte über den Anlaß meines bescheidenen
Versuchs. Zum Schutze der Redefreiheit haben sich neuerdings einige Länder genötigt gefühlt, diese zu beschränken,
indem sie Ausländer einer Redebewilligung unterstellen. Da
der Prophet in seinem eigenen Lande ohnedies nichts gilt, ist es
naheliegend, Propheten mit andersfarbigen Pässen auszu-
schließen; und dann ist man all diese unangenehmen Patrone
los. Als ich zuerst von diesem rührend unzulänglichen Versuch
las, dem unerbittlichen Rad in die Speichen zu fallen, war ich
befremdet. »Die Gedanken sind frei!« haben wir in häßlichem
Chor in der Volksschule gesungen; und ich habe mir sagen

lassen, daß man nicht denken kann, ohne zu reden, obwohl das Umgekehrte leicht möglich ist.

Nun traf es sich, daß ich in einem dieser Länder einen Vortrag halten sollte, und da ergab sich die Frage, ob ich am Ende selbst einer Redebewilligung bedürfe. Dann aber beschwichtigte ich mich: »Sicherlich brauchst du keine Redebewilligung, denn du bist ja ein Naturwissenschafter, und während der Kommunismus bekannt schädlich ist, bringen die Naturwissenschaften bekanntlich nur Segen und Wonne. Sie haben noch niemandem geschadet.« Da fragte eine unangenehme Stimme: »Ist das wahr?«

Es war nicht das erste Mal, daß ich diese Stimme hörte, denn es war die Stimme der Wahrheit. Diese klingt immer unangenehm rechthaberisch, während die Lüge über einen samtenen lyrischen Bariton verfügt. Jedenfalls ist der experimentelle Naturforscher auf eine niedere Form der Wahrheit — oder soll ich sie Wahrscheinlichkeit nennen? — eingeschworen, nämlich diejenige, die sich durch wiederholte Versuche beglaubigen läßt. Alles Weitere ist er, will er seine Mitgliedskarte behalten, verpflichtet, als Philosophie abzulehnen. Trotzdem habe ich mir oft Gedanken darüber gemacht, ob man in den Naturwissenschaften irgendwelche Grenzen oder Schranken anerkennen kann.

Allerdings hat mein Titel, wie er jetzt dasteht, einen großen Fehler: er verspricht zuviel. Denn was soll man mit einer menschlichen Tätigkeit anfangen, die fast ausschließlich aus Grenzen besteht? Damit verglichen sind die kompliziertesten topologischen Probleme ein wahres Kinderspiel. Wir werden uns also durch Vereinfachungen helfen müssen.

Da die ganze wissenschaftliche Welt jetzt leider auf Pidgin-Amerikanisch denkt, ist es nicht verwunderlich, daß ich in meiner Sprach-Schizophrenie mich frage, wie ich denn meinen Titel auf englich ausdrücken würde. Da zeigt sich nämlich etwas Erstaunliches: ich habe mindestens drei Möglichkeiten, aber jede verweist den Inhalt in eine verschiedene Richtung. *On the limits of the sciences:* So weit kann man gehen, aber nicht weiter. *On the frontiers of the sciences:* Man kann weitergehen, aber dann dringt man ins Unbekannte vor und wird zum Entdecker. *On the boundaries of the sciences:* Die einzelnen Wissenschaften sind voneinander abgegrenzt; wer diese Grenzlinien verletzt, macht ein Gulasch aus den Wissenschaften und wird zum Beispiel ein Molekularbiologe*.

II

So bleibe ich also bei *Grenze*, einem relativ jungen Wort, das erst von Luther popularisiert worden ist: die Ordensritter hatten es bei den von ihnen unterjochten Slawen zugleich mit deren Land konfisziert. Die philosophische Definition dieses Wortes ist »der äußerste Umkreis eines Seins- oder Wirkensbereichs«.

Wenn ich mich mit Kollegen über Fragen dieser Art unterhielte, würden sie mir alle mit einer Stimme antworten: »Aber die Naturwissenschaften, wie alle Wissenschaften, sind doch grenzenlos. Wie kann man da von ›Grenzen‹ sprechen?« Und wenn sie belesener wären, als sie gewöhnlich sind, könnten sie höchste Autoritäten zitieren, so z.B. Kant in den *Prolegomena*, § 57:

> Solange die Erkenntnis der Vernunft gleichartig ist, lassen sich von ihr keine bestimmten Grenzen denken. In der Mathematik und Naturwissenschaft erkennt die menschliche Vernunft zwar Schranken, aber keine Grenzen, d.i. zwar daß etwas außer ihr liege, wohin sie niemals gelan-

---

* Das Englische bietet mir noch viele Halbsynonyme an: *border, bound, confine, end, term* usw. Hingegen fehlt das Wort *Grenze* überhaupt im Duden-Synonymwörterbuch; und Dornseiffs Wortschatz, interessant und unnütz, enthält an brauchbaren Wörtern nur noch *Scheidelinie*. Oder hätte ich von den *Schranken der Naturwissenschaften* sprechen sollen? Aber *Schranke* ist eine gesetzte Grenze; und in der Diskussion darüber, wer denn diese Schranke errichtet hat, würden wir alle in einem metaphysischen Sumpf versinken.

gen kann, aber nicht daß sie selbst in ihrem innern Fortgange irgendwo vollendet sein werde. Die Erweiterung der Einsichten in der Mathematik und die Möglichkeit immer neuer Erfindungen geht ins Unendliche; ebenso die Entdeckung neuer Natureigenschaften, neuer Kräfte und Gesetze durch fortgesetzte Erfahrung und Vereinigung derselben durch die Vernunft. Aber Schranken sind hier gleichwohl nicht zu verkennen, denn Mathematik geht nur auf *Erscheinungen*, und was nicht ein Gegenstand der sinnlichen Anschauung sein kann, als die Begriffe der Metaphysik und der Moral, das liegt ganz außerhalb ihrer Sphäre, und dahin kann sie niemals führen; sie bedarf aber derselben auch gar nicht . . . Naturwissenschaft wird uns niemals das Innere der Dinge, d. i. dasjenige, was nicht Erscheinung ist, aber doch zum obersten Erklärungsgrunde der Erscheinungen dienen kann, entdecken; aber sie braucht dieses auch nicht zu ihren physischen Erklärungen; ja wenn ihr auch dergleichen anderweitig angeboten würde (z. B. Einfluß immaterieller Wesen), so soll sie es doch ausschlagen und gar nicht in den Fortgang ihrer Erklärungen bringen, sondern diese jederzeit nur auf das gründen, was als Gegenstand der Sinne zu Erfahrung gehören und mit unsern wirklichen Wahrnehmungen nach Erfahrungsgesetzen in Zusammenhang gebracht werden kann.

Die ganze herrlich leuchtende Klarheit des großen achtzehnten Jahrhunderts ist in diesen Worten enthalten. Was hätte Kant zur tiefgekühlten Pseudomystik, aber auch zum brutalen Szientismus unserer Tage gesagt? Im allgemeinen muß ich mich jedoch fragen, ob er nicht den Begriff *riesengroß* mit dem Begriff *unendlich* verwechselt. Es ist wahr, zum Beispiel in der organischen Chemie gibt es immer noch »Unendlich plus Eins«; darin ist sie der Mathematik ähnlich. Aber warum sollte etwa die Entomologie großenteils nicht endlich sein? Es sei denn, daß der unselige Verfertiger eines kompletten Käferkatalogs langsamer arbeitet als die Evolution, immer hinter einigen neuen Mutationen einherkeuchend.

Natürlich hat Kant in einer Epoche gelebt, da menschliche Tätigkeiten noch menschliche Maße hatten. Die Lebensspanne war häufig kurz, aber die Menschen ließen sich Zeit; auch die wissenschaftliche Forschung war bedächtig. Damals — und auch anderthalb Jahrhunderte später* — konnten die der Messung und Wägung zugänglichen Phänomene unendlich erscheinen; und die Frage nach dem Sinn alles dessen scheint man sich nicht gestellt zu haben. Jedenfalls hatte Kant nicht mit Amerika gerechnet, mit einer fieberhaften, hektischen Gesellschaft, die, auf der Flucht vor sich selbst, alles schneller frißt, als sie und die übrige Welt es verdauen können. Kants Jahrhundert hätte es sicherlich noch verstanden, daß, wenn Michelangelo anstatt einer Pietà in der gleichen Zeit tausend Pietàs hätte herstellen können, er nur ein Fabrikant von religiösem Kitsch gewesen wäre. Diese Unterscheidung ist unserer Zeit verlorengegangen.

Noch vieles andere ist verlorengegangen. Vormals war da eine riesige Wüste und hier und da ein vereinzelter Rufer; die Stimmen waren klar hörbar; sie weckten die Schlafenden. Jetzt aber gibt es keine Wüsten mehr — oder vielleicht ist alles eine Wüste geworden, die man vor lauter Rufern nicht mehr sehen kann. Es herrscht ein enormes Geschrei, und man vernimmt keine Stimmen.

In den folgenden Überlegungen will ich mich auf drei Arten von Grenzen beschränken: konzeptionelle, finanzielle, moralische. Zweifellos gibt es noch viele andere Grenzen, die ich außer acht lassen muß. Eine will ich erwähnen: die

---

* Aus den mir zugänglichen Briefen bedeutender Naturforscher dieses Zeitraums spricht die Ruhe. Man vergleiche den Ton der Briefe Lichtenbergs, Liebigs, Wöhlers, Mieschers mit dem sich in solchen Büchern wie Watsons *The Double Helix* oder Olbys *The Path to the Double Helix* abzeichnenden rastlosen Geist — wenn »Geist« das richtige Wort ist für das Zischen eines wildgewordenen Dampfkessels.

Kürze des Menschenlebens. Viele Richtungen der Forschung enden mit dem Tod des Forschers. Manche werden zwar fortgesetzt — oft nach langer Unterbrechung —, aber viele, und vielleicht die fruchtbarsten Gedanken, sind begraben, sind unwiderruflich verloren. Seltsamerweise — und ganz im Gegensatz etwa zu den ungeschriebenen Opern Mozarts — hat ihnen niemand nachgeweint.

<h1 style="text-align:center">III</h1>

Wenn ich die *konzeptionellen Grenzen der Naturwissenschaften* betrachte, komme ich zu jenem Teil meiner Bemerkungen, dem ich am wenigsten werde gerecht werden können. Schon der Plural »die Naturwissenschaften« steht mir im Wege. Dem Außenstehenden scheinen alle Naturforscher einer festgefügten Gilde anzugehören, aber in Wirklichkeit sind sie voneinander so verschieden wie die Pilze im Walde. Was haben zum Beispiel ein Geologe und ein Psychologe gemeinsam, außer daß beide sich hie und da einer rudimentären — und häufig illegitimen — Mathematik bedienen? Erscheint mir die Psychologie nur deshalb weniger begrenzbar, weil ich die Erde sehen kann, nicht aber die Seele? Müßte ich also von den Grenzen der Physik, der Chemie usw. sprechen? Aber dann kommt einer und sagt, ich sollte mich eigentlich auf die Grenzen der analytischen anorganischen Chemie beschränken, und auch das wäre zuviel. Dabei könnte der Kleinkrämer sogar den hochgeschätzten William Blake, diesen aufrührerischen Heiligen der Formen und Worte, gegen mich anführen: »To Generalize is to be an Idiot. To Particularize is the Alone Distinction of Merit. General Knowledges are those Knowledges that Idiots posses.«*

---

* »Zu verallgemeinern heißt, ein Idiot zu sein. Ins einzelne zu gehen ist das einzige Kennzeichen des Verdienstes. Allgemeine Kenntnisse sind die von Idioten besessenen Kenntnisse.« Die Randbemerkungen, die Blake in Sir Joshua Reynolds' *Discourses* hineinschrieb, sind von einer für ihn ungewöhnlichen Schärfe und Bitterkeit.

Es ist das alte Dilemma: wer ins Schwarze trifft, verfehlt das Weiße. Aber man muß wählen; und im gegenwärtigen Falle halte ich mich an das Allgemeine. Um so mehr, als die Wissenschaften von Menschen gemacht werden; und es ist natürlich der Mensch, der an begriffliche Schranken stößt, nicht die Wissenschaft selbst. Nur in einer Beziehung sind wir wirklich grenzenlos, nämlich in unserer Einbildungskraft. Ich kann mir zum Beispiel einbilden, daß ich alles weiß. Wenn ich das laut sage, ende ich im Narrenhaus. Verkündige ich aber, daß ich alles über die Nukleosidbindung weiß, so nickt die Welt wohlwollend mit dem Kopf und sagt: »Er ist ein wahrer Fachmann.«

Ich habe gerade von der Einbildungskraft gesprochen. Ist sie nicht wirklich die größte Kraft, die dem Menschen verliehen ist; sie, die allein ihn in die Freiheit hebt, ihm Macht verleiht über die Welt und ihre Werke? »Die entfesselte Phantasie«, von der Walter Muschg geschrieben hat, »die absolute, herrliche und furchtbare Freiheit des schöpferischen Ich, die nur der Rauschkünstler kennt«. Nun, Naturforscher sind vielleicht neben Bankiers, die Menschen, die es sich am wenigsten leisten können, Rauschkünstler zu sein. Was sie fordern, diese mißtrauischen Buchhalter des Naturkontokorrents, sind zwei Versuche, die halbwegs das gleiche Resultat ergeben; nur dann glauben sie an die Welt. Wenn ich in der Offenbarung S. Johannis XVI lese:

Und der ander Engel gos aus seine Schale ins Meer / Und es ward Blut als eines Todten / und alle lebendige Seele starb in dem Meer.
Und der dritte Engel gos aus seine Schale in die Wasserströme / und in die Wasserbrünnen / und es ward Blut —

so bin ich verpflichtet zu fragen: Woher stammt das Blut? Wurde die Blutgruppe bestimmt? Wurde ein gerinnungshemmender Stoff zugesetzt, um das Blut flüssig zu erhalten? Unterdessen sind die Engel schon woanders.

IV

Daß Wissen fast unbegrenzt expandierbar ist, leugne ich nicht. Nur ändert sich die Qualität des Wissens fortwährend, je weiter wir uns von einem Zentrum entfernen, das tiefere Denker als ich als »den Ursprung« bezeichnet haben. Denn einem tiefen Bedürfnis der Menschheit sind die Wissenschaften entsprungen, der Sehnsucht nach Klarheit über die Welt, in die wir geworfen sind, dem Wunsch nach Bewahrung dessen, was die zahllosen Generationen vor uns gelernt haben. Wissenschaft ist also in diesem Sinne bewahrtes, vermehrtes und weitergereichtes Gedächtnis. »Er lernte viel, er lehrte mehr«, ist mir immer als das schönste Epitaph des Lehrers erschienen.

Aber die Fassungskraft des Gehirns ist nicht unbegrenzt; und nicht alle Gehirne speichern dieselbe Information. Deshalb haben wir Bücher und neuerdings sogar Computer. Nicht alle Naturwissenschaften sind jedoch so glücklich wie die Chemie, die doch in der Hauptsache mit Substanzen und Reaktionen von Substanzen zu tun hat. Viele Wissenschaften entbehren daher eines »Beilstein« oder »Gmelin-Kraut«, denn sie sind schwer zu katalogisieren. Ich komme demnach zu einer Feststellung, die sicherlich nicht unwidersprochen bleiben wird: *die wahre Grenze der Naturwissenschaft ist der Mensch*. Er ist jedenfalls die wichtigste, wenn nicht die einzige Grenze.

Wenn dann meine Kollegen gelaufen kommen und unter lautem Protest auf die Existenz von Computern verweisen, die auf alles eine Antwort wissen, so muß ich erwidern, daß Antworten nie besser sein können als die gestellten Fragen. Wann immer ich den Computer um Rat fragte, spie er unverdauliche Riesenlisten von verdruckten Namen und Titeln aus, die zu nichts zu gebrauchen waren.

Wissenschaft ist aber nicht nur Gedächtnis, sie ist auch Vergessen. Wenn wir alles wissen müßten, was Ptolemäus, Albertus Magnus, Paracelsus und Vesalius gelernt hatten, so wären wir zwar gebildetere Menschen, aber unsere Wissenschaften würden keinen Gewinn daraus ziehen. Auf die Gefahr hin, daß es allzu mythologisch klingt, könnte man daher sagen, daß die blasse Göttin Mnemosyne zu ihrem eigenen Wohlergehen häufige Gesundheitsbäder im Flusse Lethe nehmen muß.

V

Die große Schwierigkeit des Unternehmens, die Grenzen der Naturwissenschaften im allgemeinen zu erwägen, liegt darin, daß soviel Verschiedenes in *einen* Topf geworfen werden muß, auf dem »Naturwissenschaft« geschrieben steht. Zum Beispiel ist die Paläobotanik eine Sache und die Biochemie eine ganz andere. Und die Mathematik, ist sie überhaupt eine Naturwissenschaft, wie Kant es anzunehmen scheint? Die verschiedenen Wissenschaftszweige sind derart auseinandergewachsen, daß nur noch die Mitgliedschaft in derselben Akademie die Ausübenden verbindet. Diese Zersplitterung ist selbst zu einer der wesentlichen Grenzen geworden.

Man könnte sich eine Vereinfachung und Verengerung des Problems vorstellen, indem wir zwischen historischen und unhistorischen Naturwissenschaften unterscheiden, und zwischen experimentell-deskriptiven und rein deskriptiven. Wird diese eingestandendermaßen recht oberflächliche Unterscheidung vorgenommen, so ist z. B. die Paläontologie historisch-deskriptiv, und die Physik oder die Chemie sind in der Hauptsache experimentell-deskriptive Naturwissenschaften. Die viel mehr verschachtelte Biologie andererseits ist ein Mischmasch. Um meine Aufgabe einfacher zu gestalten, halte ich mich im folgenden an die experimentell-deskriptiven Naturwissenschaften: also insbesondere an die Physik, die Chemie und einen Teil der Biologie.

Lange bevor man auf die Idee kam — auf die blendend trügerische Idee —, wissenschaftliche Erkenntnisse durch Experimente zu überprüfen, waren auch diese Wissenschaften mehr deduktiv als induktiv. Die großen Denker der vorsokratischen Zeit — vielleicht die tiefsten, die der Westen gekannt hat — waren von der Unermeßlichkeit der sie umgebenden Welt so durchdrungen, daß ihnen jedes Messen als vermessen erschienen wäre, jedes Wägen als viel zu gewagt. Völlig uninteressiert am Periodischen System der Elemente hätten sie wahrscheinlich gesagt: »Alles was glänzt ist Gold.« Hier und da wurden natürlich auch im Altertum Experimente ausgeführt, aber sie wuchsen mehr aus der Technik als aus der reinen Wissenschaft. Forschung hingegen bestand hauptsächlich im Nachdenken. Wie anders in unserer Zeit, wo dieses jener eher nachteilig ist.

Was die deskriptiven Wissenschaften angeht, so kann ich mir sehr gut eine Grenze vorstellen, nämlich, wenn alles, was beschrieben werden kann, schon beschrieben ist. Das wird sich natürlich nicht so abspielen, daß im Jahre 2200 jemand im Elektronenmikroskop die Aufschrift »jetzt weißt du alles!« erspähen wird. Aber es gibt schon jetzt Wissenschaften, in denen es immer schwieriger wird, etwas Anständiges zu leisten. Dazu gehören ganze große Gebiete der Physik, aber auch manche der Chemie.

Es gibt natürlich immer noch was zu tun; kleine Läuse haben bekanntlich immer noch kleinere Läuse. Aber wie klein kann man die Atome und die Atomkerne zerhacken? Ich habe das unangenehme Gefühl, daß, wenn der Nobelpreis für Physik abgeschafft wäre, man keine Elementarteilchen mehr entdecken würde.

Es gibt nämlich *Grenzen der intellektuellen Rentabilität*. Bis zu einem gewissen Punkt konnte man sagen, daß die Wissenschaften diejenigen, die sie betrieben, weiser gemacht haben; aber das ist längst vorbei. Wir haben uns alle verstrickt in dem, was Goethe in einem Brief an Schiller (17. 8. 1797) »die millionenfache Hydra der Empirie« genannt hat. Wir sind »wahnsinnige Detailhändler der Natur« geworden, um ein anderes schönes Wort, diesmal von E. T. A. Hoffmann, zu gebrauchen. Jeder kultiviert sein kleines Eckchen in dem sogenannten Garten der Natur; aber wenn man diesen Garten übersieht, ist er ein wilder, unwegsamer Dschungel geworden, und die Hälfte der Bäume ist verfault.

Was die Menschheit anstrebte, als sie das große Abenteuer der Wissenschaft unternahm, war, ein festes und wahres Bild der Natur zu erlangen; statt dessen ersticken wir in einem Krimskrams winzigster Spezialfakten. Das enorme Anschwellen der Naturwissenschaften in unserer Zeit, der immer größer werdende Zustrom von Wissenschaftern, die Lawine von Publikationen, die eine Fülle von immer trivialer werdenden sogenannten Entdeckungen vermitteln: all dies hat den Charakter der Wissenschaften völlig verändert. Der so klarsichtige Jacob Burckhardt hatte das schon vor mehr als hundert Jahren kommen sehen. Er schreibt in seinen »Weltgeschichtlichen Betrachtungen«:

In den Wissenschaften ist der Überblick bereits im Begriff, vor lauter Spezialentdeckungen von Einzeltatsachen sich zu verdunkeln. — In keinem Lebensgebiet wächst die Kapazität der Einzelnen gleichmäßig mit der Zunahme des Ganzen; die Kultur könnte leicht über ihre eignen Beine stolpern.

Was hätte Burckhardt zu unserer Zeit gesagt, da die Lektüre der *Current Contents,* d. h. der gesammelten Inhaltsverzeichnisse ausgewählter wissenschaftlichen Zeitschriften, schon fast tagesfüllend ist?

Die großen Männer der Vorzeit — ein Heraklit, ein Pythagoras, ein Demokrit, ein Empedokles — haben eine Vision der Welt gehabt, die der Wahrheit näher war. Sie beobachteten die Natur in ihrer herrlichen Gegebenheit; und es wäre ihnen nicht eingefallen, ein konstruiertes Netzwerk von postulierten Beziehungen für die Natur zu substituieren. Von unserer Zeit, von unserer Wissenschaft aber gilt der Grundsatz: *Viele Wahrheiten sind der Wahrheit Tod.*

VI

In mancher Beziehung könnte man sagen, daß die Naturwissenschaften ihre endgültige Grenze erreicht haben, wenn sie, ihres eigentlichen Sinnes nicht mehr eingedenk, in blinder Automatik zu wühlen fortfahren, jede immer weiter von der nächsten entfernt. Es kommt dann ein Zeitpunkt, da man den Eindruck gewinnt, daß die Wissenschaften nur zwecks Ernährung der Wissenschafter weiterexistieren. Ursprünglich war es wahrscheinlich umgekehrt.

Der Grad des Absurden ist in den verschiedenen Wissenschaften nicht gleich. Am höchsten ist er vielleicht in den diversen Zweigen der Biologie, in welcher der Kontrast zwischen der Riesenhaftigkeit der belebten Natur und der Schäbigkeit der Fragestellung, mit der man ihr auf den Leib zu rücken vorgibt, bizarre Ausmaße angenommen hat. Die in den folgenden Abschnitten besprochenen Umstände werden vielleicht eine Dämpfung herbeiführen.

Daß die von uns der Reihe nach aufgeklärten Naturgeheimnisse uns nicht weiser, nur stumpfer machen, hat so mancher gefühlt. So z. B. Jean Paul: »So zieht jede Erkenntnis eine Stein-Kruste über unser Herz.« (*Die unsichtbare Loge*, 21. Sektor.) Wie es dazu gekommen ist, dies herauszufinden habe ich mich lange bemüht, jedoch mit mäßigem Erfolg. Wenn ich darüber nachdenke, worin der hauptsächliche Einfluß der modernen Naturwissenschaften auf das Denken unserer Zeit besteht, würde ich sagen, daß sie es waren, die die Nützlichkeit des Begriffs der Methodik deutlich gemacht haben. Sie haben dem Kontinuum der Natur, welche der Menschheit ursprünglich als ein strukturloses Magma erschienen sein mag, gleichsam einen Raster oder ein feinmaschiges Netz aufgezwängt. Auf diese Weise wurde der Riesenstrom in kleine, kaum miteinander kommunizierende Bächlein aufgeteilt, so daß der Angriff auf die Natur unter dem Motto *Divide et impera!* vor sich gehen konnte. Diese Form von Naturimperialismus hat eine früher undenkbare

Fragmentierung der Natur zur Folge gehabt. Eine zusammenhängende Vorstellung, ein festes Bild von der Natur ist uns mithin unwiderruflich versagt; wir haben nur ein Riesenalbum von unzähligen Naturbildern, deren jedes viel eher den Photographen als die Natur porträtiert*.

VII

Was ich von den *finanziellen Grenzen der Naturwissenschaften* sagen will, kann kurz und bündig sein. Die Forschung ist viel zu teuer geworden. Das, was ich den Dezimalrausch genannt habe, der uns alle ergriffen hat, die Zersplitterung, die Verfeinerung, die Überspezialisierung unserer Wissenschaften kosten eine Menge Geld. Da ich aus einer Zeit stamme, als ein Doktordiplom in Chemie einem das Recht, ja sogar die Fähigkeit gab, auf allen Gebieten der Chemie zu arbeiten, habe ich in meinem Leben viele verschiedene Dinge erforscht. Ich bin also in der Lage, Vergleiche zu machen. Wenn ich zwei gleichartige Arbeiten, die ich im *Journal of Biological Chemistry* publizierte — eine vor 35 Jahren und eine vor kurzem — nebeneinanderhalte, komme ich zu dem Schluß, daß die Kosten wissenschaftlicher Arbeiten auf dem Gebiete der Biochemie sich in diesem Zeitraum auf etwa das 25fache erhöht haben. Dies gilt für ein kleines bescheidenes Laboratorium; und ich glaube, ich habe den Kostenanstieg eher unterschätzt.

Wenn man dazu noch in Betracht zieht, daß in der

---

*Ich kann es mir nicht verwehren, in diesem Zusammenhang noch zwei Sätze Jean Pauls anzuführen (*Hesperus,* Neunter Schalttag): »Er fand (nicht erfand) die Wahrheit durch Aufflug, Umherschauen und Überschauen, nicht durch Eindringen, mikroskopisches Besichtigen und syllogistisches Herumkriechen von einer Sylbe des Buchs der Natur zur andern, *wodurch man zwar dessen Wörter, aber nicht den Sinn derselben bekömmt.* Jenes Kriechen und Betasten gehört, sagt' er, nicht zum *Finden,* sondern zum *Prüfen* und Bestätigen der Wahrheit . . .«

vergleichbaren Periode — zwischen 1940 und 1970 — die Anzahl der Forscher um fast das Zehnfache gestiegen ist, so bedeutet dies, daß aus einer winzigen Minoritätsbeschäftigung ein Riesenunternehmen geworden ist, für das schließlich nur die Staaten selbst aufkommen können. Dieses plötzliche Anschwellen hat höchst unheilvolle Folgen gehabt: Das so mühsam erkämpfte Ideal der Forschungsfreiheit ist vernichtet worden. Mit wenigen Ausnahmen gibt es keine freie Forschung mehr. Die Forscher sind zu winzigen, widerstrebend geölten Rädern einer Riesenmaschine geworden, deren Erzeugnisse mit dem, was man früher als geistige Produkte anerkannt hätte, nur die Verpackung gemeinsam haben.

Ich glaube, die reine Wissenschaft, die Grundlagenforschung, hat die ihr gesetzten finanziellen Grenzen bereits längst überschritten; und indem sie dies tat, hat sie sich von Grund aus verändert. Sie ist polarisiert und politisiert worden und dem Rest der Menschheit noch mehr entfremdet als zuvor, da sie als eher rührende Beschäftigung einiger weniger hungerleidender Sonderlinge galt*.

Ich sehe nur eine Rettung: die Rückkehr zur »kleinen Wissenschaft«. Die Überlegung, ob und wie dies geschehen könnte, muß auf eine andere Gelegenheit verschoben werden. Obwohl schon eine Änderung im System der Forschungsförderung durch die Völker eventuell dazu führen könnte, ist ein wahrer Umschwung erst zu erwarten, wenn die fieberhafte Unruhe des Westens abklingt. Da ich aber bemerkenswert frei von chiliastischen Hoffnungen bin, glaube ich nicht, daß wir diese goldene Zeit erleben werden. Vielmehr wird alles so weitergehen wie bisher, nur ärger.

---

*Allerdings erschien auch später dem Uneingeweihten der »zerstreute Gelehrte«, lange nachdem er die erste Wasserstoffbombe konstruiert hatte, noch immer als ein liebenswert-komischer Charakter.

VIII

Ich komme nun zum letzten Teil meiner Bemerkungen: den *moralischen* — oder soll ich sagen den ethischen? — *Grenzen der Naturwissenschaften.* »Moralische *Grenzen*«, das klingt ein bißchen wie »ein fast frisches Ei«. *Entweder — Oder* hat der große Kierkegaard ausgerufen; aber der Bindestrich zwischen diesen beiden Partikeln ist unendlich lang. Denn das absolut Gute und das absolut Böse sind durch einen unermeßlichen Abstand getrennt, wenn auch der einzelne imstande ist, ihn im Nu zu überspringen. Die Weltgeschichte, und insbesondere die Geschichte unserer Zeit, bietet genügend Beispiele für einen solchen *salto mortale.*

Obwohl sich ähnliche, und wahrscheinlich üblere, Probleme aus der Betrachtung der angewandten Wissenschaften, z. B. Technik und Medizin ergeben, denke ich hier, wie auch im folgenden, hauptsächlich an die reinen Wissenschaften, an die Grundlagenforschung. Das allgemeine Unbehagen unserer Zeit, diese weltweite Malaise, hat auch vor den Wissenschaften nicht haltgemacht; und zumindest in Amerika macht sich eine weitverbreitete Abneigung, ja sogar ein Abscheu bemerkbar, welcher von der andern Seite, ich glaube irrigerweise, als Anti-Intellektualismus angesehen wird.

Ein so bedeutender Mann wie Max Weber hat uns gelehrt, daß die Wissenschaft wertfrei ist. Ich glaube, er hat unrecht und spricht nur als Vertreter des aufgeklärten Bürgertums in einer bestimmten historischen Epoche. Frühere Zeiten haben an die moralische Neutralität der Wissenschaften vielleicht wirklich geglaubt, solange die Mittel fehlten, um deren Entdeckungen restlos auszubeuten. Die Kardinäle, die den Galilei verurteilten, waren sichtlich anderer Meinung. Das bedeutet nur, daß Kierkegaards unendlich langer Bindestrich Raum hat für viele Schaukeln.

Daß eine Zivilisation mit der Wissenschaft leben kann, ohne sie zu gebrauchen und daher zu mißbrauchen, dafür bietet vielleicht die Geschichte des alten China lehrreiche

Beispiele. Unsere verwirrten, raffenden, glück- und geldgierigen, fieberhaften Zustände sind jedoch so anders, daß wir wahrscheinlich von fremden und fernen Zivilisationen nichts lernen können.

Solange die Naturwissenschaften ein winziges Minoritätsunternehmen waren, waren sie wahrscheinlich unschädlich. In dem Maße, wie sie dem Menschen halfen, sich in seiner Welt zurechtzufinden, stellten sie sogar ein Gutes dar, zu welchem allerdings als eine notwendige Bedingung das überaus langsame Tempo des Fortschritts gehörte. In der zweiten Hälfte des 19. Jahrhunderts beschleunigte sich die Geschwindigkeit; aber ich würde sagen, daß bis in unsere Dreißigerjahre das Wachstum der Wissenschaften in menschlichen Proportionen blieb. Das heißt, die Menschheit hatte Zeit, sich an das Neue — ob gefunden oder erfunden — allmählich anzupassen. Das heißt auch, daß — mit zwei gewichtigen Ausnahmen — alle großen, alle epochalen Errungenschaften der Naturforschung aus der Zeit der Winzigkeit stammen. Die beiden Ausnahmen — aber es sind gewaltige Ausnahmen — sind die Atomspaltung und die Chemie der Vererbung. Man könnte sagen, daß es sich in beiden Fällen um die Manipulation, um die Mißhandlung von Kernen handelt: des Atomkerns, des Zellkerns. Ob die in diesem gespeicherte Nuklearenergie sich nicht noch verheerender auswirken wird als die aus jenem beziehbare, möchte ich offenlassen.

Jedenfalls geschah es zu meinen Lebzeiten, daß die Wissenschaft ihre Unschuld verlor. Was geschehen ist, kann in wenigen Worten gesagt werden, und ich habe dies schon früher getan. Die Welt scheint sich der Maxime unterworfen zu haben, welche lautet: *Was getan werden kann, muß getan werden.* Wenn eine Waffe gebaut werden kann, muß sie gebaut werden; kann sie angewandt werden, so muß man sie anwenden. Ein teuflischer Fatalismus gegenüber der Technokratie hat jede moralische oder legale Hemmung aufgehoben. Es ist ein entropischer Imperativ, dem gegenüber wir wehrlos sind.

Man gewinnt den Eindruck, daß die Menschheit ganz unvermittelt eines gleichsam gyroskopischen Kontrollsystems beraubt worden ist, welches sie durch die Jahrtausende vor abrupten Veränderungen bewahrte. Historiker haben oft darauf hingewiesen, wie langsam die Verbreitung und insbesondere die Verwertung wissenschaftlicher Entdeckungen und technischer Erfindungen bis zum Ende des 18. Jahrhunderts erfolgten. Die Oxydation des Zinns an der Luft wurde von Jean Ray, einem Arzt aus Périgord, im Jahre 1630 — etwa 150 Jahre vor Lavoisier — erwähnt. Die Brennbarkeit der Naphtha war schon um 2000 v. Chr. den Babyloniern bekannt und Plinius erwähnt sie in seiner Naturgeschichte. Brennbares Erdgas wurde 1618 von Jean Tardin ausführlich beschrieben. Mehr als 100 Jahre vor der öffentlichen Vorführung von Kohlengas als Leucht- und Heizmittel in Paris 1801 wurden ähnliche Beobachtungen mehrmals veröffentlicht. Die erste Erwähnung der Möglichkeit des elektrischen Telegraphen wird gewöhnlich mit 1753 angesetzt; aber es scheint, daß das Prinzip der Telegraphie bereits 1635 von Schwenter diskutiert wurde. Die Dampfmaschine hat eine Vorgeschichte von fast zweitausend Jahren.

Diese Liste könnte länger sein, aber sie genügt, um anzuzeigen, worauf ich hinziele. Ich will keineswegs die sogenannten guten alten Tage lobpreisen, denn alle Zeiten waren die schlimmsten. Aber etwas hat sich geändert. Was hat den dialektischen Qualitätssprung — sagen wir, von Kepler zu Teller oder Sacharow — mit so erschreckender Plötzlichkeit hervorgerufen? Die Fülle von möglichen Antworten zeigt, daß die richtige noch nicht gefunden worden ist.

Jedenfalls sind wir mittendrin in dieser Grenzverwirrung. Von unserer Zeit könnte man sagen, daß die Naturwissenschaften keine Grenzen anerkennen, oder höchstens zeitweilige. Bestenfalls werden sie antworten: »Das können wir noch nicht machen.« Denn die Wörter »noch nicht« sind in der Wissenschaft der Tribut, den die Ehrlichkeit dem Optimismus entrichtet. Da die Naturwissenschaften zu dauernden Grenzüberschreitungen ermutigt werden, hat sich ihrer eine Art von Freibeutergeist bemächtigt, und der Raubbau an den Naturgeheimnissen ist eine Großindustrie geworden.

Dies tritt vielleicht in gewissen Gebieten der Biologie und der Medizin am klarsten zutage. Die unglaubliche Brutalität, mit der z. B. Eingriffe in den Erbapparat oder das Seelenleben des Menschen erwogen werden, ist die direkte Konsequenz der »Statistifizierung« des wissenschaftlichen Denkens, die — von der Physik, Chemie und Bakteriologie ausgehend, wo sie durchaus notwendig ist — auch die Lehre vom Menschen ergriffen hat.

IX

Anläßlich der Massenvakzination gegen Influenza, die kürzlich, vielleicht als gescheiterter Wahltrick, in den Vereinigten Staaten vorgenommen wurde, sind am ersten Tag 36 ältere Leute gestorben, davon drei im selben Spital. Die Gesundheitsexperten versicherten darauf, daß angesichts der Zahl der Geimpften so viele Todesfälle statistisch durchaus zu erwarten waren. Mag sein; ich kann es nicht überprüfen. Aber was ich mich frage, ist: »Wenn damals keine Massenimpfungen vor sich gegangen wären, wären es dieselben 36 gewesen, die an jenem Tage die Sonne nicht mehr untergehen sahen?« Auch ich habe einmal Wahrscheinlichkeitsrechnung studiert, und ich weiß, daß man diese Frage nicht beantworten kann. Es ist ja alles Zufall. Aber wenn die Wissenschaft den Zufall beim Arm packt und ihm sagt: »Stoß hier zu, und hier und hier!«, so hat sie eine fürchterliche Schuld auf sich genommen; denn gelenkter Zufall ist Mord. Wer umkommt, ist dem Aktuar gleichgültig, aber nicht dem Opfer.

Wir sind nämlich von der Statistik vergiftet worden, und nicht nur von den Schandtaten, zu deren Verschleierung sie

sich hergibt. Wenn ich höre, daß die Erhöhung der Leukä-
mie-Wahrscheinlichkeit durch ionisierende Strahlung — sei
es von Kraftwerk oder Atommüll — statistisch nicht signifi-
kant ist, so denke ich an den *einen* Menschen, der daran wird
zugrunde gehen müssen. Für mich hat er einen Namen und
ein Gesicht, vielleicht eine Familie und Freunde; er hätte
nicht so sterben sollen.

Dann kommen die schrecklichen Fachleute und sagen mir:
»Ja, aber die kosmische Strahlung ist noch schädlicher.«
Nun gut; aber den Kosmos haben ja nicht wir gemacht,
jedoch den Atomdreck, den haben wir erzeugt. Alles was ich
von der Wissenschaft erwarte, ist, daß sie das Elend des
Menschen nicht noch größer macht.

Damit habe ich einen Rand der moralischen Grenze
bereits erwähnt. Denn meine Mindestforderung lautet: Die
Naturwissenschaften sollen die Natur nicht denaturieren; sie
sollen den Menschen nicht entmenschen. In der Art, wie wir
die Naturwissenschaften heutzutage betreiben, sind sie,
fürchte ich, im Begriff, beides zu erreichen.

Der Zweck heiligt nur heilige Mittel; das heißt, er heiligt
gar keine. Von unserer Zeit könnte man jedoch sagen, daß
die Naturwissenschaften keine Grenzen anerkennen. Wer
sollte auch diese Grenzen setzen? Sicherlich nicht die Forscher selbst, die, um ihr »Image« in der Öffentlichkeit
besorgt, viel eher den Spiegel als sich selbst korrigieren
möchten. So bieten denn die verschiedenen Konferenzen
über die Ethik der Naturwissenschaften ein melancholisches
Spektakel: Die Böcke beraten, wie sie weniger nach Bock
riechen könnten und mehr nach Kohl.

X

Dies bringt mich zu meinem letzten Beispiel, nämlich zu der
jetzt sehr lebhaft gewordenen Diskussion über die Zulässigkeit genetischer Manipulationen, insbesondere der Versuche

mit »recombinant DNA«.* Professionelle Experten und ebenso professionelle Laien sind da zusammengestoßen: die einen wissen alles über nichts, die anderen wissen nichts über alles. Jedenfalls ist dies ein lehrreiches Beispiel für einen Fall, wo eine möglicherweise nicht tragbare Verschmutzung der Biosphäre mit den edelsten Motiven gerechtfertigt werden soll. In diesem Sinne erinnert es an die Kontroverse über die Konstruktion von Atomkraftwerken. Das Resultat wird zweifellos dasselbe sein wie im Fall der Atomenergie: eine nicht tragbare Verschmutzung wird unter allgemeinem Applaus für den Edelmut und die Uneigennützigkeit der daran beteiligten Gelehrten gutgeheißen werden. Die Folgen könnten noch viel ärger sein, denn was geplant wird, ist irreversibel.

Die Gegebenheiten können kurz geschildert werden. Einer der wichtigsten Symbionten von Mensch und Tier ist der gram-negative Bazillus *Escherichia coli*, von dem viele Hunderte von Varianten bekannt sind. Unter seltenen Umständen pathogen, besonders im Harntrakt, findet er sich gewöhnlich in großen Mengen im Dickdarm; ein Gramm Fäzes enthält etwa 10^{10} Organismen. Mehr aus Zufall als durch Absicht hat sich die in den letzten 30 Jahren erwachsene Molekularbiologie auf das Studium von *E. coli* konzentriert, und die gegenwärtige biochemische Genetik wäre ohne diesen Organismus undenkbar. Wir wissen viel mehr über ihn als über uns selbst. Die Übertragung biologischer Information durch Gen-Austausch, obwohl ursprünglich in den Pneumokokken entdeckt, wurde nirgendwo so ausführlich studiert wie im *E. coli*. Auch die Eigenschaften von Viren wurden an diesen Organismen zuerst ausführlich erforscht. Das *E. coli*-Genom, d. i. die riesige Doppelkette der Desoxyribonukleinsäure, ist im Detail kartographiert worden mit Bezug auf die Position der verschiedenen Gene — und so weiter.

* Eine ausführlichere Betrachtung dieses Problems findet sich in dem Aufsatz »Wenig Lärm um Viel« (S. 144).

Als sich mit Hilfe verschiedener Eingriffe die Möglichkeit eröffnete, DNS-Stücke verschiedener biologischer Herkunft miteinander zu verschwistern, war es naheliegend, daß sich alle Experimente auf *E. coli* als den Wirtsorganismus konzentrierten. Wenn ich es ganz schematisch und mit oberflächlicher Kürze beschreiben darf, handelt es sich um Folgendes. In den letzten Jahren ist eine Reihe von sehr interessanten Enzymen, spezifischen Nukleasen, beschrieben worden, die sogenannten Restriktionsenzyme, welche DNS an einer bestimmten Nukleotidsequenz spalten. Auf diese Weise gelingt es manchmal, ein bestimmtes Gen auf ein DNA-Fragment zu beschränken. Auch auf andere Weise mag es unter Umständen möglich sein, ein Gen anzureichern oder sogar durch eine allerdings sehr mühsame Synthese herzustellen, z.B. wenn die Aminosäuresequenz eines Enzyms oder die Nukleotidsequenz einer Ribonukleinsäure bekannt ist. Im allgemeinen sind wir aber nicht in der Lage, ein reines Gen zu isolieren; und bei der Mehrzahl der Versuche wird es sich um ein rohes Gemisch handeln.

Das so isolierte DNS-Fragment wird dann in einen Träger implantiert, welcher ebenfalls durch Vorbehandlung mit einer geeigneten spezifischen Nuklease an einer Bindung gespalten worden ist. Als Trägermoleküle werden die sogenannten Plasmide verwendet, das sind gewisse kleine kovalent geschlossene, zirkuläre DNS-Moleküle, oder der Lambda-Phage: also Molekülarten, die in geeignete lebende *E. coli*-Zellen eindringen und sich in ihnen vermehren können. Das einzurückende DNS-Fragment wird mit Hilfe einer Reihe von Handgriffen dem Träger einverleibt und dieser in eine *E. coli*-Zelle gebracht. Die derart infizierten Bakterien dienen dann zur Vervielfältigung des modifizierten Plasmids.

Das zu diesen Versuchen führende Denken, wie auch die Versuche selbst, sind meiner Meinung nach intellektuell und experimentell höchst verschmutzt. Die durch die Schwierigkeit des Materials und durch den ungeheuren Druck der

Konkurrenz erzwungene Schludrigkeit ist für einen an andere Kriterien gewöhnten Chemiker geradezu erschreckend. In einem großen Teil dieser Wissenschaft hat die Nachprüfbarkeit ohnedies schon längst aufgehört, da es im allgemeinen viel leichter und profitabler ist, etwas Neues zu finden, als das Alte zu wiederholen.

Die Zukunftsmusik, welche die Segnungen dieser Forschungsrichtung anpreist, ist ohrenbetäubend. Was wird nicht alles versprochen: Heilung des Krebses, Verdoppelung der Lebensspanne, stickstoff-assimilierendes Getreide, tonnenweise Erzeugung der schwerstzugänglichen Hormone, und so vieles andere. Wenn der Wunsch der Vater des Erfolgs wäre — und leider ist er es manchmal in den Naturwissenschaften —, so sind einige Zukunftserfolge sicherlich denkbar. Aber vorläufig wissen wir fast noch nichts über den Erbapparat des Menschen, und wir sind noch sehr weit von der Isolierung eines bestimmten Gens. Was ein Gen alles benötigt, um sich »auszudrücken«, ist noch völlig dunkel. Wir bezeichnen als Gen ein DNS-Bruchstück, das auf eine einzige ihm gestellte Frage mit Ja antwortet. Ob es (oder ein naher Nachbar) andere ihm *nicht* gestellte Fragen nicht noch emphatischer bejahen würde, wissen wir nicht. Was also alles in ein Plasmid hineingespleißt werden könnte, ist nicht auszudenken. Es gibt da fürchterliche Möglichkeiten. Um so bedauerlicher die Hast, mit der die wildesten Experimente geplant werden.

Der Nichteingeweihte wird es schwer haben, sich davon einen Begriff zu machen, was hier gespielt wird. Es handelt sich um nichts Geringeres als die Erzeugung neuer Lebensformen. Wenn es auch nur ein Bakteriunkulum ist und noch kein Homunkulus, der Rest wird kommen. Sträflicher als die Versuche selbst ist die Gesinnung, die dahintersteckt. Jemand wie ich, der sein ganzes Leben damit verbracht hat, den Teufel mit blassen Wasserfarben an die Wand zu malen, muß erschrecken, wenn das Gebilde sich ablöst, Leben und Farbe gewinnt und die Führung übernimmt. Propheten sehen nicht gerne, wenn ihre Voraussagen zu schnell in Erfüllung gehen. In meinem Fall hat es keine fünfzehn Jahre gebraucht. Erbbotschaften, welche die Natur seit Jahrmillionen voreinander bewahrt hat — Eukaryoten und Prokaryoten — sollen vermischt werden, und mißgeborene Chimären werden die Zukunft bevölkern. Denn eines ist sicher: Bei Bakterien, die sich normalerweise im menschlichen oder tierischen Organismus aufhalten, können auch die strengsten Vorsichtsmaßnahmen nicht ausreichen; irgendwie werden sie entweichen, sich vervielfältigen oder ihre Erbmasse an andere lebensfähige Zellen abgeben. Aber das ist ja nur der Anfang: die molekularen Zauberlehrlinge stehen schon Schlange, um endlich mit der Verbesserung der genetischen Anordnungen des Menschen beginnen zu können.

Bekanntlich haben sich vor kurzem die *National Institutes of Health* (NIH) in Washington veranlaßt gesehen, sogenannte Richtlinien für die von ihnen unterstützten Forschungen über »recombinant DNA« herauszugeben. Da es sich möglicherweise um Überlebensfragen der Menschheit — und sicherlich um ins Innerste der Wissenschaften reichende Fragen der Moral — handelt, halte ich die Richtlinien in ihrer technischen Beschränktheit und in ihrer katzenpfötigen Zimperlichkeit für unzureichend, ja für lächerlich: sie dienen dem Schutz der Forscher, z. B. gegen Schadenersatzklagen, aber nicht der Öffentlichkeit; um so weniger als die den Schutzmaßnahmen eventuell entkommenden Mikroorganismen nur nachweisbar sein werden, wenn sie eine Katastrophe hervorgerufen haben. Außerdem unterliegt nur ein Teil der Forschungslaboratorien, aber keineswegs die Industrie, der vorgesehenen lässigen Kontrolle.

Ich betrachte es als durchaus möglich, daß diese Art von Forschung eine große Gefahr darstellt, nicht so sehr im Hinblick auf sofortige Epidemien — aber auch dies ist nicht ausgeschlossen —, sondern weil wir da einen Eingriff in das Evolutionsgleichgewicht machen, der in Zukunft weitgehende Folgen haben kann. Ich habe laut dagegen protestiert.

Meine Stimme wird sicher ungehört verhallen. Was mich erschreckt, ist die Irreversibilität des Vorgangs. Vielleicht wird nichts geschehen; aber wenn etwas geschieht, wird man nicht einmal wissen, woher es kam. Jedenfalls ist es das erste Mal in der Geschichte der Welt, daß ein Dummkopf die Biosphäre unwiderruflich besudeln kann.

XI

Der Leser, der bis hierher gefolgt ist, wird vielleicht bemerkt haben, daß die drei Arten von hier erörterten Grenzen eigentlich ineinander verfließen. Wäre man sich rechtzeitig der begrifflichen Grenzen der Naturwissenschaften bewußt geworden, so wäre man nicht an die moralischen, und vielleicht nicht einmal an die finanziellen Grenzen gestoßen. Ich bin gelehrt worden, daß es die Sprache ist, die einen moralischen Riß zuerst offenbart; und die seit einigen Jahrzehnten in den Wissenschaften herrschende Sprache hätte uns viel ahnen lassen können. Der Vorgang, in dem der Schwätzer Geschwätz erzeugt und dieses wieder mehr Schwätzer, war mir immer geheimnisvoll. Er ist in den sogenannten Geisteswissenschaften klar erkennbar, weil sie es nicht zuwege gebracht haben, ihren linguistischen *cordon sanitaire* so hermetisch zu gestalten wie die Naturwissenschaften, die eigentlich zu einer Tiersprache zurückgekehrt sind, in der durch heiseres Bellen abgekürzter Lautkomplexe das wenige Notwendigste vermittelt werden kann. Wer die Interjektionen nicht versteht, gehört nicht zum Rudel.

Aus diesem Grunde spricht man z. B. nicht von der »Nukleinsäure-, der Agglutinin- oder der Prostaglandin-Industrie«, aber wer in der Literaturgeschichtsbranche kennt nicht die Hölderlin-, Rilke- oder Joyce-Industrie? Eine der besten Beschreibungen der galoppierenden geistigen Elephantiasis entnehme ich denn auch einer unerwarteten Quelle, nämlich einem Aufsatz von D. E. Sattler im ersten Heft der Blätter zur Frankfurter Hölderlin-Ausgabe:

Der sekundäre Prozeß der Texterklärung gleicht . . . einer Verfilzung. Einer beginnt; ein Zweiter findet manches nachzutragen, manches falsch; ein Dritter mißbilligt die Prämissen des Zweiten, teilt aber dessen Vorbehalte gegenüber dem Ersten; ein Vierter endlich sieht alles in neuem Licht und erst ein Fünfter setzt aus dem Bisherigen eine Idealerklärung zusammen, die ein Sechster als Stückwerk erkennt . . . Das Lehrgebäude wächst, die Lehrstühle, die Akademien.

Und so geht es weiter und weiter. Da die Wissenschaften bekanntlich grenzenlos sind, wächst die Zahl der Goldsucher, bis sie zu groß wird für das vorhandene Gold. Man nimmt dann auch mit geringeren Erzen vorlieb, bildet aber jedenfalls eine Interessengemeinschaft, die das jetzt bereits verbriefte Anrecht der Goldsucher auf Gold geltend macht. Bald kann das Land ohne sie nicht mehr auskommen; und niemand sieht recht nach, was sie eigentlich wirklich zutage fördern.

Meistens kommt der Fachverein vor der Fachzeitschrift, jedoch nicht bei dem im vorhergehenden Abschnitt besprochenen Unfug. Obwohl die unangenehmen Versuche gerade jetzt erst anlaufen und die von der amerikanischen Regierung zur Erbauung von Speziallaboratorien gespendeten Millionen noch kaum ausgegeben worden sind, sehe ich bereits ein großes, eine neuen Zeitschrift ankündigendes Inserat: *GENE — An International Journal devoted to Gene Cloning and Recombinant Nucleic Acids.* Darüber ließe sich allerhand sagen, z. B. die bemerkenswerte Art, in der das Teilchen (»*recombinant DNA*«) sich für das Ganze (Gen) ausgibt; bald wird es dieses schlucken: ein in den Naturwissenschaften nicht seltener kannibalischer Vorgang. Noch bemerkenswerter ist jedoch das ungewöhnlich früh erfolgte *Fait accompli*, so daß, lange bevor es klar ist, ob die Legislativen nicht regulierend werden eingreifen müssen, sich bereits das Gefäß zur Aufnahme der Fülle ungeborener Entdeckungen einfindet. Damit ist eigentlich alles besiegelt*.

XII

dicksohliger Schuh

Es ist vielleicht Zeit, daß Mephistopheles wieder auf die Kothurne tritt, den Schleier überwirft und die Maske vorbindet, denn das Spiel ist noch nicht aus. Es wird einige Zeit weitergehen, dann wird es aufhören. Ob die Menschheit zwischen zwei Angstträumen lange genug wach bleiben wird, um die Richtung zu verändern, weiß ich nicht; noch auch, wie viele meine Meinung teilen, daß es so nicht weitergeht.

Fragen ergeben sich erst, wenn es zu spät ist; Probleme sind, fast definitionsgemäß, unlösbar. Dennoch ist es seltsam, wie wenig Gedanken man sich über den Sinn, ja sogar den Zweck massiv betriebener Naturforschung gemacht hat. Während man fälschlich ihre Grenzenlosigkeit proklamierte, ist man ihren zahlreichen Grenzen immer näher gekommen. Die zudringlich angegriffene Pandora rächte sich durch die Trivialisierung ihrer Gaben. Sogar Aphrodite entpuppte sich, auf dem Fernsehschirm betrachtet, als eine bemalte Hollywood-Fälschung. Das einzige Kennzeichen des echten hohen Wertes ist seine Unerkennbarkeit. Es ist aber kein Zufall, daß im Denken unserer Zeit der Kreis, dieses reinste aller Gebilde, durch die Spirale abgelöst wurde. Des Mephistopheles Urmutter, die Schlange, hätte dies gutgeheißen.

Der maskierte Schatten auf Kothurnen, ein guter Kenner der Schriften seines Schöpfers, gewinnt den Eindruck, daß

---

*Wer etwas dagegen sagt, wird durch einen Molekular-Knockout erledigt. So z. B. J. D. Watson über mich, weil ich mich gegen die fieberhafte Hast geäußert hatte, mit der diese Form genetischer Forschung vorangetrieben wird: »Chargaff's thing to slow down — this is a perfectly normal response for someone who hasn't *moved* for the past 30 years.« (*New Times*, 7. 1. 1977, S. 58)

die sich erst in der Beschränkung zeigende Meisterschaft
durch die Liebe zu dem Unmögliches Begehrenden aufgehoben ist. Er stellt mit Genugtuung fest, daß wer immer
strebend sich bemüht, aus der Welt eine Mist- und Mörder-
grube gemacht hat. Er hofft — und ich fürchte —, daß kein
Vermächtnis altpersischen Glaubens uns mehr helfen kann,
»Gott auf seinem Throne zu erkennen, / Ihn den Herrn des
Lebensquells zu nennen«.

Ein kurzer Besuch bei Bouvard und Pécuchet oder der Laie als Fachmann

I

An der französischen Literaturbörse wird der Name Gustave Flaubert seit langem niedrig notiert. Den Grund dafür habe ich eigentlich nie recht verstanden; noch auch, warum sein Freund Turgenjew, der große Erzieher der russischen Prosa, dieses Schicksal teilt. Daß Flaubert ein Schriftsteller von hohem Rang war, steht wohl fest. Seine Romane *Madame Bovary* und *L'éducation sentimentale* gehören zu den meistgelesenen Werken des letzten Jahrhunderts. Seine Briefe, in ihrer Lebhaftigkeit und plastischen Unmittelbarkeit, sind Zierden einer Gattung, die es wohl jetzt nicht mehr geben kann. (Leider scheint die neue Ausgabe der Korrespondenz Flauberts in der Pléiade-Sammlung steckengeblieben zu sein: der erste Band erschien 1973, und seither nichts mehr.) Über *Salammbô* will ich nichts Gutes sagen; trotz eindrucksvollen Stellen ist dieser Roman alles in allem doch nur ein gequältes Dekorationsprodukt der Gründerjahre: ein farbenprunkender Plüsch, der sich nicht gut getragen hat, halb Makart, halb Moreau. Dabei lebt in mir wahrscheinlich noch die widerwillige Erinnerung fort, da ich dieses Buch in meiner Jugend las: mein kleiner Langenscheidt wurde bei der Lektüre fast zerlesen, auf der fruchtlosen Suche nach esoterischen Vokabeln.

Die Unmittelbarkeit, die Flauberts Briefe auszeichnet, ist in seinen Büchern natürlich nicht zu finden. Er war von der Tortur des Schreibens gezeichnet wie selten einer. Seine Manuskripte, wahre Friedhöfe totgeborener Wörter, spiegeln eine Qual, die erst mit seinem Leben endete. Die ewige Jagd nach dem *mot juste* mußte zu dem Schluß führen, daß es so etwas nicht gibt, und daß kein Adjektiv oft das beste Adjektiv ist. Ich glaube aber nicht, daß Flaubert diesen

Schluß zu ziehen Zeit hatte; er wurde keine sechzig Jahre alt und blieb getrieben bis zum Ende.

Einer der größten Widersacher dieser Form literarischen Schaffens war Paul Léautaud, welcher keine Art des Schreibens anerkennen wollte als *currente calamo*. Das Lob der Spontaneität bildet den Kern seiner Schriften, die in der Hauptsache aus den neunzehn Bänden seines *Journal littéraire* bestehen. Die wütende Kritik Flauberts ist über alle Seiten dieses enormen Tagebuchs ausgebreitet. Gleich die erste Erwähnung: »L'insipide Flaubert, et l'ennui que dégage la perfection, la perfection de la forme.«[1] Wenige Monate später: »Quand on songe qu'on dit: un grand écrivain, de ce pauvre Flaubert, qui ne fut qu'un ouvrier de style, — encore que ce style soit d'une uniformité désespérante et glacée — sans intelligence ni sensibilité.«[2] Und zum letzten Mal, nach einem Zeitraum von 44 Jahren: ». . . à dire vrai toute une chimie et toute une mécanique de vocabulaire dont un véritable écrivain, un écrivain né ne s'embarrasse pas. . . . Ah! la langue admirable de Flaubert. Quelle blague.«[3]

Die geringe Einschätzung Flauberts ist in der um 1870 geborenen Generation weit verbreitet; so zum Beispiel bei den zwei großen Vornamensbrüdern Léautauds, bei Valéry und Claudel. Man wirft ihm besonders seine Dummheit vor und seine Sprachtaubheit, und noch so viele andere Vergehen, daß man sich fragen muß, was ihn eigentlich am Überleben erhält. Sind es vielleicht nur die Literaturklassen der Mittelschulen? Wofür war Flaubert so paradigmatisch, daß er zum Prügelknaben einer Generation wurde, aus der wiederum unsere Zeit sich ihre eigenen Vogelscheuchen auswählt? Jedenfalls hat ihm Valéry wohl das Ärgste vorgeworfen, was er sich denken konnte: Mangel an Intelligenz. »Lecture de Flaubert insupportable à un homme qui pense. Incompatible avec la réflexion.«[4]

Neben der Dummheit wird Flaubert auch sein mangelhaftes Gefühl für den Genius der Sprache vorgeworfen, wahrhaft ein höllischer Vorwurf gegen einen Mann, der jedes

98

Wort fünfzehnmal im Kopfe umdrehte, bevor er es zu Papier brachte; worauf er es dann wieder ausstrich. So zitiert Claudel in einem übrigens sehr interessanten Aufsatz über den französischen Vers die Anfangssätze von *Salammbô* — er zitiert sie aus dem Kopf und nicht ganz richtig — und verwendet sie als Beispiel für Flauberts stilistische Gefühllosigkeit: dreimal käme der Vokal a im ersten Satz vor, dieser »karmesinrote« Laut der französischen Sprache, aber Flauberts Eintönigkeit hätte ihn ausgelöscht und fade gemacht.[5] Wen brauche ich daran zu erinnern, daß bei dem von Claudel so verehrten Rimbaud der poetische Spektrograph anders respondierte? A war schwarz, wie der Fliegen haariges Mieder. »A noir, E blanc, I rouge, U vert, O bleu . . .« (Rimbaud, *Voyelles*).

Ich habe natürlich nicht das Recht, mich in den Chor der Titanen zu mischen, nehme aber gerne meine Zuflucht zu einem andern Großen jener Zeit, zu Marcel Proust. Obwohl auch er Flaubert nicht mag, findet er viel Löbliches: Flaubert sei »ein grammatisches Genie« und von einer unermeßlichen, dauerhaften, fast unerkennbaren Originalität«.[6] Selbst die Eintönigkeit, die ihm der oben zitierte Léautaud vorwarf, wird ein Attribut seltsamer Größe: »Et il n'est pas possible à quiquonque est un jour monté sur ce grand *Trottoir roulant* que sont les pages de Flaubert, au défilement continu, monotone, morne, indéfini, de méconnaître qu'elles sont sans précédent dans la littérature.«[7] Dieses Kompliment von einer Rolltreppe zur anderen, wo man einander immer nur für Sekunden wiedersieht, ist recht eindrucksvoll.

Die eigentümliche Erzählweise Flauberts, die seltsame Verwendung des *imparfait* anstelle des *passé défini*, schlägt einen Rahmen um alle Vorgänge, macht sie zu Kabinettstückchen, setzt sie sozusagen in doppelte Anführungszeichen. Daran, wie an vielem anderen, hat sich meine Generation nicht mehr gestoßen, und es ist recht still um Flaubert geworden, wenn man vom endlosen Winddreschen der Universitätsmühlen absieht. Das beste Buch ist vielleicht das von Thibaudet (1935); von einem Manne geschrieben, der Flauberts Leistung keineswegs überschätzte. Vor einigen Jahren hat J.-P. Sartre in *L'Idiot de la famille* (3 Bände) Flauberts Jugend in fast dreitausend Seiten ertränkt, von denen, ich gestehe es, ich nur einen kleinen Teil lesen konnte, da ich dem Seelenbohren abhold bin. Für mich war die Oberfläche immer die tiefste aller Tiefen.

Wie in vielen Dingen bin ich auch in meiner Meinung über Flaubert im Alter zu einer milden Neutralität gelangt und zu dem Schluß gekommen, daß eine Literatur, die einen Bossuet und einen Céline, einen Proust und einen Stendhal, einen Racine und einen Rimbaud, und also auch einen Léautaud und einen Flaubert umfaßt, eine sehr reiche Literatur ist.

II

Mit den beiden früher genannten Romanen ist Flauberts Tätigkeit nicht umschrieben. Neben drei epochemachenden Novellen bleiben noch zwei größere Werke zu erwähnen. Das eine, *La Tentation de Saint Antoine*, hat ihn, wie einige andere seiner Arbeiten, fast das ganze Leben beschäftigt. Dieser Gobelin, den man nicht jeden Tag ansehen möchte, schildert die Müdigkeit einer altgewordenen Welt. Auch wir könnten etwas davon erzählen, denn die Bestrebungen, die in unserer Zeit die Rolle der erschlafften Gnosis spielen, die Naturwissenschaften, sind auf dem Wege, zu müden Mythen zu werden. Diese unklassischste aller klassischen Walpurgisnächte hat Flaubert unendliche Mühe gekostet. Schwitzend saß er im heißen Zimmer und reproduzierte Angstträume, mit denen er sich vollgelesen hatte. Das abstruse Zeug ist schöner, wenn man es sich bei Hieronymus Bosch ansieht.

Die Analogie des gnostischen Fiebertaumels zur Wissenschaftstrunkenheit unserer Tage muß auch Flaubert aufgefallen sein. Aber wo findet sich jetzt ein Heiliger Antonius, dem es gelingt nicht unterzugehen? Größeren Versuchungen müßte er widerstehen, gefährlicheren, da sie die Vernunft betören. Die Rätselhaftigkeit der Welt wurde durch ihre Erklärbarkeit ersetzt. Das hat sie nur rätselhafter gemacht; aber dies zu erkennen, dazu sind wir nicht mehr imstande: die Organe des Sichwunderns sind verkümmert. Wir haben vergessen, daß die einzige wirkliche Verbindung zwischen einer Beobachtung und dem Verstehen des Beobachteten nicht immer eine Gerade ist, wobei es gar nicht darauf ankommt, welches die kürzeste Verbindung ist.

Flauberts letztes Werk, das er bei seinem Tode im Jahre 1880 unvollendet zurückließ, ist auf dem gleichen Boden gewachsen wie die »Versuchung«. Nur sind es nicht mehr mythische Ungeheuer und metaphysische Schreckgespenster, die an einem Heiligen vorbeiziehen, sondern die Errungenschaften der Moderne: Wissenschaften und Technik, Glauben und Aberglauben, alles was ein bürgerliches Vierteljahrhundert, so zwischen 1838 und 1861, aufzuweisen hatte — sie tauchen aus der Versenkung auf und sehen schrecklicher aus als irgendein Monstrum der alten Zeiten, und die von ihnen Versuchten sind keine Heiligen, sondern zwei kleine, beschränkte, alternde Kopisten. Was auf uns gekommen ist, ist eigentlich kein Roman, sondern eher eine in erzählende Form gekleidete Einleitung zum zweiten Teil des Buches, der nicht mehr geschrieben wurde.

Das Buch heißt *Bouvard et Pécuchet*. Hätte Flaubert es fertigstellen können, so hätte es vielleicht den Untertitel getragen: *Du défaut de méthode dans les sciences* (»Über den Mangel an Methode in den Wissenschaften«). Der nicht geschriebene zweite Teil hätte aus dem Produkt der Abschreibetätigkeit der beiden Titelhelden bestanden, die, schwer enttäuscht durch die Errungenschaften und die Idee des Fortschritts, sich im Alter ihres ursprünglichen Berufes entsannen. In diesem in seiner endgültigen Fassung leider fehlenden Teil hätte der *Sottisier* Platz gefunden, ein Repertorium besonders dummer, von Flaubert in vielen Jahren gesammelter Zitate*. Eine weitere Arbeit Flauberts, die in ihren Anfängen auf das Jahr 1850 zurückgeht, hätten die zwei Alten wahrscheinlich auch kopiert. *Le Dictionnaire des idées reçues,* von Flaubert selbst als »Katalog der schicken Vorstellungen« beschrieben, ist eine alphabetisch angeordnete Sammlung allgemein akzeptierter Banalitäten. Ob dieses Wörterbuch, wäre es fertiggestellt worden, auch einen Kommentar der gesammelten Stupiditäten enthalten hätte, weiß ich nicht, noch auch ob Léon Bloy von Flaubert beeinflußt war, als er in seiner reich kommentierten Sammlung die von ihm ausgesuchten Gemeinplätze zu einer ganzen Landkarte seiner Zeit zusammenfaßte. Ich denke an die beiden Bände der *Exégèse des lieux communs.* Etwa zur gleichen Zeit begann Karl Kraus seine berühmten *Glossen* zu veröffentlichen; bei diesen aber ging es bald um mehr als um Plattheiten.

III

> *Bouvard et Pécuchet* — Livre assez bête — comme l'auteur
> était. . . . Il fallait prendre, non un couple d'imbéciles —
> mais faire voir la bêtise des plus grands, la bêtise de
> Pascal, celle de Kant sur leur propre théatre.[8]

So wiederum Valéry, der Trottelschreck. Ich fürchte aber, der gescheite Mann hat Flauberts Absicht mißverstanden. Erstens war es der Fortschritt der Gegenwart, der es Flaubert angetan hatte, und den gab es kaum zur Zeit von Kant, und schon gar nicht zur Zeit Pascals. Und zweitens, wer

---

*Manche dieser Aussprüche kommen mir, zu meiner Schande gesagt, gar nicht so dumm vor. So zitiert Flaubert aus einer Arbeit von Becquerel (1844), in der Methoden der exakten Naturforschung besprochen werden, den Satz: »Dadurch daß man eine Tatsache (von den sie begleitenden Erscheinungen) abtrennt, verändert man ihre Natur.« In der Biologie, und nicht nur in ihr, trifft dies sicherlich zu. Auch Heisenberg, glaube ich, hätte diese Bemerkung nicht dumm gefunden.

würde es unternehmen, sich über Pascals oder Kants Dummheit zu verbreiten? Sogar Valéry selbst hätte es nicht leicht gefunden. Oder soll man sich mit dem Hinweis darauf begnügen, daß Pascal und Kant dumm genug waren zu sterben, und der erste noch dazu jung, und daß es dem einen so wenig geglückt ist, den *Deus absconditus* in seinem Versteck aufzustöbern, wie dem andern, die sanfte Hand der reinen Vernunft zu schütteln? Am Ende sind wir ja alle arme Teufel.

Ich überlasse es lieber dem *Ecclesiastes*, Klage zu führen über die Dummheit der Klugen, und wende mich der Klugheit der Dummen zu, denn das »Paar von Trotteln« hat im Laufe des Buches einiges dazugelernt. Am Anfang sind die beiden, die an einem sehr heißen Tage auf dem menschenleeren Boulevard Bourdon einander kennenlernen, Marionetten in des Puppenspielers Hand. Im Fortschreiten der Erzählung wachsen sie jedoch, ihrem Schöpfer immer ähnlicher werdend, in die tragische Größe ewiger Verlierer hinein. Gleich zu Beginn versetzt eine reiche Erbschaft Bouvard in die Lage, ein Landgut zu erstehen, und er nimmt seinen neugefundenen Freund mit. Von Neugier und Betriebsamkeit beseelt — in dieser Beziehung also prototypische Vertreter der modernen Naturforschung — jedoch gänzlich ohne Beharrlichkeit, stürzen sie sich in den Strom des Wissens und des Machens und gehen natürlich unter, wenn auch niemals unwiderruflich. »Ich glaube«, schrieb Flaubert in einem Brief vom 2. April 1877, »daß man die komische Seite von Ideen noch nicht untersucht hat.« *Le comique d'idées?* Aber woran Flaubert sich wirklich versucht, das ist die Tragik der Komik; also was auf einer anderen Höhenlage Charlie Chaplins Komödien zu gestalten unternahmen.

Mehr als 1500 Bücher, so erzählt Flaubert, mußte er durchlesen — Lehrbücher, Handbücher, Leitfäden, Gebrauchsanweisungen, Kursbücher —, bevor er seine Kreaturen auf ihre Odyssee durch ein unfreundlich gesehenes 19. Jahrhundert senden konnte. Alles unternahmen sie und scheiterten an allem. Zuerst kam die Landwirtschaft in ihren verschiedenen Formen: was konnte, verfaulte, verdorrte, verwilderte. Die Meteorologie versagte, die Agronomie »war ein Witz«. Ein Versuch, Konserven herzustellen, führt über eine Explosion zu der Folgerung: »Das kommt vielleicht davon, daß wir keine Chemie können.« Auch die Urgeschichte der Naturwissenschaften begann wahrscheinlich mit technischen Arbeiten, und diese führten erst später zu der Erkenntnis, daß es so etwas gebe wie Grundlagenforschung. Nur wären Urmenschen von ähnlicher Begabung wie der unserer Helden schon sehr früh selektiv ausgeschieden worden*.

Jetzt werden also die Naturwissenschaften abgegrast, eine nach der andern. Die organische Chemie leitet zur Anatomie über, dann geht es weiter zur Physiologie, zur Medizin und Hygiene. Alles wird studiert, meistens in bizarrer Reihenfolge, mit dem Ende anfangend; alles enttäuscht. Sogar Heilerfolge werden erzielt und dienen dazu, die Vertreter der offiziellen Medizin lächerlich zu machen. Die Betrachtung des Sternenhimmels und ein kurzer Abstecher in die Astronomie bewirken eine erhöhte Nachdenklichkeit über die sich häufig verändernden Hypothesen dieser Wissenschaft. Manche Aussprüche Bouvards passen gar nicht mehr ins Kasperltheater des Anfangs:

La science est faite suivant les données fournies par un coin de l'étendue. Peut-être ne convient-elle pas à tout le reste qu'on ignore, qui est beaucoup plus grand, et qu'on ne peut découvrir.[9]

---

*Ein Beispiel für ähnliche chemische Geschicklichkeit in unserer Zeit finde ich in J. D. Watsons Buch *The Double Helix*, wenn er auf S. 22 der Originalausgabe erzählt, wie er Benzol auf offener Flamme erhitzte. Nur griff da die Vorsehung in den Selektionsprozeß ein und beschirmte den zukünftigen Erfinder.

Diese frühen Zweifler an der Allgemeingültigkeit eines radikalen Reduktionismus wenden sich nun zur Zoologie und treten bald darauf mit einem jähen Sprunge in das Reich der Geologie ein. Auch diese von allerhand gefährlichen Abenteuern begleitete Forschungstätigkeit bringt keine Befriedigung, worauf wir die beiden für alle Errungenschaften weit offenen Männer, durch den Ankauf eines alten Möbelstücks angeregt, plötzlich mitten in der Archäologie finden. Eigentlich hätte die logische Entwicklung ihrer Wanderfahrt sie von der Geologie zur Paläontologie und dann über die Vorgeschichte zur Geschichte gelangen lassen sollen.[10] Aber Flaubert liebt gelegentlich abrupte Sprünge, und so kommt die Geschichte direkt an die Reihe. Bouvard und Pécuchet erkundigen sich nach »der besten Geschichte Frankreichs«. Zwei Werke werden geliefert, die einander widersprechen. Der Versuch, historische Daten auswendig zu lernen, gibt den Anlaß zu einer sehr komischen Seite über Mnemotechnik. Die geschichtsphilosophischen Werke Bossuets und Vicos werden studiert und verworfen; und so entsteht der Wunsch, selbst ein historisches Buch zu schreiben, und zwar groteskerweise das Leben des Herzogs von Angoulême, einer ganz unbedeutenden Figur der jüngsten Geschichte.

Von den Wissenschaften zu den Künsten: zuerst wird die Literatur vorgenommen. »Wie wäre es, wenn wir Verse schrieben?« sagte Pécuchet. — »Später! Befassen wir uns zuerst mit der Prosa.« So geht es weiter, und das über dem Buch schwebende Miasma bereichert sich mit Grammatik und Linguistik, mit Politik, Philosophie, Gymnastik, Religion, Erziehung und Sozialreformen. Noch vieles andere wird mitgenommen, ganz abgesehen von einer armseligen amourösen Eskapade; Ästhetik und das allgemeine Wahlrecht, Rousseau und die Utopisten, Nationalökonomie und die Idee des Fortschrittes.

Bouvard songeait:

— Hein, le Progrès, quelle blague!

Il ajouta:

— Et la Politique, une belle saleté!

— Ce n'est pas une science, reprit Pécuchet.[11]

Dazwischen wird Swedenborg studiert, es wird mit Magnetismus, Spiritismus und schwarzer Magie experimentiert. Kein Wunder, daß sie verschreckt sind, diese Fauste abstrusesten Halbwissens, ihr unbefleckter Laienstand ist längst vorbei. Immer wieder bricht die Wissenschaftskette unter ihnen, und die losen Spezialitäten klappern auf dem Boden. So besprechen sie denn miteinander die Frage des Selbstmords, aber auch dieses Experiment gelingt nicht besser als alle andern. Drei Druckseiten weiter, und sie sind fromm und lesen die Bibel, bald darauf die religiösen Mystiker; dann kehren sie sich wieder ab. Alles ist zu wenig oder zu viel. So kommen sie auf ihren ersten Beruf zurück und werden wieder Kopisten. Das Buch bricht ab.

Der Versuch der Laien, Fachmänner zu werden, ist also auf der ganzen Front gescheitert. Da höre ich die grämliche Stimme: »Ja, warum erzählen Sie uns das alles? Sind Sie Flaubertfachmann?« »Nein«, muß ich antworten, »das bin ich nicht. Aber das ist eben der Nagel, an dem meine ganze Geschichte hängt.«

IV

Das Wort »Fach« als Bezeichnung für einen (eher engen) Bereich des Könnens oder Wissens trat um die Mitte des 18. Jahrhunderts auf, nicht ohne zuerst auf Widerstand zu stoßen. Etwas später begegnet man dem Ausdruck »ein Mann vom Fach«; aber diese Bezeichnung, scheint mir, ist ebensowenig wie die entsprechende französische *un homme de métier* dazu geeignet, einen Mann ganz zu stempeln. Der Ausdruck, der dies zustande bringt, das Wort »Fachmann«, ist erst 1862 verbürgt. Dem Adjektiv »sachverständig« begegnet man 1777, dem dazugehörigen Substantiv etwas später bei Schiller. Dazu kommt noch eine Reihe zumeist in der zweiten Hälfte des letzten Jahrhunderts aufgekommener Wörter, wie »Spezialist«, »Experte« oder »Autorität«, nicht zu reden von dem komischen Wort »Koryphäe«. Als ich ein Kind war, kam manchmal ein Onkel nach Wien, um eine »Kapazität« zu konsultieren. (Aus der »Ordination« kam er dann nicht viel kränker heraus als er hineingegangen war.)

Dieser schimmernden Reihe von Unsinnsbezeichnungen steht eigentlich nur ein einziges Antonym gegenüber: »der Laie«, ein altes Wort aus dem Mittelalter. Bezeichnenderweise dauerte es lange bis zum Eigenschaftswort »laienhaft« (zuerst bei Goethe), während »fachmännisch« seinem Hauptworte auf dem bewanderten Fuße folgte. (Weder der Ehrenmann noch der Leiermann werden meines Wissens auf diese Weise adjektivisch geehrt. Auch daß »Fachmann« zweier verschiedener Plurale fähig ist, deutet auf die außerordentliche Stellung dieses Wortes.)

Ein so eingeborenes und eingefleischtes Wort wie »Fachmann« kenne ich in anderen Sprachen nicht. Das einzigartige *Oxford English Dictionary* macht es leicht, die Entstehung und Entwicklung der entsprechenden englischen Bezeichnungen zu verfolgen. Sie sind (mit den Daten ihres Erscheinens): *authority* (1665), *expert* (1825), *professional* (1848), *specialist* (1862); wobei allerdings das Wort *expert*, im weitesten Sinne gebraucht, viel älter ist. Ähnlich im Französischen, *expert* (schon bei Montaigne), *spécialiste* (1856), *professionnel* (1878). Und als Gegenwörter, im Englischen *layman* (1477), *amateur* (1786), *dilettante* (1802), die zwei letzten in ähnlichem Sinne auch im Französischen. Wenn man übrigens das Italienische oder das Russische ansieht, stehen die Dinge auch nicht anders.

Alles in allem stammen also diese Bezeichnungen aus dem 19. Jahrhundert, und es besteht kein Zweifel, daß sie ein Ausdruck der ökonomischen und sozialen Entwicklung der Völker sind. Dennoch glaube ich, daß der Fachmann ein

Unikum vorstellt, so wie auch nur er zu seinem Korrelat, dem Fachidioten, geführt hat. (Der Versuch, dieses nützliche Wort zu übersetzen, ergibt *professional idiot*, was aber »Berufsidiot« bedeutet: eine nicht unwesentliche Verschiebung des Sinnes, obwohl die Vorstellung, daß man auf Idiot studieren kann, nicht schlecht ist.)

Zu den Fachleuten gehören die Leutefächer, und jene müssen in diese völlig hineinpassen. Wenn ein Fachmann herausragt, ist das ein schlechtes Zeichen. In den Vereinigten Staaten kann es zum Beispiel zu dem Ausruf kommen: *Who does he think he is, a Leonardo da Vinci?* Damit ist man erledigt. Denn der Mensch soll seinem Berufe leben und nicht nur von ihm; und wenn die im vorigen Jahrhundert entstandene Bezeichnung auch zuvörderst nur ein Ausdruck der immer zunehmenden Arbeitsteilung war, so hat sie später begonnen, ein Eigenleben zu führen, und hat ihren Mann abgestempelt und numeriert. Gäbe es dieses Wort in Amerika, so würde es im Kreuzfeuer des desexualisierten Sexus in »Fachperson« verwandelt werden, was wieder die Männerrechtler in Deutschland dazu veranlassen könnte, sich über das weibliche Geschlecht dieser Bezeichnung zu beschweren.

Lange Zeit habe ich einen unzureichenden Begriff davon gehabt, wie groß der Einfluß der Grammatik einer Sprache auf die Denkprozesse der betreffenden Sprachgemeinschaft ist. Wenn diese Denkformen einen Umsturz durchmachen, werden wieder die Grammatik und das Vokabular verwirrt. So wird man seit kurzem in den Vereinigten Staaten gewahr, daß die Tatsache, daß das Englische für die Begriffe »Mensch« und »Mann« dasselbe Wort verwendet, ein wesentliches Element der Geistesverwirrung werden kann. Das englische Wort *man* wird abgeschossen, wo immer man kann, und aus *chairman* wird *chairperson*. (Sprachen mit einem stärkeren Rückgrat, wie das Französische und auch das Deutsche, sind vor dem Ärgsten geschützt. Neben »der Obmann« gibt es zwar das rührend komische Wort »die

Obmännin«, aber noch nicht, glaube ich, »das Obmensch«.)
Die dem Präsidenten Carter so teuren Menschenrechte hie-
ßen früher *rights of man*. Jetzt muß man von *human rights*
sprechen. Aber selbst beim Wort *human* stutzt die des Lateinischen unkundige Frauenrechtlerin und fragt sich, ob es
nicht *huperson* sein sollte. Bei *woman* muß sie es vollends
aufgeben, denn hier ist Eva wirklich aus Adams Rippe
erschaffen.

> *Lehre von der Heilkraft des Magnetismus*

Nur bei denjenigen Tätigkeiten, die an sich wenig mit Wissenschaft, wie wir sie verstehen, zu tun haben, also etwa bei
Mesmerismus oder Zauberei, haben Bouvard und Pécuchet
mäßige Erfolge, in allen andern leiden sie völligen Schiff-
bruch. Warum? Die Antwort, daß es so ist, weil ihr Schöpfer
es so angeordnet hat, gilt nicht, denn Flaubert hat sich das
Ganze gut überlegt. Natürlich sind diese Figuren auch ein
Erzeugnis einer frühen Form von schwarzem Humor, aber es
steckt mehr dahinter. Sie fangen als hoffnungsvolle Laien an,
die über vieles eine Meinung und für nichts Verständnis
haben; sie enden als tragische Laien, deren Pilgerfahrt durch
Tätigkeiten und Wissenschaften in einem tiefen schwarzen
Loch geendet hat. Wollte man sie ernst nehmen — und dazu
bin ich durchaus bereit —, so müßte man sagen, daß sie alles
viel zu schnell aufgeben, daß sie viel zu leicht den Mut
verlieren, daß ihnen das wichtigste Organ des Forschers
fehlt, das Sitzfleisch. Wenn sie ihren Amateurstatus nie
aufgeben, so kommt dies nicht von ihrer Dummheit — zur
Wissenschaft braucht man nicht viel Intelligenz —, sondern
daher, daß sie zum Lebensunterhalt keinen Beruf nötig
haben. Denn dieses — *dira necessitas* — ist der Hauptunter-
schied zwischen einem Berufstätigen und einem Amateur.
Auch der Fachmann ist in, sagen wir, 99,5 Prozent seiner
Wissens- und Lebensprobleme ein Laie. Allerdings lebt er
für dieses halbe Prozent, und, was noch wichtiger ist, von
ihm.

Bouvard und Pécuchet betrachten alle Wissenschaften als anwendbar. Der Unterschied zwischen »rein« und »angewandt« scheint ihnen nicht klargeworden zu sein, ebensowenig wie der zwischen Wissenschaft und Handwerk. Auch wissen sie nicht, daß in den Naturwissenschaften nichts so wahr ist, wie man es zuerst glaubt. Ihnen fehlt also das *granum salis*, worin sie sich allerdings nicht von der Mehrzahl der gegenwärtigen Naturforscher unterscheiden. Die Naturwissenschaften ihrer Zeit waren der kritischen Philosophie noch zu nahe, um so unbeschwert im Universum zu plätschern, wie es die unseren tun. Natürlich war es gar nicht die Absicht der beiden enthusiastischen, aber rasch entmutigten Autodidakten, Fachmänner zu werden, auch wenn es diesen Begriff schon gegeben hätte. Was sie wollten, war, die Wissenschaft beim Wort zu nehmen; aber sie waren keine Meister des dialektischen Denkens und wußten nicht, daß es ein solches Wort nicht gibt. So mußten sie es allmählich erfahren, daß man zwar vieles in Lehrbüchern nachlesen, jedoch nur wenig aus ihnen herauslesen kann. Dadurch, daß er die beiden nicht zum Selbststudium einer Fremdsprache mit Hilfe einer Konversationsgrammatik ermunterte, hat sich Flaubert übrigens einige spaßige Effekte entgehen lassen. Noch erstaunlicher ist es, daß Bouvard und Pécuchet auf ihrem langen, schmerzlichen Wege die Mathematik völlig beiseite lassen. Wahrscheinlich hat Flaubert selbst sie zu beschwerlich gefunden.

Hätte Flaubert wirklich die Absicht gehabt, wie Paul Valéry in den von mir im dritten Abschnitt angeführten Sätzen anzunehmen scheint, in seinem Buch die existentielle Frage nach dem Sinn jeglichen Wissens zu stellen, so wäre das armselige Schreiberpaar einer so gewichtigen Rolle sicherlich nicht gewachsen. Aber für das *Dramma giocoso*, das er im Sinne hatte, waren sie das Richtige. Die bitter heitere, die grinsend grimmige Kritik eines mißverstandenen Fortschrittsidols konnte keine geeigneteren Protagonisten finden, wenn auch zugegeben werden mag, daß eine Offenbach-

Operette oder eine Labiche-Komödie eine lieblichere Form der Katharsis darstellt.

Der Versuch Bouvards und Pécuchets, auf den Höhen des Wissens zu wandeln, führt also zu einem Absturz nach dem andern. Hätten die Fachleute, deren Wesen ja gerade damals durch eine besondere Bezeichnung gekennzeichnet wurde, es besser getroffen? Es ist vielleicht nicht ganz in Ordnung, wenn ich mich mit solchen Erörterungen befasse, denn ich bin mit einem tiefen Mißtrauen gegen diese Spezies aufgewachsen. Als ich jung war, las ich das lustige Buch der anscheinend leider vergessenen, ausgezeichneten Schriftstellerin Mechtilde Lichnowsky »Der Kampf mit dem Fachmann«[12], und es hat mich beeinflußt. Allerdings handelt es sich da meistens um eine ganz andere Art von Fachmann, um eine niedrigere Rangstufe, die auch Flauberts Helden hätten erreichen können; der wahre Expertengrimm war erst im Aufblühen. Eine Unfachmännin wie die Fürstin Lichnowsky hätte das zarte Aroma noch gar'nicht riechen können. Ich hingegen habe mein ganzes Leben in diesem Irrgarten verbracht. Woran erkenne ich den Fachmann? Daran, daß er genau derselben Meinung ist wie jeder andere Fachmann desselben Gebiets, und nur dieser Meinung. Sie erfüllt ihn ganz, aber nur so lange, bis sie durch eine neue, an alle Fachleute verteilte Meinung ersetzt wird. Wenn ich also lese, daß fünf internationale Experten in einer strittigen Frage zu ein und derselben Meinung gelangt sind, packt mich das Mißbehagen. Die Wahrheit sieht immer zweifelhafter aus und nicht so monochrom.

VI

Daß man von einer Sache mehr versteht als von einer anderen, ist normal. Deshalb ist man noch kein Fachmann. Ein Uhrmacher versteht mehr von Uhren als ich, und er weiß, welches Rädchen ersetzt gehört. Wenn er ein Uhrenfachmann wird, beginnen die Uhren falsch zu gehen; aber dafür weiß er viel mehr über Uhren als ein gewöhnlicher Uhrmacher, über ihre Geschichte, ihre Entwicklung, ihren Verkaufswert, oder sogar über die japanische Konkurrenz. Als der Schuster dem Schuhspezialisten Platz machte, wurde die Fußbekleidung anatomisch fundierter, aber sie drückte den Fuß. Solange es noch Leute gab, die ihr Handwerk oder Gewerbe gelernt hatten, wurden in meinem Laboratorium die Zentrifugen repariert und die Steckdosen ersetzt; wann immer ich einen Fachmann zuzog, mußte ich ihm zeigen, wo oben ist. Wenn ich an das Buch denke, das den Anlaß zu diesen Betrachtungen gegeben hat, komme ich zu dem Schluß, daß die Tragödie der Titelhelden darin bestand, daß sie den undurchführbaren Sprung vom Laien zum Fachmann machen wollten, aber nie gelernt hatten, wie man lernt. Der Untertitel, den Flaubert für seinen Roman in Betracht zog — »Über den Mangel an Methode in den Wissenschaften« — weist in dieselbe Richtung.

Wenn der Sprung vom Laien zum Fachmann unmöglich ist, so könnte man mich fragen, woher es kommt, daß unsere Welt von Fachleuten geradezu strotzt. Darauf kann ich nur erwidern, daß man Fachmann nicht wird, indem man den Laienstand überwindet, sondern auf ganz andere Art, durch einen Verengungsprozeß, der zugleich eine Apostasie und eine Hypostase darstellt. Wenn man es genau nehmen will, sind Laie und Fachmann gar keine Gegensätze, ebensowenig wie, sagen wir, Mensch und Briefträger. Ein Fachmann ist man erst, wenn einen die Welt für ein Spezialwissen ehrt, auf das stolz zu sein man die Berechtigung erworben hat, und wenn dieses Wissen zugleich detailliert und auf einen Punkt konzentriert ist. Es ist daher schwer, sich einen Universalfachmann vorzustellen: in der Verengung zeigt sich erst der Meister, der er in Wirklichkeit nicht ist. Doch trägt er einen meistens durch einen Titel verfestigten Glorienschein*.

---

*Titel an sich spielen vielleicht eine geringere Rolle in Frankreich und den anglosächsischen Ländern. Dafür gibt es aber die verschiedenen Fachge-

Der Fachmann ist also ein sehr typisches Produkt der bürgerlichen Würdenwelt, oder vielleicht ihrer Spätzeit; und ohne diesen Begriff ist sie fast nicht vorstellbar. Andererseits wäre der Herzog von La Rochefoucauld wahrscheinlich sehr beleidigt gewesen, hätte man ihn einen Maximenspezialisten oder auch nur einen Schriftsteller genannt. Solche Bezeichnungen wie *free lance* oder »freier Schriftsteller« sind hingegen Tribute an das Einschachtelungsbestreben unserer Zeit.

Fachmann wird man heutzutage, ob man es will oder nicht; zum Beispiel, wenn man eine Stelle bekleidet, von der bekannt ist, daß sie einen Fachmann erfordert. So sind die mit dem Hinundherschieben von Eurodollars betrauten Angestellten dadurch allein schon Eurodollarspezialisten, gleichgültig ob sie das gut machen oder schlecht. Dasselbe gilt für Universitätsprofessoren. Ob es sich um die unerträgliche Akustik eines Konzertsaales in New York handelt oder um den Einsturz zahlreicher Dächer von Riesenbauten, die der Schneelast eines normalen Winters nicht widerstanden, wir können sicher sein, daß erstklassige, allgemein anerkannte Fachleute am Entwurf beteiligt waren. Es sieht also so aus, als wenn die wahre Tragik der Helden Flauberts darin bestanden hätte, daß sie es unterließen, sich zuerst der Anerkennung als Experten zu versichern; ihre Fiaskos sind von sekundärer Bedeutung. Komisch oder tragikomisch sind sie, weil sie ihre Mißerfolge ohne vorherige Lizenz erlitten. Der Schild der *force majeure* schirmt nur den Experten; der Laie enthüllt sich noch deutlicher in seiner ganzen unverantwortlichen Klobigkeit. Auch kann sich der Fachmann meistens in ein Nomenklaturdickicht zurückziehen, das ihn allen

sellschaften, die den Zutritt zu ihren Mitgliedschaften aufs eifervollste bewachen. Selbst wenn ich Käfer mehr liebte als irgend etwas auf der Welt, würde ich es schwer haben, in eine entomologische Vereinigung aufgenommen zu werden, es sei denn, ich hätte bereits in den einschlägigen Zeitschriften publiziert. Ein weiterer Beweis für die Falschheit einer meiner Jugendüberzeugungen: daß die Liebe zur Natur und die zu den Naturwissenschaften etwas miteinander zu tun hätten.

fragenden Blicken entzieht. Werden seine Irrtümer entdeckt, so kann er sie als Beweis seiner Menschlichkeit anführen. Es sind nur die Fehler der unbefugten Praxis, welche bestraft werden.

VII

Man könnte versucht sein zu sagen, daß Fachleute erst dann erzeugt wurden, als sie historisch notwendig oder nützlich zu sein anfingen. Wie ich das hinschreibe, fällt jedoch mein Auge auf einige Sätze in der *Heiligen Familie* von Karl Marx. Sie stammen aus einem anscheinend von Friedrich Engels beigetragenen Kapitel.

> Die Geschichte tut nichts, sie »besitzt keinen ungeheuren Reichtum«, sie »kämpft keine Kämpfe«! Es ist vielmehr der Mensch, der wirkliche, lebendige Mensch, der das alles tut, besitzt und kämpft; es ist nicht etwa die »Geschichte«, die den Menschen zum Mittel braucht, um ihre — als ob sie eine aparte Person wäre — Zwecke durchzuarbeiten, sondern sie ist nichts als die Tätigkeit des seine Zwecke verfolgenden Menschen.[13]

Wie dem auch sei, ob die Geschichte den Menschen stößt oder der Mensch die Geschichte, empfinde ich doch das Bedürfnis, mich aus diesem tautologischen Spinnennetz zu befreien, allerdings nicht ohne zu fragen, was eigentlich unter »Zwecken« verstanden wird und warum der diesen nachgehende Mensch gerade um 1850 den Fachmann erfand. Die immer rascher fortschreitende Industrialisierung und die damit verbundene Notwendigkeit der Arbeitsteilung, das Anwachsen und die immer größer werdende Spezialisierung der Hochschulen, die Ausbreitung intellektueller Berufe auf Kosten der Gewerbe und Handwerke: all das hat sicherlich zur Entstehung dieser Bezeichnung beigetragen. Sie entsprang wahrscheinlich einem Bedürfnis; ob einem berechtigten oder begrüßenswerten, weiß ich nicht. Die um dieselbe Zeit aufschießende Tagespresse, die sich Funktionen anmaßte, welche selbst die Kirchen früher nicht beanspruchten — so zum Beispiel Neuigkeiten nicht nur zu veröffentlichen, sondern zu erzeugen, und den Leuten zu sagen, wofür sie sich interessieren sollten — brauchte abgestempelte Gewährsmänner. Eine Gesellschaft, die ihre Ersparnisse in Konsols anlegte und sich an das Schneiden wertbeständiger Rentencoupons gewöhnt hatte, brauchte etwas Festes auch in dieser Hinsicht: der Fachmann war mündelsicher. Am wichtigsten jedoch war der rapide überhandnehmende Stoff an Wissen, die Anschwemmung unzähliger unübersehbarer Tatsachen, die das Denk- und Erinnerungsvermögen des einzelnen überwältigten. Nur ist geteiltes Wissen halbes Wissen, und die Weisheit hat sich vom Kommerz der Informationsspeicherung vollends zurückgezogen; um so mehr als der Spruch »Wissen macht weise« schon längst nicht mehr wahr ist.

Daß man aus demselben kundigen Munde zuerst das Lob der »Pille« und einige Jahre später die Warnung vor ihrer karzinogenen Wirkung vernehmen konnte, ist nicht überraschend und bestätigt, was ich früher über die periodischen abrupten Veränderungen der sachverständigen Meinungen gesagt habe. Beunruhigender und den Primat der unteilbaren Wahrheit in Frage stellend ist hingegen, daß sich in jedem Gerichtsverfahren auf beiden Seiten höchst qualifizierte Sachverständige finden lassen. Es würde mich jedoch zu weit führen, wenn ich hier auch den Nexus zwischen Honorar und wissenschaftlicher Überzeugung besprechen wollte. Viel eher möchte ich zum Schluß kurz erwägen, wie man ein wissenschaftlicher Fachmann wird und was ich darunter verstehe.

VIII

Der alte Werberuf, daß man beim Fachmann am besten kauft, spiegelt noch den ursprünglichen Zustand wieder: daß es sich um jemanden handelt, der etwas besser machen kann als ich. Der Elektriker, der die schadhaften Drähte in meiner Lampe zu ersetzen versteht, hat aus Erfahrung gelernt, wie man das macht, und nimmt mir viel Mühe und Kummer ab. Weniger notwendig für das Glück des einzelnen ist vielleicht die Betreuung einer Ultrazentrifuge; aber auch da muß man die Handgriffe erlernt haben, sonst ruiniert man ein teures Gerät. Seltsamerweise ist aber gerade in den Vereinigten Staaten, wo es von *experts* oder *specialists* wimmelt, diese Art von Fachmann — *l'homme de métier* — im Aussterben begriffen. Dies hängt sicherlich mit der allgemeinen Entwertung des Begriffs der Erfahrung zusammen, der mit der vorherrschenden Anbetung der Jugend nicht übereinstimmt, denn die Altersweisheit beginnt jetzt mit 35 und die Senilität mit 42 Jahren.

Wer aber kauft beim Joycefachmann oder beim Spezialisten für Soziobiologie? Die Antwort ist leicht: in erster Linie sind es die Universitätsinstitute und die Bibliotheken, und dann auch die Kollegen der betreffenden Fachgebiete; wenn es sich um Lehrbücher handelt, sind es natürlich hauptsächlich die Studenten. Zweifellos ist es die Ausweitung und Verflachung der Forschung in unseren Tagen, die den Begriff des wissenschaftlichen Fachmannes geprägt hat. Das jedem Berufszweige innewohnende verbriefte Recht auf Fortpflanzung und Vermehrung sorgt dafür, daß es immer mehr Fachleute gibt als man braucht, und jedenfalls immer mehr als es vorher gab. Das asymptotische Ideal ist, daß in hundert oder zweihundert Jahren jedermann ein zweifacher Fachmann sein wird. (Dabei ist es bereits in vielen Ländern nahezu unmöglich, eine Uhr repariert zu bekommen.)

Die Jagd auf Quisquilien ist in den Geisteswissenschaften wahrscheinlich ebenso emsig wie in den Naturwissenschaften. Nur haben es diese vielleicht leichter, denn was sie aufzudecken vorgeben, sind sogenannte neue Naturfakten, während, sagen wir, Shakespeare oder Goethe schon so abgenagt sind, daß man sich fast immer mit einer frischen Politur des alten Gerümpels begnügen muß. Ob es besser ist, Altes über Neues oder Neues über Altes zu sagen, brauche ich nicht zu entscheiden, denn darum handelt es sich gar nicht. Jedenfalls kosten Trivialitäten über Hölderlin weniger als Banalitäten über den Mond. Schweigen wäre noch besser, aber das ist unerreichbar.

Da diese Zeilen mit Flaubert angefangen haben, kann ich fragen: was ist beispielshalber ein Flaubertfachmann? Je nachdem, wie man ihn anfaßt, weist er verschiedene Facetten auf: er ist Romanist; er ist Lehrer und Forscher auf dem Gebiet der französischen Literatur; vor allem ist er aber ein Flaubertspezialist. Das ist er geworden, indem er in französischer Philologie und Literaturgeschichte promoviert und eine einschlägige Dissertation verfaßt hat. Sein Thema mag gewesen sein: »Flaubert in Kairo« — ein dankbarer Gegenstand, weil er sich zu vielen schlüpfrigen und daher den Prüfern wohlgefälligen Briefzitaten eignet; oder »Der Madame-Bovary-Prozeß« oder »Flaubert in den Tagebüchern der Brüder Goncourt«. Dazu hat er die vier dicken Bände des öden Journals durchgelesen oder vielleicht nur die Namensnachweise aus dem umfangreichen Register herausgeschrieben. Jedenfalls hat er seine Karriere begonnen, und wenn er nicht gestorben ist, lehrt und forscht er noch heute. Da es auf seinem Gebiet weniger Zeitschriften gibt als in den Naturwissenschaften, wird er sich eher mit der Abfassung einiger Bücher oder Monographien befaßt haben; worüber weiß ich nicht, kann es mir aber vorstellen. Seine zunehmende Bekanntheit unter den Flaubertisten hat ihm vielleicht eine Einladung zu einem Cerisy-Kolloquium gebracht; jedenfalls spricht er hie und da auf Kongressen, und seine Vorträge werden gedruckt. Möglicherweise bereitet er eine historisch-kritische Ausgabe eines der Jugendwerke des Meisters vor; er ist *flaubertisant* mit Haut und Haar, Leib und Seele. *Floreat sed non crescat!*

Der Wunsch, daß er nicht wachsen möge, wird natürlich nicht erhört werden. Alles wächst, das meiste nicht auf lange Zeit; wenn es stillsteht, verschwindet es. Der Fachmann von der im vorigen Absatz geschilderten Art wird nicht oft befragt, aber er kostet wenig und erzeugt einige ihm ähnelnde und ebenfalls nicht kostspielige Schüler. Eine Zivilisation, die Raumfähren und Marssonden baut, kann das auch noch erschwingen. Anders liegt es in den Naturwissenschaften. Betrachten wir kurz den Werdegang eines Spezialisten dieser Sorte.

Er beginnt mit dem Studium einer der Hauptwissenschaften. Früher hätte er in Physik oder Chemie promoviert. Jetzt ist es wahrscheinlich, daß er die Biologie oder die Medizin wählt. Die drei großen, dunkeln Auftraggeber, die ihm aus dem Hintergrund zuwinken, heißen Krieg, Hunger und Tod. Es sieht aber besser aus, wenn wir sie Industrie, Volkswirtschaft und Volksgesundheit nennen. Eigentlich will sich unser junger Mann mit keiner dieser stumpfen dumpfen Mächte einlassen; er will der Menschheit dienen. So fällt er in die Falle, auf der »Leben« geschrieben steht, und beschließt, Molekulargenetiker zu werden. Es gelingt ihm, in einem der überlaufenen, mit Finanzschwierigkeiten kämpfenden Institute unterzukommen, und er fabriziert eine Doktorarbeit, deren Titel vielleicht wie folgt lautet: *Specificity in the Induction of Recombination and Strand Cutting in Undamaged Covalent Circular Bacteriophage 186 and Lambda DNA Molecules in Phage-Infected Cells.* Oder, falls sein »Doktorvater« lakonisch gesinnt ist: *Coding Strand of the Ovalbumin Gene.* Daß der Titel englisch ist, bedarf keiner Entschuldigung: eine depravierte Form des Englischen ist jetzt die Stiefmuttersprache aller Naturwissenschaften.

Ob jede Wissenschaft einen Mittelpunkt hat, von dem sie zwar ausstrahlt, den sie aber immer im Blick behalten muß, will ich nicht entscheiden. Ist das der Fall, so ist unser junger

Mann sehr fern vom Zentrum seiner Wissenschaft. Wird er es jemals finden? Oder wird er den kleinen Flecken, auf den ihn das Geschick geworfen hat, zu seinem eigenen Mittelpunkt erklären? Eher das letztere, allerdings meistens nicht gleich nach der Dissertation, sondern zwei oder drei Jahre später, nach Abschluß einer zusätzlichen Übungsperiode. Gleichgültig ob unser Mann sich einer gemischten Lehr- und Forschungstätigkeit widmet oder nur der Forschung, ob er ursprünglich den Dr. rer. nat., den Dr. phil. oder den Dr. med. erworben hat, er wird ein Opfer der sich mit krankhafter Hast entwickelnden Forschungsgebiete sein und gleichzeitig ein Element der fortschreitenden Zersplitterung. Einem römischen Kolonen gleich ist er an seine Scholle gebunden; sie bleibt Mittelpunkt seiner Tätigkeit; wenn er Glück hat und die Mode es erlaubt, wird sie das Zentrum einer neuen, noch engeren Wissenschaft. Je moderner diese ist, desto rascher wird sie veralten. Unser Mann, bedrängt von den hohen Kosten seiner Arbeit und von dem wilden Konkurrenzbetrieb, wird versucht sein, möglichst viele Eisen im Feuer zu haben; sind es zu viele, erstickt das Feuer. Wo ist jetzt die Menschheit geblieben, wo das Leben, diese Leitbilder seiner Jugend? Kein Zweifel, er ist ein Fachmann geworden, aber sogar ihm selbst würde es schwerfallen, sein Fach zu nennen. Es ist nicht die Genetik oder die Biochemie, geschweige denn die Biologie; es ist etwas von der Mode Herangewehtes und vielleicht mit ihr Vergängliches.

So werden in allen oder zumindest in allen westlichen Ländern Fachleute ohne Zahl erzeugt. Wer wie ich sein Leben unter ihnen verbracht hat, weiß, daß das Gefühl, über irgend etwas sehr viel zu wissen, gut für die Seelenruhe des einzelnen ist; aber das ist auch alles. Was dieser galoppierende Spezialismus gekostet hat, wieviel er zur Zerstörung des Menschenbildes und des Naturbegriffes beigetragen hat, können wir vielleicht nicht mehr ermessen. Ich weiß nicht, ob es als unangemessen betrachtet wurde, als Ranke in hohem Alter an die Abfassung einer Weltgeschichte ging. Als der arme Arnold Toynbee in meinen Tagen sein Riesenwerk veröffentlichte, wurde er von allen Seiten beschossen; denn unterdessen war der Fachmann erfunden worden.

Der große Unterschied zwischen den Naturwissenschaften, besonders der Biologie, und den anderen Wissenschaften liegt darin, daß die Natur und das Leben unerschöpflich sind. Shakespeare erfüllt einen verhältnismäßig kleinen Raum, und er schreibt nicht mehr, er ist tot. Das Leben ist unendlich, und es lebt!

Unsere Welt ist überreich geworden an Fachleuten, die nicht mehr miteinander reden können. Der Turm, den sie bewohnen, wächst, ob in den Himmel weiß ich nicht; die Aufzüge versagen meistens den Dienst. Es sind nicht die Universaltrottel wie Bouvard und Pécuchet, die die Naturwissenschaften verdorben haben, es sind die Spezialgenies, die Leute, die etwas ganz Besonderes entdeckt haben, ob es nun mit der Fortpflanzung der Bakterien oder mit dem Leitvermögen des Germaniums zu tun hat; sie haben den Ursprung des Forschens vergessen.

*

Natürlich haben, während ich meine Sätze schrieb, die beiden urbildlichen Kopisten auch nicht gerastet. Sie sind Fachmänner für Abschreiben; was ihnen in die Hand fällt, paßt in ihre ungeheure Sammlung von Dummheiten. Es ist wie mit dem Bild auf der Schachtel, auf dem ein immer kleineres Kind eine immer kleinere Schachtel hält: man muß nur den richtigen Blick haben, und alles wird dumm. Ich kann nur hoffen, daß Bouvard und Pécuchet noch nicht auf diese Zeilen gestoßen sind, denn sie würden nicht zögern, auch sie ihrem Repertorium einzuverleiben.

[1] Paul Léautaud, *Journal littéraire* (Mercure de France, Paris, 1954), Bd. 1, S. 34 (April 1900). »Der schale Flaubert, und die Langeweile, welche die Vollendung, die Formvollendung, ausatmet.«

[2] *Ibid.*, S. 37 (18. März 1901). »Wenn man daran denkt, daß man sagt, ›ein großer Schriftsteller‹, von diesem armen Flaubert, welcher nur ein Handwerker des Stils war — wenn auch dieser Stil von einer verzweifelnden und vereisten Einförmigkeit war — ohne Intelligenz und Empfindung.«

[3] Paul Léautaud, *Journal littéraire* (Mercure de France, Paris, 1964), Bd. 16, S. 74 (18. September 1944). ». . . in der Tat eine ganze Chemie und eine ganze Mechanik des Vokabulars, womit sich ein wahrer Schriftsteller, ein geborener Schriftsteller gar nicht abmüht. . . . Ach, Flauberts bewundernswerte Sprache! Welch eine Dummheit!«

[4] Paul Valéry, *Cahiers* (Pléiade, Gallimard, Paris, 1974), Bd. 2, S. 1075. »Flaubert zu lesen unerträglich für einen denkenden Menschen. Unvereinbar mit dem Nachdenken.«

[5] Paul Claudel, *Œuvres en prose* (Pléiade, Gallimard, Paris, 1965), S. 39.

[6] Marcel Proust, *Contre Sainte-Beuve* (Pléiade, Gallimard, Paris, 1971), S. 299.

[7] *Ibid.*, S. 587. »Wer einmal diese große Rolltreppe, wie Flauberts Texte sie vorstellen, bestiegen hat — nach allen Seiten abgesichert, eintönig, trübe, unbestimmt — wird nicht mehr umhin können zu erkennen, daß sie etwas in der Literatur noch nie Dagewesenes sind.«

[8] Paul Valéry, *Cahiers* (Pléiade, Gallimard, Paris, 1974), Bd. 2, S. 1165. »*Bouvard und Pécuchet* — ein recht dummes Buch, wie auch der Verfasser selbst. . . . Er hätte sich nicht ein Paar von Trotteln aussuchen sollen — sondern die Dummheit der Allergrößten sichtbar machen, die Dummheit eines Pascal oder Kant auf ihrem eigenen Schauplatz.«

[9] Gustave Flaubert, *Œuvres* (Pléiade, Gallimard, Paris, 1936), Bd. 2, S. 735. »Wissenschaft wird gemacht auf Grund von Daten, die aus einem Winkel des weiten Raumes stammen. Vielleicht paßt die Wissenschaft ganz und gar nicht zum unbekannten Rest, der viel größer ist und den man nicht entdecken kann.«

[10] Raymond Queneau, *Bâtons, chiffres et lettres* (Gallimard, Paris, 1965), S. 97.

[11] Gustave Flaubert, *Œuvres* (Pléiade, Gallimard, Paris, 1936), Bd. 2, S. 825. »Bouvard dachte nach: Nicht wahr, der Fortschritt, was für ein Witz! — Er fügte hinzu: Und die Politik, ein schöner Dreck! — Das ist keine Wissenschaft, erwiderte Pécuchet.«

[12] Das 1924 zuerst erschienene Buch ist nachgedruckt worden: Mechtilde Lichnowsky, *Der Kampf mit dem Fachmann* (Bechtle, Esslingen, 1952).

[13] Karl Marx und Friedrich Engels, *Die heilige Familie*, VI. Kapitel, 2a. Marx-Engels, Hist.-Krit. Gesamtausgabe (Marx-Engels Verlag, Berlin, 1932), 1. Abt., Bd. 3, S. 265.

Ein Monument für Albert Einstein

Einige Überlegungen über den Nachruhm
des Naturforschers

I

Auf dem Rand eines kreisrunden Planschbeckens sitzt eine riesige Gliederpuppe aus Bronze, oberflächlich so hergerichtet, daß sogar ein amerikanisches Kind sie als Albert Einstein erkennen muß. Das Kind erkennt ihn sofort, denn in seinem raschen Lehrbuch der Weltgeschichte sind auf der einen Seite Leonardo da Vinci und Karl Marx abgebildet, und auf der anderen, vielleicht zusammen mit Henry Ford, sieht es den furchenreichen Kinderbärenkopf mit den freundlichen Augen und den zerraauften Haaren. Auf diese Weise wird das Kind in die Kultur des 20. Jahrhunderts eingeführt, die es bald wieder verläßt, um zum Beispiel die Gründung des amerikanischen Bankensystems zu studieren.

Kinder haben gute Augen, und vielleicht wird das Kind sie auch brauchen, denn ich lese, daß der Kopf der Figur vier Meter vom Boden entfernt sein soll. Auf dem Bild des Modells, das vor mir liegt, ist alles klein und niedlich. Einmal ausgeführt, wird das bronzene Standbild jedoch überdimensioniert sein, etwa sieben Meter lang. Weniger konnte man einem Riesen der Physik auch nicht zumuten. Über die Kleidung läßt sich nicht viel feststellen: entweder Hemd und Hose oder ein sehr zerknittertes Pyjama, wogegen allerdings die mit liebevoller Sorgfalt ausgeführten hohen Schuhe sprechen. Ein Schuh scheint fast ins Wasser des Planschbeckens zu tunken. Der gedankenvolle Ausdruck des nach unten geneigten Gesichts erscheint verursacht durch die Frage: »Soll ich die Schuhe ausziehen oder nicht?«

Zwei Beobachtungen führen jedoch den sorgfältigen Betrachter zu einer anderen Deutung. Erstens bezieht sich die pensieroso-artig träumerische Haltung der Figur vielleicht nicht nur auf die Fußbekleidung, denn die linke Hand hält ein Blatt, auf dem mit Gigantenlettern die berühmte Gleichung zu lesen ist: $E = mc^2$. Ist es dieser ihm anscheinend vor kurzem zugesteckte Zettel, der Einstein von der gedankenvollen Betrachtung seiner Schuhe ablenkt? Und zweitens ist ja gar kein Wasser im Becken, sondern eine schwarze Granitplatte, die den reich gestirnten Nachthimmel darstellt, den Himmel, den Einstein am Tage seiner Geburt hätte sehen können, wenn er ein aufmerksamerer Neugeborener gewesen wäre. Diese Entdeckung mag zuerst befremdlich wirken, denn meistens ist der Himmel doch über dem Beobachter und nicht unter ihm. Aber weiteres Nachdenken bringt Klärung, nämlich, daß in unserer Welt alles relativ ist.

II

Beschreibe ich hier einen kleinen Greuel aus Disneyland oder aus seinen liebenswerteren Vorgängern, Madame Tussaud's, Musée Grévin? Nein, ich spreche von der *National Academy of Sciences* in Washington, einer der beiden größten naturwissenschaftlichen Akademien der Welt. Dort soll anläßlich der hundertsten Wiederkehr von Einsteins Geburtstag dem großen Gelehrten ein Denkmal errichtet werden, und ohne Befragung der Akademiemitglieder hat man sich auf die hier beschriebene Kinderspielplatzskulptur geeinigt. Des Bildhauers Name ist Robert Berks. Eine lebhafte Geldsammlung ist im Gange: Das Monument soll 1,5 bis 1,8 Millionen Dollar kosten.

Ob unsere Zeit, da die mir bekannten amerikanischen Städte in Dreck und Blut, Armut, Elend und Verbrechen zu versinken drohen, zu der Errichtung von Denkmälern berechtigt ist, wage ich nicht zu entscheiden. Auch fühle ich mich nicht berufen, über die Qualität des Entwurfs zu Gericht zu sitzen; um so weniger, als das völlige Verschwinden ästhetischer Richtlinien uns die Fähigkeit genommen hat, den Wert einer Riesendarstellung eines Frankfurter Würstchens von dem einer Maillolskulptur zu unterscheiden. Immerhin ist es nicht so lange her, da solche Namen wie Brancusi oder Giacometti, Gonzalez, Wotruba, Barbara Hepworth oder Henry Moore geläufig waren; und wenn es schon ein Denkmal sein muß, hätte sich etwas Besseres als diese lächerliche Niedlichkeit — wahrlich ein Meisterwerk des kapitalistischen Realismus — finden lassen müssen.

Aber muß es ein Denkmal sein? Spricht nicht alles, was wir vom Charakter des Gefeierten wissen, dagegen, ihn auf diese Weise zu feiern? Wer ist es eigentlich, den man ehrt, wenn man Einstein für alle Ewigkeit als abschreckendes Beispiel des Geschmacks unserer Zeit hinsetzt? Daß unsere Ewigkeiten, dank der auch ihm, vielleicht zu Unrecht, zur Last gelegten Entwicklung der Atombombe, nur kurz zu sein versprechen, ist ein geringer Trost. Wenn dann die Kernphysik sich ihr größtes endgültiges Denkmal errichtet hat, wird noch jemand übrig sein, der die schönen Worte wiederholt: *si monumentum requiris, circumspice?* »Wenn du ein Denkmal suchst, blicke um dich«, schrieb Sir Christopher Wrens Sohn an das Tor der St.-Pauls-Kathedrale in London; aber diese wird es dann auch nicht mehr geben.

III

Ich habe mich oft gefragt, warum es gerade Einstein war, an den sich zeit seines Lebens und auch posthum so viel Massenmedienvulgarität klebte. Sogar lange nach seinem Tode verfolgt ihn noch der Drang der Öffentlichkeit, ihn in Form von riesenhaften Nippes zu verewigen. Was war es an ihm, das ihn — sicherlich ohne sein Zutun — zur Zielscheibe der Vulgaritäten machte, das die Klatschschreiber der Zeitungen und Radiostationen immer wieder veranlaßte, ihm über die Schulter zu gucken, während er vergeblich versuchte, zu einer »einheitlichen Feldtheorie« vorzudringen?* Reproduktionen seiner Manuskripte und Rechenversuche schmückten die erste Seite der *New York Times*.

Diese meinungsindustrielle Verschmutzung muß schon sehr früh eingesetzt haben, denn ich entsinne mich, daß ich noch im Gymnasium war, als ich — sicherlich auf Grund irgendeines Zeitungslärms — Einsteins »allgemein verständliches«, und nur mir unverständliches, Büchlein über die Relativitätstheorie erstand; und das zu einer Zeit, wo mir solche Namen wie Planck, Schrödinger, Bohr noch völlig unbekannt waren. Es gibt viele Indizien einer für einen Naturforscher ungewöhnlichen Popularität, die Einstein zum Repräsentanten der Naturwissenschaft gegenüber denen machte, die nichts von der Naturwissenschaft verstanden; eine ähnliche Rolle, wie sie einmal Heine bei denen spielte, die sonst niemals Gedichte lasen. Zum Beispiel tritt er ungewöhnlich häufig in den Tagebüchern des Grafen Kessler auf. Das ist ein merkwürdiges Buch — »Weltuntergang mit anschließendem Souper«, nannte ich es einmal —, in dem snobistisches Gesellschaftsgeschwätz und erstaunlich scharfsichtige und feinfühlige Bemerkungen nebeneinanderstehen. Im Register dieses Buches, das die Oberfläche der Weimarer Epoche treffend abbildet, kommt Einsteins Name 15 mal vor, während mit Ausnahme der zufälligen Erwähnung Nernsts keiner der damals in Deutschland tätigen bedeutenden Naturforscher auch nur einmal genannt wird.

Der schäbige Verschleiß großer Reputationen hört mit dem Tod nicht auf. Vor wenigen Tagen sah ich in der *New York Times Book Review* eine Annonce für *Literary T-Shirts*. Die Liste der angebotenen Unterhemdenporträts von Kulturhe-

---

*In einem ganz anderen Bereiche war auch Lindbergh zeitweise Ähnliches widerfahren, obwohl es hier der Welt schwerer fallen mußte, ihm beim Denken zuzusehen.

roen ist lehrreich, denn sie beschreibt ein Pantheon unserer Zeit. Hier sind die Namen, deren wirre Reihenfolge zu meinem Vergnügen beigetragen hat: Virginia Woolf, Joyce, Tolkien, Hemingway, Dickens, Proust, George Sand, Colette, Jane Austen, Poe, Dickinson, Thoreau, Nabokov, Anais Nin, Melville, Twain, G. B. Shaw, Brecht, Kafka, Dostoevsky, Tolstoy, Agatha Christie, Einstein, Bach, Beethoven, Mozart, Vivaldi, Handel, Brahms, Chopin, Wagner, Mahler, Ives, Wittgenstein, Nietzsche, Jung, Freud, Wilhelm Reich, Darwin, Mao, Marx, Russell, Plato, Earhart, Escoffier, Frank L. Wright, Van Gogh, Rembrandt, Nijinsky, Tutankhamun.

Wie der letzte Name bezeugen kann, ist die Liste, deren Orthograpie ich unverändert gelassen habe, nicht übertrieben literarisch. Nur zwei Naturforscher sind würdig befunden worden, die Brüste der Heldenanbeter zu schmücken: der auf Agatha Christie folgende Einstein und der Mao vorausgehende Darwin. Ein zukünftiger Gibbon könnte ein ganzes Kapitel seiner *History of the Decline and Fall* aus dieser Liste bestreiten, obwohl ich nicht weiß, wie er die Abwesenheit Shakespeares und Kissingers erklären wird. Daß jedoch Einstein als einziger die Naturwissenschaft des 20. Jahrhunderts vertreten werde, war vorauszusehen.

IV

Weniger vorauszusehen war hingegen, daß die *National Academy of Sciences* in den Fußstapfen der die T-Shirts feilbietenden Leibchenfirma folgen werde. Nun sind Akademien nicht mehr, was sie einmal waren. Gegenwärtig scheint ihre hauptsächliche Aufgabe darin zu bestehen, diejenigen bitter zu kränken, die ihnen nicht angehören. Da das keine völlig tagesfüllende Beschäftigung ist, publizieren die meisten Akademien auch Zeitschriften, in denen die Mitglieder und von ihnen eingeführte Autoren zu Wort kommen.* In dem hier

erörterten Falle — der Errichtung eines Einsteindenkmals —
tut die Akademie noch etwas anderes: indem sie den Nachruhm eines ihrer berühmten Mitglieder bekräftigt oder sogar
ausnützt, bringt sie sich unter die Leute; es wird von ihr
geredet, ihr »Image« wird poliert. Und Verkäufer von Lip-
penstiften oder Whisky wissen, wie wichtig das ist. Tatsächlich errichtet die Akademie sich, und nicht Einstein, ein
Monument. Ob sie darin wohlberaten ist, weiß ich nicht.

Ich glaube nicht, daß viele Naturforscher durch Denkmäler geehrt worden sind. Kaiser und Könige, geschlagene und
siegreiche Feldherren, Politiker, einige Dichter und Komponisten machen die Liste aus, die in unserer Zeit kaum
fortgesetzt wird, denn das Ganze ist eigentlich völlig aus der
Mode gekommen. Es hat daher wenig Sinn darüber nachzu-
denken, ob man sich ein würdigeres Stand-, Sitz- oder
Liegebild vorstellen kann, oder ob eine abstrakte oder symbolische Darstellung — etwa die Adler des Prometheus oder
der vom Sisyphus gerollte Stein — ein geeigneteres Sinnbild
des wissenschaftlichen Größenwahns unserer Zeit geboten
hätten. Manche haben die Einrichtung eines Gartens zu
Einsteins Ehren vorgeschlagen oder die Stiftung einer perpe-
tuierlichen Vortragsreihe. Jenes wäre ein schöner Gedanke
gewesen; aber was blüht noch in unsern grauen Wildnissen?
Jedenfalls ist es für mich ausgemacht, daß Einstein selbst mit
der ganzen Angelegenheit nichts zu tun hat und wahrscheinlich auch nichts zu tun hätte haben wollen. Daraus, was man
über ihn gehört hat, ergibt sich das Bild eines zurückhalten-
den Mannes, der nicht glücklich war über den ungeheuren
Lärm, den er mit allem, was er berührte, entfachte. Wenn er

*Da die Washingtoner Akademie jetzt von den Verfassern der Arbeiten in
den *Proceedings* einen erheblichen Betrag ($95 pro Seite) einhebt, besteht
das Steueramt auf einer Fußnote zu jeder Arbeit, in der diese als Reklame
bezeichnet wird: auch ein Anzeichen davon, wie weit es die Naturwissenschaft in unserer Zeit gebracht hat. Ein kleiner Angestellter, sagen wir im
Berner Patentamt, würde es schwer finden, an die 1000 Dollar für die
Publikation seiner ersten beiden Arbeiten aufzutreiben.

also eine moderne Fassung des Königs Midas vorstellte, so geschah das vermutlich gegen seinen bewußten Willen.

Die wenigen politischen Äußerungen, die man von ihm zu hören bekam, waren gemessen und anständig. Wenn er etwas über die ersten vierzig Jahre hinaus, die von hervorragender wissenschaftlicher Tätigkeit erfüllt waren, symbolisierte, so war es die Tragik des großen, sich überlebenden Gelehrten, den unser abscheulicher Tag immer an dem Tage mißt. Dabei liegt es im Wesen des großen Naturforschers, daß er sich überleben muß; aber in unsrer Zeit wird kein Kredit gegeben. Mußten jedoch nicht auch die großen griechischen Tragiker sich immer aufs neue um einen Preis bewerben? Vielleicht haben Demokratien es an sich, daß sie die ruhmreiche Vergangenheit nicht in Rechnung stellen. Andererseits neigen sie dazu, alle verfügbare Glorie auf einen Mann zu vereinigen; mit anderen Worten: so wie sie Sündenböcke brauchen, benötigen sie auch Tugendböcke.

Jedenfalls kenne ich — wenn ich die wahnwitzigen Angriffe seitens der »Deutschen Physik« außer acht lasse — kaum ein abfälliges Urteil über Einstein. Höchstens eines: Bertolt Brecht in seinem Arbeitsjournal vom 29.10.45 (S. 762): »das brillante fachgehirn, eingesetzt in einen schlechten violinspieler und ewigen gymnasiasten mit einer schwäche für generalisierungen über politik«. Worauf, neben vielem andern, die unfreundliche Notiz anspielt, ist die unselige Neigung unserer Zeit, die Meinung berühmter Fachleute über alles und jedes zu erforschen. Zu viele Fachgelehrte unterschreiben zu viele Manifeste, sich und die oft gute Sache gleichzeitig entwertend. Und der »schlechte Violinspieler« erinnert an eine andere Tendenz der Erzeuger unserer öffentlichen Meinung, nämlich die, jeden, dessen sie habhaft werden, in eine Positur zu werfen, ihn in ein leicht weiterzureichendes Päckchen zu verpacken, dessen Aufschrift schon die Qualität garantiert. Man kann ja auch unter Ausschluß der Öffentlichkeit die Geige spielen, aber das war Einstein nicht beschieden.

Die Mißklänge, die rund um mich herum die Feier von Einsteins hundertstem Geburtstag begleiten, haben mich über das Fortleben, den Nachruhm des Naturforschers nachdenken lassen. Was ist Ruhm, was ist Nachruhm? Die engste und zugleich witzigste Definition will ich nicht in Betracht ziehen: Wessen Verkörperung zu sein ein Wahnsinniger sich vorstellen kann, der ist ein berühmter Mann. Das gilt eher dafür, was man in Amerika *celebrities* nennt, Produkte der Manipulation. Außerdem trifft die Definition nur zu, wenn es sich um einen *Größen*wahnsinnigen handelt, denn ein an schweren Minderwertigkeitsgefühlen Leidender könnte ja glauben, daß er nur Dr. Soundso ist, und das würde ihn noch mehr deprimieren. Jedenfalls kann ich mir heutzutage keinen Irren denken, der sich vorstellte, Leibniz oder Grotius zu sein. Es mag sich also ergeben, daß man zwischen Ruhm und Berühmtheit unterscheiden müßte, aber darauf kann ich nicht eingehen. In vielen Worten, die bis vor kurzem noch geflügelt waren — jetzt ist alles nicht mehr so —, spielt der Ruhm eine große Rolle; und Horaz war gewiß nicht der erste, der sich Sorgen machte über seinen. Auch die Zitatenlexika sind voll davon; und der ergriffene Ton, mit dem meine Gymnasialprofessoren von *gloria* oder *nomen* sprachen, klingt noch nach, aber es sind komische Obertöne dazugekommen, denn eigentlich gibt es den Ruhm nicht mehr. Er ist mit den Herzen verschwunden, in denen er vielleicht einmal wirklich lebte. Jetzt ist er nur ein Anlaß zu einem Rummel (Einstein) oder zu einer Fremdenverkehrsveranstaltung (Mozart), und bestenfalls zu einer verbilligten Flugreise nach England zwecks Pilgerfahrt nach Stratford-upon-Avon. Vielleicht ist es auch immer so gewesen.

Indem ich gerade jetzt Shakespeare, Mozart und Einstein erwähne, sehe ich mich ganz verschiedenen Arten von Nachruhm gegenüber. Jene leben in ihren Werken in einer völlig andern Form als dieser. Nicht ganz werde er sterben — *non omnis moriar* —, versprach sich Horaz; und wirklich, solange eines von Shakespeares Stücken gelesen oder aufgeführt wird, solange eines von Mozarts unsterblichen Werken erklingt, sind deren Schöpfer nicht ganz tot. Aber Einstein? Noch eine kleine Weile, und er ist vollends historisiert. Seine Vorgänger, zu ihrer Zeit ebenfalls berühmte Männer, leben nur im kleinen Druck der Geschichtsbücher.

Ich habe keine besonderen historischen Anlagen, aber es gibt ja historische Werke, die man befragen kann. Und so habe ich kürzlich einige Stunden darauf verwendet, zwei Werke durchzusehen, die der Geschichte der antiken Naturwissenschaften gewidmet sind. Es sind zwei sehr verschiedene Bücher. Das eine ist ganz von einer Hand: vor seinem Tode konnte der große Wissenschaftshistoriker George Sarton die ersten beiden Bände der von ihm geplanten Geschichte der Naturwissenschaften, die bis zum Ende der hellenistischen Ära reichen, beenden. (*A History of Science*, Bd. 1 und 2, Oxford and Harvard University Presses, 1953, 1959.) Es ist eine reichhaltige, mehr biographische als ideengeschichtliche, vielleicht etwas anekdotische Darstellung, deren Reichweite und Detaillfreude Bewunderung erwecken. Das Gehirn, das all dies umfassen konnte, muß schwerere Versuchungen überstanden haben als der Heilige Antonius, gegen den Flaubert den Ansturm unzähliger wildgewordener Mythologien entfesselte. Das andere Werk, von vielen Autoren geschrieben — der erste Band der von R. Taton herausgegebenen *Histoire Générale des Sciences* (P.U.F., Paris, 1957) —, ist systematischer, trockener, und es zeigt, wie schwer, ja fast unmöglich es ist, die Entwicklungsgeschichte naturwissenschaftlicher Vorstellungen zu schreiben, besonders, als diese noch nicht unter der Kuratel strikter Methodik standen.

Nichtsdestoweniger sind die Antworten, die ich aus den beiden Werken erhielt, nahezu gleich. Fast alle hervorstechenden Namen gehören Philosophen an, und die Naturforschung begann als ein Zweig der Philosophie, obwohl man nicht den Eindruck hat, daß diese großen Männer sich die

Hände häufig mit dem beschmutzten, was wir ein Experiment nennen würden. Unter Empirie verstand man damals vielleicht nicht das, was wir jetzt so bezeichnen. Heutzutage, da die naturwissenschaftlichen Genies so dicht gesät zu sein scheinen, daß sie — wie Karl Kraus, ich glaube vom Wiener Café Griensteidl, sagte — einander an der Entfaltung hindern, mag es uns schwerfallen, einzusehen, daß die Fülle von Genies nur scheinbar ist. Die genialen Ergebnisse kommen von meistens höchst ungenialen Forschern, aber angesichts der ungeheuren Masse von Resultaten stützen diese einander, und die Dichte des Gewebes ist durch die Unzahl einzelner winziger Fäden bedingt. In ruhigeren Zeiten hätten die Mehrzahl der heute ausgeführten Experimente, selbst wenn sie apparativ und sonst möglich gewesen wären, keinen Sinn gehabt.

Die berühmten Männer sind also fast alle Philosophen, von den von mythischen Wolken verhüllten, bruchstückweise überlieferten Vorsokratikern zu den strahlenden Sternen eines Platon und Aristoteles. Natürlich waren zunächst Mathematik und Astronomie und später Geographie höher entwickelt als die anderen Wissenschaften. Natürlich hat es auch Leute gegeben, die Experimente in unserm Sinne ausführten, so etwa Straton von Lampsakos, der einige Zeit Direktor einer Art von Max-Planck-Institut in Alexandria war, oder Archimedes von Syrakus und Heron von Alexandria. Was ich nicht weiß, ist, ob diese Männer uns als Kollegen anerkannt hätten. Denn ihr Leitstern war die Deduktion, und sie hätten vielleicht gesagt, daß zuviel Besonderes das beste Allgemeine verdirbt. Es war der feste Mittelpunkt, der ihre spärlichen Kreise zog. Unser Schicksal ist anders: wir haben unzählige Kreise und suchen verzweifelt einen Mittelpunkt.

Die großen Philosophen der Antike, nicht anders als die Dichter und die Geschichtsschreiber, leben in ihren Werken. Ihr Ruhm kommt nicht vom Hörensagen. Daß Lukrez epikureische Weisheit aufbewahrt und weitergibt, ist weniger wichtig als daß *De natura rerum* ein großes Gedicht ist. Wäre es nicht auf uns gekommen, so bliebe Lukrez nur sein historischer Name. Das gilt sicherlich für die Naturforscher des Altertums, besonders wenn ich die Mathematik ausnehme, die eigentlich nicht zu den Naturwissenschaften gehört. Ähnlich den Herrschern, Staatsmännern oder Generälen sind auch von ihnen nur Namen in der Geschichte geblieben, und in einer, die schwerer zu kodifizieren ist als die politische Geschichte.

VI

Im 18. Jahrhundert, als der Geniekult grassierte, ist man mit diesem Attribut vielleicht etwas freigebig umgegangen; aber jetzt hat man andere Sorgen, und höchstens die Zeitungsschreiber und dergleichen verleihen diesen Titel, und gewöhnlich an den Falschen, nämlich an den, der so aussieht, wie man sich ein Genie vorstellt; etwas was Genies wahrscheinlich meistens nicht tun. Nur bei Einstein, und vielleicht auch bei Picasso und den *Beatles*, war sich die Welt einig. Da es aber fast definitionsgemäß unmöglich ist, einem beim Geniesein zuzusehen, hält man sich gewöhnlich an die sekundären Geniemerkmale, und diese sind trügerisch. Es ist wie bei der Heiligkeit: nur ein toter Heiliger ist ein wahrer Heiliger, und auch da bedarf es langer, verworrener, verschlungener Prozesse.

Ich wappne mich daher mit Mäßigkeit, darf aber fragen: Kann es in den Naturwissenschaften so etwas geben wie ein verkanntes Genie? Die Antwort ist natürlich Ja, muß jedoch durch die Feststellung ergänzt werden, daß ein solches Genie auch in der Zukunft unerkannt bleiben muß. Denn für die Naturwissenschaft gilt: Wem die Mitwelt keine Kränze flicht, dem flicht die Nachwelt gewiß auch keine. Bestenfalls kommt später einmal ein Dissertant und kriegt aus dem armen Verkannten eine Doktorarbeit heraus; und auch das nur, wenn es diesem seinerzeit gelungen war, etwas Sichtbares zu publizieren, was im Falle wahrer Genialität unwahrscheinlich ist. Im Garten unserer Wissenschaften gibt es ohnedies mehr Bienen als Blüten; sie surren von Kongreß zu Symposium, aber es kommt nicht viel heraus. Was soll erst mit einer völlig verborgenen Blüte werden? Sie verdorrt, ohne am Kreislauf des Lebendigen teilzunehmen.

Daß es mir so schwerfällt, zu begreifen, auf welche Weise der Name eines bedeutenden Naturforschers fortlebt, kommt zum Teil auch davon, daß es in den Naturwissenschaften keine Kritik von der Art geben kann, mit der wir in der Literatur und den Künsten vertraut sind. Man kann die Zulänglichkeit der Arbeitsweise anzweifeln — »Warum hat er den Ansatz nur bei pH7 vorgenommen, und nicht auch bei pH10?« —; man kann die Gültigkeit der aus den Ergebnissen gezogenen Schlüsse beanstanden; man kann darauf achten, daß vorhergegangene Arbeiten anständig zitiert werden; ja man kann vielleicht manchmal sogar wittern, daß da geschwindelt worden ist. All das tun die Herausgeber von Zeitschriften jeden Tag, wenn auch mit schnell abnehmendem Erfolg. Aber Kritik ist etwas anderes. Einen Samuel Johnson oder Lessing, einen Coleridge oder Friedrich Schlegel kann man sich in den exakten Wissenschaften nicht vorstellen. Das Induktionsgestrüpp ist viel zu dicht; da kommt niemand durch.

Was man in unseren Tagen einen hervorragenden Naturforscher nennt, ist einer, der das bestehende System von Vorstellungen sanft erweitert. Einstein hat mehr getan: er hat einen kleinen Teil des Systems sogar erschüttert. Die Schöpfer der Quantentheorie haben vielleicht noch mehr getan; aber zur wahren Vergötterung waren es zu viele, und auch sonst eigneten sie sich wenig zu dem, was man auf französisch *haute vulgarisation* nennt.

Den meisten von uns gelingt natürlich viel weniger. Still vergnügt oder verbissen, graben wir nach sogenannten Tatsachen; und wenn wir eine gefunden haben, stellen wir sie in eine Vitrine, zur allgemeinen Besichtigung. Je volkstümlicher die betreffende Tatsache ist, je mehr Betrachter ihrerseits durch sie zum Graben angeregt werden, um so berühmter wird der ursprüngliche Finder. Meistens hat er nur Archäologenglück gehabt.

Es gibt natürlich Ausnahmen, ob sie nun Copernicus oder Galilei, Darwin oder Mendel, Faraday oder Curie heißen. Die Liste könnte fortgesetzt werden, aber sie wird nicht sehr lang sein, besonders wenn wir zum Anfang dieses Jahrhunderts zurückgehen oder noch weiter in das vorhergehende. Die Verteilung berühmter Namen wird auch lokal bedingt sein: ein Brite wird eher den Namen Clerk Maxwells kennen als ein Österreicher, dieser aber den Boltzmanns. In fast allen Fällen würde jedoch »der Mann von der Straße« — wenn es ihn gäbe — nicht sagen können, warum er den Namen kennt. Vielleicht nur, weil eine Straße oder ein Platz so heißt. Die Berühmtheit wird bestenfalls die eines aller seiner Schlachten entkleideten Generals sein.

VII

In der Geschichte der Naturwissenschaften gibt es keinen Kanon, jedenfalls keinen überprüfbaren Kanon. Wenn ich, sagen wir in Venedig, die Galerie der Accademia durchwandere, und ich komme da zu einem Gemälde, unter dem die Aufschrift lautet »Tempestà von Giorgione«, so ist es mir eigentlich ganz gleich, wenn jemand behauptet, Giorgione habe nie existiert oder das Bild sei eine Allegorie und habe ganz anders geheißen. Darauf kommt es gar nicht an. Zwischen dem Werk und seinem Betrachter ist eine unmittelbare Brücke geschlagen worden. Wenn es ihn anspricht, schickt er die ganze Geschichte der Malerei zum Teufel. Was der Fachmann ihm über Giorgione zu erzählen hat, interessiert ihn nicht mehr als zu hören, daß Mozart gerne Kegel geschoben hat. Wenn die Kunstgeschichte ihn belehrt, daß Giorgione ein bedeutender Maler gewesen ist, weil er einen großen Einfluß auf die Entwicklung Tizians ausgeübt hat, so macht das wenig Eindruck auf den Betrachter, der dem Prüfstein seines eigenen Geschmacks traut. Aber um das tun zu können, mußte er sich, vielleicht unbewußt, auf den Geschmack derjenigen verlassen, die die Sammlung eingerichtet hatten. Das Museum selbst ist der Kanon, und er sieht nur, was ihm angeboten wird.

Was entspricht in den Naturwissenschaften dem Museum, der Bibliothek, dem Konzertsaal oder, wenn man will, dem Schallplattenkatalog? Ich würde sagen, es sind die wissenschaftlichen Zeitschriften; früher wären es auch die Handbücher gewesen, aber diese sind jetzt angesichts der Überfülle einander schnell verdrängender Tatsachen fast nutzlos. Was jedoch völlig fehlt, ist das Kriterium der Wirkung des Werks auf den einzelnen. An die Stelle der Ergriffenheit durch das Werk tritt die Zustimmung zu denjenigen Tatsachen, die in ein vorgefaßtes und durch die Lehre eingebleutes Naturbild hineinpassen. Selbstverständlich wird die Aufnahmefähigkeit für eine geistige Schöpfung auch irgendwie durch den schwer faßbaren Zeitgeist gelenkt, aber die Moden der Naturwissenschaft sind autokratischer und machen jede Art von Abweichung unmöglich. Jetzt, da die Religionen weich und milde geworden sind, ist die Naturwissenschaft die letzte Zuflucht des Fanatikers.

Komme ich, durch das Museum weiterwandelnd, in den Saal, wo die frühen Italiener hängen, von deren Biographie man fast nichts weiß, so mag es mir, vor dem Polyptychon des Paolo Veneziano stehend, von einigem Nutzen sein zu hören, daß in der Mitte des 14. Jahrhunderts Venedig noch ganz unter dem Einfluß von Byzanz war; aber auch das ist unwesentlich, wenn ich etwas aus dem Bild unmittelbar beziehen kann.

Und vollends so etwas wie den »Meister der Freisinger Heimsuchung« kann es in der Geschichte der Naturwissenschaften nicht geben. Da ist diese Form von Anonymität unmöglich; oder eigentlich, alles ist anonym, trägt aber viele Namen. In der Zuschreibung von Kunstwerken haben die Sachverständigen ein nachtwandlerisches Stilgefühl entwickelt, besonders wenn sie von den Kunsthändlern angefeuert werden. Aber die Natur sollte für alle Forscher dieselbe sein. Tatsächlich ist sie es nicht, denn es gibt einen Stil der Naturforschung.

Im Gegensatz zur Naturwissenschaft gibt es also in der Literatur, der Musik, der Malerei usw. einen Kanon, ja sogar, besonders in den angelsächsischen Ländern, eine Rangordnung. Sehr häufig wird zwischen *major poets* und *minor poets* unterschieden. Ich habe nie gedacht, daß das einen Sinn hat, und oft erklärt, daß es nur beste Dichter oder beste Naturforscher gebe; für die übrigen sollte man einen andern Namen finden. Warum ist Wordsworth' *The Prelude*, bei dessen Lektüre es mir schwer fällt, die Augen offen zu halten, ein *major poem* und Blakes *The Chimney Sweeper* ein *minor poem*? Was berechtigt Georg Lukász in *Deutsche Realisten des 19. Jahrhunderts* (S. 146) von Mörike als einem »niedlichen Zwerg« zu sprechen? Ist Hebbels vernichtendes Urteil über Stifter, dieses »Komma im Frack«, von den seither verflossenen 120 Jahren bestätigt worden?

VIII

Gegen solche, alles in allem recht sinnlose Verdikte gibt es eine Berufung: das Werk selbst. Mit einer Ausnahme trifft auf keine geistige Schöpfung der Begriff des Überholtseins, des Abgewirtschaftethabens zu. Die Moden mögen sich geändert haben — aber sie werden sich wieder verändern; die Sprache mag vergessen sein — aber sie kann erlernt werden; unsere Augen und Ohren mögen gewisser Formen oder Harmonien entwöhnt sein — aber auch das kann umschwingen. Kein halbwegs zu Ende gedachtes philosophisches System ist wirklich überholt oder ersetzt. Iamblichos hat Plotinos nicht ausgeschaltet, und dieser gewiß nicht Platon. Ich habe daher immer in der mir oft gegebenen Versicherung, Hegel sei ein viel größerer Philosoph als Schopenhauer, und auch Spinoza komme wenig in Betracht im

Vergleich zu Kant, ein Anzeichen für den im 19. Jahrhundert einsetzenden Szientismus, für die »Expertifikation« der Philosophie gesehen. Jetzt braucht man natürlich zum Nachdenken ein Diplom.

Die am Anfang dieses Abschnittes erwähnte Ausnahme sehe ich in den Naturwissenschaften. Auch sie entbehren keineswegs einer Rangordnung; und diese ist unumstößlich, bedeutet aber sonst nicht viel, denn sie wird niemanden dazu antreiben, sich die Gesammelten Werke des einen oder anderen vorzunehmen, selbst wenn er es könnte. Seit die Naturwissenschaften aufgehört haben, ein Teil eines individuell ausgearbeiteten philosophischen Systems zu sein, und statt dessen an galoppierender Experimentitis erkrankten, haben Wert und Würde des einzelnen Forschers so abgenommen, daß die Feststellung seines historischen Ortes, die Bestimmung seines geistigen Ranges nur das flüchtige Ergebnis einer Popularitätskonkurrenz sein können, woran Mode und Reklame oft mehr Anteil haben als die wahre Bedeutung des einzelnen. Um diese zu erkunden, bedarf es eines meistens nicht verfügbaren Abstands.

Da die Statistik — diese trügerischste aller Halbwissenschaften — jetzt unser Allerneuestes Testament darstellt, ist der Historiker aller Anstrengungen enthoben. Er braucht nur im *Citation Index* nachzusehen, welches die am häufigsten zitierten Gelehrten sind; und diese sind natürlich die allerbesten.* Leider wird sein Urteil auch von der Zukunft sanktio-

---

*Von einem Rezensenten meines kürzlich erschienenen Buchs »Heraclitean Fire« wurde mir vorgehalten, ich mache mich künstlich klein, denn im *Citation Index* erscheine mein Name sehr häufig. Obwohl es möglich ist, daß im Haus des andern Gehenkten der Strick des ersten gern und oft erwähnt wird, weiß ich nicht, was ich daraus schließen soll. Da ich die nützliche Publikation nie zu Gesicht bekommen habe, weiß ich nicht, wie viel von allen Zitaten aus Selbstzitaten besteht. Manche Naturwissenschafter sind fruchtbarer als Kaninchen und publizieren ohne Unterlaß; und wahrscheinlich berufen sich auch Kanincheneltern am liebsten auf ihren eigenen Nachwuchs. Außerdem, wenn man 500 Arbeiten in 500 anderen zurücknehmen muß, hat man 1000 Arbeiten, alle zitierbar.

niert werden müssen, denn in den Naturwissenschaften gibt es eigentlich nur immer eine Gegenwart. Aber auch ihre Vergangenheit ist schwer zu rekonstruieren.

Während der Leserkreis eines Lukrez gewiß nicht auf die Naturwissenschafter, die es ja damals fast nicht gab, beschränkt war und das Publikum eines Schriftstellers, Malers oder Komponisten nahezu die ganze Welt umfassen kann, und noch dazu durch viele Jahrhunderte oder Jahrtausende, hat sich der Bereich, den der Naturforscher erreicht, immer mehr verengt. Bis etwa 1850 sprach jeder Chemiker oder Physiker zu allen Physikern und Chemikern, und noch früher berührten die Namen eines Herschel, Galvani, Volta, nicht zu reden von Galilei oder Newton, die ganze gebildete Welt. Man vergleiche das Register der Korrespondenz Voltaires oder Goethes mit dem der Briefe Thomas Manns, um zu sehen, was ich meine.

Aber in unserer Zeit trägt jeder Naturforscher seinen Ablauftermin auf der Stirn, und er lautet: morgen. Nur die Stärke zeitgenössischer Akklamation kann seinen Namen erhalten, und auch dann wird es nur ein Name sein. Seine Leistung ist in einem wellenlosen Meer verschwunden. Was die Oberfläche leicht kräuselt, ist eine vorübergehende Mode; es selbst bleibt unbewegt. Wer kann die Geschichte eines einzelnen Tropfens schreiben, und wer die Geschichte des Meeres?

Und dazu kommt noch etwas anderes, was die umfassende Schilderung unserer Vorstellungen von der Natur und die Geschichte der Forscher, die dazu beigetragen haben, zu einer wenig anziehenden und fast unmöglichen Aufgabe macht. Was für die Pyramiden gilt: daß nicht der Pharao sie gebaut hat; oder für die Schlachten: daß nicht der General sie geschlagen hat — das gilt in viel weiterem Sinne für die Naturwissenschaften. Kein Naturforscher war jemals so allein wie Cézanne, wenn er ein Stilleben malte. Das macht notwendigerweise aus jedem Historiker der Naturwissenschaften einen Mythendichter. Er muß die Knoten schürzen, die es eigentlich nie gegeben hat; er muß Tausende zusammenziehen, um den Einen klar zu konturieren. Er verfälscht dialektisch.

Außerdem machen die Naturwissenschaften eigentlich nur denen Freude, die sie betreiben. Die andern sind bestenfalls Zuschauer, meistens Wegschauer. Daß sie verstehen, was den Naturforscher bewegt, ist nicht zu erwarten, da dieser selbst es meistens nicht mehr weiß. Sicherlich gibt es den *amor intellectualis naturae*; sicherlich gibt es eine aus dem Innersten kommende Ehrfurcht vor den geheimnisvollen Harmonien der Natur; aber in unseren Naturwissenschaften sind sie nicht mehr zu Hause. Wenn man einmal den Mechanismus des Spielzeugs erklärt bekommen hat, verliert dieses seinen Reiz. In mancher Beziehung beschränkt sich die Naturwissenschaft unserer Tage auf die Erklärung von Spielzeugmechanismen. Die wahren Probleme sind unlösbar geblieben, wie eigentlich alle Probleme es sind, aber es hat sich als möglich und sogar bequem herausgestellt, sie zu ignorieren. Wenn man andererseits die Energie, welche die Naturwissenschaften darauf verwenden, um für ihre Nützlichkeit zu werben, zum Betrieb von Automobilen heranziehen könnte, würde man viel Öl ersparen.

IX

Der Nachruhm des Naturforschers hängt demnach von dem Ruhme ab, den er zu Lebzeiten genossen hat. Wenn das richtig ist, so ist Einstein gewiß der berühmteste Vertreter der modernen Naturwissenschaft gewesen. Nur setzt sich der Zeitruhm aus vielen, teilweise sehr fragwürdigen Komponenten zusammen; und Verifikation seitens des Himmels ist bekanntlich nicht erhältlich. Sogar wenn sie einträfe, würde sie kaum die Weisung einschließen, den großen Verewigten in ein Monument, und noch dazu in so eines, zu verpacken.

Aber, überhaupt, ein Denkmal? Ich gebe es gerne zu:

Einstein hat eine große wissenschaftliche Wahrheit entdeckt, eine Wahrheit, die, im Gefüge der Welt verborgen, lange Zeit des Entdeckers geharrt haben muß. Ich hoffe, daß die große Wahrheit viele Menschen, und nicht nur einige theoretische Physiker, glücklich gemacht hat. Daß ich sie groß nennen kann, und vermutlich größer als eine andere wissenschaftliche Wahrheit, zeigt, daß *die* Wahrheit und *eine* Wahrheit nicht dasselbe sind. Dabei fallen mir einige Sätze Lessings ein, aus seinem *Laokoon* (Kap. II):

> Wir lachen, wenn wir hören, daß bei den Alten auch die Künste bürgerlichen Gesetzen unterworfen gewesen. Aber wir haben nicht immer Recht, wenn wir lachen. Unstreitig müssen sich die Gesetze über die Wissenschaften keine Gewalt anmaßen; denn der Endzweck der Wissenschaften ist Wahrheit. Wahrheit ist der Seele notwendig; und es wird Tyrannei, ihr in Befriedigung dieses wesentlichen Bedürfnisses den geringsten Zwang anzutun. Der Endzweck der Künste hingegen ist Vergnügen; und das Vergnügen ist entbehrlich. Also darf es allerdings von dem Gesetzgeber abhangen, welche Art von Vergnügen, und in welchem Maße er jede Art desselben verstatten will.

Wie klar alles war in jenem hellen 18. Jahrhundert! Die Künste machten Vergnügen, bedurften jedoch obrigkeitlicher Überwachung, damit sie kein Mißvergnügen hervorriefen. (Dabei saß schon der Wurm im Apfel der Rationalität, jene Verkörperung des Vergnügens am Mißvergnügen, der grausige Marquis de Sade.) Die Wissenschaften suchten die Wahrheit und mußten frei bleiben. Aber jetzt, nach kurzen 200 Jahren, ist alles anders. Die Künste machen kein Vergnügen und die Wissenschaften finden nicht die Wahrheit, sondern Wahrheiten, manchmal lebensgefährliche, und der Ruf nach Kontrolle wird immer lauter. Wenn die Zeit dafür vorbei ist, wird auch dieser erhört werden: Alles kommt, alles kommt zu spät.

Dabei will ich gar nicht erwähnen, daß selbst Einsteins Gedankengebäude auf Grundmauern stand, die von andern, jetzt Vergessenen errichtet worden waren. Mag es eine Pyramide von Zwergen gewesen sein, die den Riesen trug — oder vielleicht waren sie gar nicht so klein — was macht es?* Niemand ist so groß oder so winzig, so gut oder so schlecht, wie er der Welt erscheint, wenn sie ihn allein und hintergrundslos betrachtet.

Leider sehe ich vorläufig keine Möglichkeit, die Geschichte der Naturwissenschaften oder die Geschichte einer Naturwissenschaft, ja auch nur die einer einzigen Periode einer Disziplin, anders und besser zu schreiben. Die biographisch-anekdotische Schilderung ist oberflächlich, die ideengeschichtliche Aufrollung der leitenden Vorstellungen ist irreführend. Wer sein Leben in einer Naturwissenschaft verbracht hat, weiß, daß alles nicht so ist, wie es in den Büchern steht. Er weiß, daß an jedem Tag seines tätigen Lebens neue Vorstellungen an ihn herangeweht kamen, während andere, altvertraute, vor seinen Augen verwelkten. Er selbst wird es unmöglich finden, die Atmosphäre auch nur eines Jahres zu rekonstruieren: was er damals wußte oder zu wissen glaubte; woran er sich noch erinnern konnte und was er schon vergessen hatte; welche Brücken er schlug und welche er abbrach; wieviel Geld er für seine Mitarbeiter hatte und wieviel für seine Versuche; was er sich ausdachte und was er zu seinem spätern Bedauern verwarf; was das Schicksal seiner damaligen Veröffentlichungen war und was er beschloß nicht zu publizieren. In allen diesen, teils trivialen, teils wichtigen, nie wieder zum Schwingen kommenden Reminiszenzen liegt das wahre Leben der Wissenschaft verborgen, die wirkliche, von Menschen erlebte Geschichte. Was in die Geschichtsbücher eingeht, sind historische Posen,

---

*Ob es Denkmäler zum Beispiel für Henri Poincaré oder H. A. Lorentz gibt, weiß ich nicht.

falsche Faltenwürfe nie gewesener Togen, Gefechte vor erblindeten Spiegeln.

In den vor nicht langem erschienenen zwei Bänden seiner Geschichte Frankreichs (Th. Zeldin, *France 1848—1945*, 2 Bde., Clarendon Press, Oxford, 1973, 1977) hat Theodore Zeldin versucht, hundert Jahre der Geschichte eines Volks aus dem Innern vieler Einzelnen auferstehen zu lassen; und, ich glaube, mit großem Erfolg. Wer gesehen hat, wie alles Offizielle, alles Öffentliche die Wahrheit vernichtet, das Leben vertreibt, muß ihm Dank wissen. Ich wollte, so etwas könnte für eine kurze charakteristische Periode einer einzelnen Wissenschaft unternommen werden. Wahrscheinlich fehlt jedoch hinreichendes Quellenmaterial für einen solchen Versuch.

Nur von einer Epoche kann ich mir vorstellen, daß eine Schilderung, dieser Art glücken könnte. In der ersten Hälfte unseres Jahrhunderts erlebte die theoretische Physik einen Aufschwung, wie er wohl in der Geschichte der Naturwissenschaften allein dasteht. Es war ein Emporschnellen, das ich nur mit der kurzen, unwiederholbaren Gipfelwanderung der impressionistischen Malerei im Paris des vorigen Jahrhunderts oder mit der Blütezeit der Romantik in Deutschland vergleichen kann.* Selten haben sich so hoch talentierte Leute in einem Haufen zusammengefunden. Wenn man den sehr interessanten Briefwechsel Einsteins mit Max Born durchsieht (*Briefwechsel 1916—1955*, Nymphenburger Verlagshandlung München 1969), bemerkt man, wie klein der Kreis der daran Beteiligten war.** Aus dem Register des Buches kommen einem die Namen entgegen: Planck, Ein-

---

*Vielleicht wird die gegenwärtige Entwicklung der Molekularbiologie später einmal ähnlich gewertet werden, aber dafür sind meine Scheuklappen zu undurchlässig.

**Viele der in dieser Korrespondenz auftretenden Überlegungen spielen sich, soweit ich sie verstehen kann, an der Grenze ab, wo die Wahrheit, die Wahrscheinlichkeit und die auf experimentellem Wege *scheinbar* nachweisbare Falschheit zusammenstoßen. Wollte man zwischen und hinter den

stein, Bohr, Born, Sommerfeld, Schrödinger, Pauli, Dirac, de Broglie, Heisenberg, London, Heitler, Ehrenfest, und dazu noch einige andere. Da all das vor sich ging, bevor die Naturwissenschaften vor Atemnot und Überfüllung zu ersticken begannen, könnte es ein schönes Buch geben, aus dem dieser vielleicht reinste Teil der Naturforschung als ein menschliches Unterfangen hervortritt. Wäre das nicht ein würdigeres Denkmal als das rauhe und rohe Memento in Washington?

Zeilen lesen, so böte sich eine gute Gelegenheit, die von mir früher (S. 103) erwähnte »Dummheit der Klugen« zu besprechen. Das würde jedoch der Monumentalität Abbruch tun, der der gegenwärtige Versuch gewidmet ist.

Wenig Lärm um viel

Bemerkungen zur genetischen Bastelsucht

I

Es ist nicht lange her, einige Monate, da bekam ich Besuch: Fernsehleute aus London, von der *British Broadcasting Company (BBC)*, wollten mit mir sprechen. Sie bereiteten eine Sendung vor, die über die neuesten genetischen Ingenieurskünste berichten sollte, über *recombinant DNA* und was damit zusammenhängt. Diese neue und nicht unbedenkliche Technik hatte bereits seit einiger Zeit zu lebhaften Diskussionen Anlaß gegeben. Nun wollte die BBC sowohl Befürworter als auch Gegner dieser Forschungsrichtung zu Wort kommen lassen, und da hatte sich etwas Seltsames ergeben: In ganz Europa war kein Naturforscher aufzufinden, der bereit gewesen wäre, in der Öffentlichkeit den Standpunkt der Opposition zu vertreten. Nur in den Vereinigten Staaten fanden sich einige Verblendete, darunter ich. Ich war natürlich bereit, mein spitziges Scherflein beizutragen. Da auch nach so vielen Jahrzehnten mein Englisch im Lautsprecher noch immer mit starkem österreichischem Akzent erschallt, blieb Europa also nicht ganz unvertreten unter den Warnern, aber nur auf diesem Umweg.

Orthodoxien machen Häretiker. Wie kommt es, daß dies in den Naturwissenschaften nicht der Fall ist? Ich würde sagen, daß dies so ist, weil es im Bereich der auf Logik und Experiment gegründeten Induktion keine Alternative zur Rechtgläubigkeit gibt. Es hätte wenig Sinn, gegen das Periodische System der Elemente Sturm zu rennen, obwohl einen natürlich diese Art, die Natur zu ordnen, kalt lassen kann. Weite Gebiete der Physik, Chemie, Geologie und sogar Biologie sind mit den Begriffen der Orthodoxie und Häresie gar nicht zu fassen, weil sie keine Objekte des Glaubens sind. Es gibt aber Ausnahmen.

Zu diesen Ausnahmen gehört meiner Meinung nach ein großer Teil des sektenartigen, als Molekularbiologie bezeichneten Forschungsgebietes, und insbesondere die Bestrebungen, Pläne und Anschläge, von denen diese Zeilen handeln sollen. Sie können es leider nur summarisch tun. Wissenschaft sollte reibungsfrei sein, ist es aber schon lange nicht, denn wo sie in Technik oder Politik übergeht — also in Medizin so gut wie in Elektrizitätserzeugung oder Flugwesen —, berührt sie das Leben und Sterben der Menschheit aufs Unmittelbarste. Auch der Unfug, der jetzt mit dem sogenannten Intelligenzquotienten getrieben wird, obgleich als reine psychologische oder genetische Forschung getarnt, ist zu einem verrohenden Element der Politik geworden.

Ich weiß nicht, was der Grund dafür ist, daß die geplanten Eingriffe in den Genbestand, welche zu der Erzeugung von Lebewesen mit radikal veränderten genetischen Eigenschaften führen können, in den USA auf Widerstand stießen und sogar mehrere mit dem Fach vertraute Forscher zur öffentlichen Stellungnahme veranlaßten, während es in Europa still geblieben zu sein scheint. Weisheit, Müdigkeit, Indolenz? Auch in Amerika sind ja die warnenden Stimmen nicht zahlreich gewesen, und viele der Jüngeren sind durch politischen und finanziellen Druck zum Schweigen gebracht worden. Einige sind immerhin noch übrig geblieben. Dazu kommt noch die sehr beträchliche Tätigkeit der am Umweltschutz interessierten Gruppen. Einen nicht sehr aufschlußreichen Einblick in die gegenwärtigen Diskussionen vermittelt ein vor kurzem veröffentlichter Sitzungsbericht[1].

II

Das Hochplateau, auf dem sich der neueste Ausbruch genetischer Heilslehren abspielt, ist wohl erforscht. Es würde zu weit führen, hier einen Abriß der Molekulargenetik zu versuchen. Auch ist er nicht nötig, denn die supponierte Rolle der

Desoxyribonukleinsäure (DNS) als des einzigen Trägers genetischer Informationen ist bis zum Überdruß popularisiert worden. Die bemerkenswerte Primitivierung des biologischen Denkens, die diese im wesentlichen eindimensionale Auffassung mit sich gebracht hat, habe ich bereits diskutiert, und ich möchte hier nur auf zwei meiner früheren Aufsätze verweisen[2], [3].

Wenn ein DNS-Molekül eines Zellkerns oder eines zellulären Einschlußkörperchens (»Plasmid«) als ein lineares Sammelsurium von aufeinanderfolgenden »Wörtern« (»Genen«) betrachtet wird, deren jedes für ein bestimmtes Eiweißmolekül der betreffenden Spezies verantwortlich ist, so mußte es dem Bastelinstinkt der Molekularbiologie als naheliegend erscheinen, Gentransplantationen zu versuchen, falls sich geeignete Methoden auffinden lassen. Derartige Methoden sind in den letzten Jahren entdeckt worden, und es scheint unter günstigen Umständen möglich zu sein, ein »Wort« oder, besser, eine Gruppe von »Wörtern« einem fremden Text unterzuschieben.

Um sich und andern klarzumachen, was hier vor sich geht, muß man in den Kindergarten zurückkehren und mit den Buchstaben zu spielen anfangen. Spielen wir also mit der folgenden Gruppe von einunddreißig Buchstaben:

-R O S A R K O M A R O M A N T I S C H E S C H U L E B H A F T-
1 2 3 4 5 6 7 8 9 10 11 12 13 14 15 16 17 18 19 20 21 22 23 24 25 26 27 28 29 30 31

Nehmen wir an, daß es die Buchstaben 10 bis 26 sind, die wir als Gen verpflanzen wollen; dieser Komplex hat auch eine für uns erkennbare Bedeutung: »Romantische Schule«. Wenn wir geneigt sind, jede sinnvolle Buchstabengruppe als Gen anzuerkennen, sehen wir, daß in diesem aus einer enormen Kette herausgeschnittenen Stück noch viele andere Wörter lesbar sind, z. B. Nr. 1 bis 4: »Rosa«, und leider Nr. 3 bis 9: »Sarkoma«, oder Nr. 25 bis 31: »lebhaft«; die beiden letzteren aber nur unter Zerstörung des Sinnes, also des Gencharakters, der Gruppen 1 bis 4 und 10 bis 26. Tatsächlich sind noch viele andere Wörter entzifferbar: zweimal »Oma«, »Koma«, »Omar«, »Aroma« usw. Es kommt also darauf an, wie gelesen und wie geschnitten wird. Gelesen wird auf sehr komplizierte, geschnitten auf relativ einfache Weise.

Was das Lesen angeht, muß man sich daran erinnern, daß die Buchstaben, die ich zuvor aufgeschrieben und numeriert habe, und deren jeder, wenn man will, einer Aminosäure im Proteinmolekül entspricht, in der DNS als Nukleotid-Drillinge auftreten. Diese Nukleotidkette wird dann von Enzymen als Ribonukleinsäure (RNS) transkribiert, und die verschiedenen RNS-Moleküle werden hierauf in die verschiedenen Eiweißarten übersetzt. Für jedes Gen muß daher der Anfang und das Ende der Lektüre genau festgesetzt sein, da jede Verschiebung, wenn auch nur um ein Nukleotid, einen anderen Text ergibt. Man muß demnach eine umständliche Interpunktion zwischen den einzelnen Wörtern postulieren, von der wir noch recht wenig verstehen. Es ist von vornherein gar nicht ausgemacht, daß die das Lesen besorgenden Enzyme (also die RNS-Polymerasen) einer Gattung dieselbe Interpunktion und dieselbe Kontrollsignale erkennen, wie die einer andern. Das erste Enzym mag, um bei meinem oben angeführten Beispiel zu bleiben, die Wörter »Rosa« und „Romantische Schule« transskribieren; aber wenn für das Enzym der zweiten Spezies, in die das Gen verpflanzt wurde, die Gruppe —RO— (Nr. 1-2 und 10-11) ein Halt!- und Marsch!-Kommando ist, so wird es »Sarkoma« lesen. (Ich meine dies nicht ganz allegorisch.)

Das Entzweischneiden einer DNS-Kette wird von einer Reihe von hydrolytischen Enzymen, den sogenannten Restriktionsenzymen, besorgt, welche auf eine bestimmte Nukleotidsequenz ansprechen und diese dann brechen. Von einer Isolierung eines bestimmten reinen »Genmoleküls« kann also keine Rede sein. Bestenfalls erhält man ein DNS-

Fragment, in dem nur eine einzige Genfunktion nachweisbar ist. (Eigentlich sollte man sagen, daß es nur nach einer einzigen Funktion befragt worden ist.)

Zu all diesem kam neuerdings noch eine vielleicht unüberwindliche Schwierigkeit. Es scheint sich nämlich herauszustellen, daß manche Gene gar nicht kontinuierlich als ein zusammenhängender Block in der DNS-Kette vorkommen, sondern in mehreren, weit voneinander getrennten Bruchstücken. Also z.B. in unserem Buchstabenmodell: ROM an einer Stelle, weit davon getrennt: ANTI, und wieder woanders: SCHESCHULE. Wie solche *disiecta membra* enzymatisch als eine RNS transskribiert werden können, ist nicht recht verständlich, obwohl man natürlich schon begonnen hat, sich darüber Gedanken zu machen. Außerdem gilt von der Molekularbiologie, daß wo die Not am höchsten, ein neues Enzym am nächsten ist. Und so hat man denn schon unverzüglich die sogenannten »RNA-Spleißenzyme« entdeckt, die genau das tun, was man von ihnen erwartet. Unmöglich erscheint hingegen die Isolierung und gemeinsame Verpflanzung eines derartigen Gens.

All dies bestärkt mich in einer Vermutung, die ich schon oft geäußert habe: daß das Gen der Genetiker eigentlich nicht dem entspricht, was sich die Chemie unter einem Molekül vorstellt, sondern daß es viel eher einen Zustand im dreidimensionalen Gefüge des Genoms darstellt. Eine solche Vermutung würde an sich die Rolle des DNS nicht schwächen, sondern sie schärfer definieren.

Übrigens gibt es auch Anzeichen dafür, daß unter Umständen im selben Genom einander überlagernde Gene sich »ausdrücken«, also gelesen werden können. In unserem Beispiel: sowohl Nr. 10 bis 26, »Romantische Schule«, als auch Nr. 25 bis 31, »lebhaft«. Wie dies bewerkstelligt wird, weiß man, glaube ich, noch nicht.

Wenn es gelingt, ein DNS-Fragment, das für die Erzeugung eines tierischen oder pflanzlichen Proteins verantwortlich ist, einer Träger-DNS, wie z.B. einem Plasmid, einzuverleiben und damit eine Kultur von Colibazillen zu infizieren, so erhalten wir eine neuartige Mikrobenzelle, die, falls alles gut — nämlich schlecht — ausgeht, von nun an auch das fremde Eiweiß erzeugt.

III

Zwei wichtige Schlußfolgerungen haben sich mir aufgedrängt: die eine kommt von den vielen Jahren, die ich in der Naturwissenschaft, besonders in der Chemie und Biochemie, verbracht habe; die andere fließt aus den Erfahrungen meines Lebens. Aus der Wissenschaft habe ich gelernt, daß wir zu allen Zeiten die Spezifität, die unglaubliche Schärfe des Ineinanderpassens aller Lebensvorgänge unterschätzt haben. Wann immer wir glaubten, am Ende zu sein, öffnete sich ein neuer Abgrund von Dezimalen. Deshalb müssen wir in der Biologie immer wieder unsere Grundauffassungen abändern und unsere Verfahren verfeinern. Ein Ende ist nicht in Sicht, es sei denn aus finanziellen Gründen. Eine bessere Fassung der mir zuteil gewordenen Lehre ist vielleicht, daß wir in den Naturwissenschaften stets weniger wissen als wir zu wissen glauben*.

Aus meinem Leben ziehe ich einen noch wichtigeren Schluß: daß wir die Folgen unseres Handelns fortwährend unterschätzt haben. Wie immer man auch unser Zeitalter nennen will — »das amerikanische Jahrhundert«, »das wissenschaftliche Jahrhundert« oder »das Jahrhundert der Massenmorde« —, es war eine Periode der verwirrten Flucht vor der Wirklichkeit, in der alle, und daher niemand, verant-

---

* Dazu die treffende Notiz Ludwig Wittgensteins in seinen *Vermischten Bemerkungen* (S. 119): »Man vergißt immer wieder, auf den Grund zu gehen. Man setzt die Fragezeichen nicht *tief* genug.« — In den Naturwissenschaften besteht allerdings die Gefahr, daß die Fragezeichen, wenn man sie tief genug setzt, auf der andern Seite wieder herauskommen.

wortlich waren; in der die Treiber noch getriebener waren als die Getriebenen; in der die Stimmen der wenigen Warner ohne weiteres als »Propheten des Jüngsten Gerichtes« verhöhnt werden konnten. Wenn die Prophezeiungen sich bewahrheiten, ist gewöhnlich niemand mehr übrig, der sich des früheren Hohns erinnert. Ich möchte gerne sehen, wer behaupten kann, daß sich die Voraussagen eines Kierkegaard oder Jacob Burckhardt nicht erfüllt haben.

Unangenehme Seher werden meistens als Narren abgeschrieben. Auch wirft man ihnen vor, daß sie zwar vor Unheil warnen, aber gewöhnlich nicht angeben, wie es zu verhüten wäre. Sie reiben sich nur die Geisterhände, wenn, was sie vorhergesagt haben, lang nach ihrem Ableben eingetroffen ist. Um so mehr Grund, hie und da den Warnungen zu lauschen und einen der hauptsächlichen Grundsätze des vorsichtigen Experimentators zu befolgen: *das Vermeidliche zu vermeiden.* Es bleibt immer noch genug Unvermeidliches übrig; einschließlich dessen, was hätte vermieden werden können, wäre es rechtzeitig erkannt worden.

Die zwei größten Taten, und wahrscheinlich Missetaten, der Naturwissenschaft der Gegenwart waren die Atomspaltung und die Entdeckung von Eingriffsmöglichkeiten in die Vererbungsmechanismen. Als Otto Hahn seine tragische Entdeckung machte, soll er ausgerufen haben: »Gott kann das nicht gewollt haben!«* Nun, vielleicht war es auch nicht Er. Jedenfalls ist es nicht üblich, dem Wissenschafter die Folgen seiner Entdeckungen vorzuwerfen. Aber ein Ding führt zum nächsten; und hätten die zahllosen Opfer von Hiroshima und Nagasaki noch Finger gehabt, um mit ihnen auf den großen Entdecker zu weisen, was hätte er gesagt? Vielleicht, daß in unserer Zeit alle Schuld kollektiv ist und daß daher kein Einzelner schuldig sein kann. Wäre dies wahr gewesen?

---

* Dies ist möglicherweise apokryph. Ich entnehme es alten, englisch geschriebenen Notizen und kann mich der Quelle nicht mehr entsinnen.

Im Falle der Kernenergie hatte die Öffentlichkeit, sofern es so etwas gibt, anfangs keine Gelegenheit, ihre Wünsche auszudrücken. Alles wurde so geheimgehalten, daß, als das neue Wesen sich enthüllte, es schon ein ausgewachsenes Monstrum war. Außerdem können die Gefühle der Öffentlichkeit leicht durch die Meinungsfabrikanten gelenkt werden. Es ist gar nicht schwer, den Menschen einzureden, daß sie ohne etwas, von dessen Existenz sie wenige Jahre zuvor nicht die geringste Ahnung hatten, gar nicht mehr leben können. In der Tat beruht die gesamte Ökonomie des Westens auf diesem Prinzip. Ich bin daher bereit anzunehmen, daß wir es bald nicht verstehen werden, wie wir ohne *recombinant DNA* haben auskommen können. Irgendeinmal wird jedoch dieser Teufelskreis gebrochen werden müssen, oder die Menschheit geht zugrunde. Ich habe manchmal davon geträumt — aber der Traum ist zu Ende —, daß dieser befreiende Ausbruch im Falle der genetischen Manipulationsbestrebungen glücken könnte.

Im Gegensatz zur Kernenergie hat die Chemie der Genetik, samt den durch ihre Erforschung eröffneten Möglichkeiten, keine geheime Vorgeschichte. Wer immer wollte, konnte die Entwicklung von Anfang an verfolgen. Viele müssen dies getan haben, jedoch mehr in Bewunderung als in Angst. Ich jedenfalls habe Beunruhigendes auf uns zukommen gesehen und sehr früh davor gewarnt: in einem satirischen Dialog, den ich 1961 schrieb[4] und in einem Vortrag, den ich anfangs 1962 hielt[5]. Beides, bevor im Jahre 1963 das Ciba-Symposium über die Zukunft des Menschen erschien, ein wahrer Musterkatalog der Hölle. Ich komme gleich darauf zurück.

Das hauptsächliche Ziel genetischer Manipulationen ist, so hören wir, die Reparatur genetischer Abnormitäten, indem schadhafte Gene durch normale ersetzt werden. Dies wäre dann der erste wahrhaft wissenschaftliche Zugang zur Eugenik. Nun hat die Eugenik, aus Gründen, die ich nicht weiter zu erörtern brauche, bei mir einen schlechten Ruf. Ich bin voller Mißtrauen gegen Lebensverbesserer: sie fangen klein an, aber nur Gott kann wissen, womit sie aufhören. Einige der größten Greuel sind unter dem Vorwand oder mit der wirklichen Absicht, der leidenden Menschheit zu helfen, begangen worden.

Meine Angst vor dem, was da gebraut wurde, verringerte sich nicht, als ich mich eines Buches entsann, das ich vor zwölf oder dreizehn Jahren gelesen hatte[6]. In diesem bereits erwähnten Ciba-Symposium schrieb der Herausgeber: »Dieses Buch soll zum Denken einladen.« Das ist leichter gesagt als getan, da viele Leser solchen Einladungen unzugänglich gegenüberstehen. Wer dieses gräßliche Buch gelesen hat, kennt wahrscheinlich auch die gedankenreiche Antwort darauf, die Friedrich Wagner unter dem Titel *Menschenzüchtung* herausgebracht hat[7]. Auf die in dieser Sammlung angeführte Literatur möchte ich besonders verweisen. Obwohl zur Zeit des Erscheinens dieses Buchs die allerneuesten Bestrebungen, von denen ich spreche, erst im Keime erkennbar waren, enthält die Aufsatzserie eigentlich alles, was man dazu sagen kann.

IV

Das Symposium, welches zur Veröffentlichung von *Man and His Future* führte, vereinigte eine Anzahl von Naturforschern, Medizinern, Historikern usw., viele von hohem, teilweise auch verdientem Ruf. Sie redeten vom einen und vom andern, und wie gewöhnlich kam nicht viel dabei heraus; jedenfalls nichts, was dem Menschen eine angenehme Zukunft versprochen hätte. J. B. S. Haldane — ein ausgezeichneter Mann, für den ich zeit seines Lebens Bewunderung und Freundschaft hegte — verwies zwar auf sich und die anderen Konferenzteilnehmer als »die Elite« (S. 357), aber viele von den Vorträgen und die meisten Diskussionsbemerkungen waren erstaunlich albern: ob man Genies durch »Klonung« perpetuieren kann (S. 353); ob man spezielle Geschöpfe erzeugen sollte, die zur Bemannung oder, besser, zur Bebiestung von Raumkapseln dienen könnten (S. 354);

ob die Kinder von genetisch ungeeigneten Eltern konsumiert werden sollten (S. 285). Zur Zeit der Tagung war die Molekularbiologie erst in ihren Anfängen; aber wie immer ist es die Brutalität des Ziels, die zählt, nicht die der Leistung. Besonders die Diskussionen über Eugenik und Genetik stechen durch unglaubliche Arroganz hervor. Unangenehmerweise ist manches davon vielleicht witzig gemeint; mir jagen spaßhafte Kannibalen besonderen Schrecken ein.

Jedenfalls war es dieses Buch und die vielen, in den folgenden Jahren über dieses Thema gespielten Variationen, die mich gegenüber dem Problem der DNS-Manipulierung besonders empfindlich gemacht haben, denn durch Überheblichkeit hat die Menschheit sich schon manchen Bruch gehoben. Ich betrachte die unter dem Schlagwort *recombinant DNA* zusammengefaßten Versuche als den ersten Schritt zu einer Manipulierung der menschlichen Vererbungsanlagen. Es besteht die Gefahr, daß die ohnedies im Wachsen begriffene Abneigung gegen die Naturwissenschaft durch diese Versuche und den mit ihnen verbundenen Lärm derart verstärkt werden kann, daß normale wissenschaftliche Forschung unmöglich wird. Aus diesem Grund schrieb ich vor einiger Zeit einen kurzen Aufsatz, der, in der Zeitschrift *Science* veröffentlicht, nicht ganz ohne Echo blieb[8]. In diesem offenen Brief betonte ich die folgenden Punkte:

1. In Anbetracht der weiten Verbreitung von Stämmen von *Escherichia coli* als obligaten Symbionten in der Darmflora von Mensch und Tier muß die Wahl eines, wenn auch abgeschwächten, Vertreters dieser Bazillenklasse als Wirt für die als Vektoren fremder DNS dienenden modifizierten Plasmide als wahnwitzig erscheinen.

2. Mit dem Entkommen solcher neuen Lebensformen aus den Laboratorien muß trotz Vorsichtsmaßnahmen gerechnet werden. Was für Unfug oder sogar Unheil diese Lebewesen entweder unmittelbar oder durch Austausch genetischer Elemente mit den im Darm lebenden normalen *E. coli* Zellen anrichten können, ist unbekannt.

3. Da sich die gesamte molekularbiologische Forschung in der Vergangenheit fast ausschließlich auf Colibakterien beschränkt hat, kann man gar nicht sagen, ob sich nicht eine geeignetere Mikrobenklasse finden läßt, mit der ähnliche, jedoch weniger riskante Versuche gemacht werden können. Da meiner Meinung nach nicht die geringste Eile ist, sollte man sich Zeit lassen, um geeigneteres Versuchsmaterial zu finden.

4. Falls die Versuche mit *E. coli* fortgesetzt werden, so müßten sie auf wenige, leicht zu überwachende Zentrallaboratorien, so wie das in Fort Detrick, beschränkt werden. (Parenthetisch möchte ich auf den utopischen Charakter dieses Vorschlages hinweisen: unterdessen wird die Anzahl der Laboratorien in USA, in denen mit *recombinant DNA* experimentiert wird, schon auf etwa 300 geschätzt. Das ist wahrscheinlich nur der Anfang, bald werden es Tausende sein.)

5. Ich erörterte dann die verschiedenen, mir nötig erscheinenden Maßnahmen, insbesondere die Art und Weise hinreichender gesetzlicher Vorschriften und die Schaffung einer aus Vertretern der Öffentlichkeit bestehenden Kontrollkommission.

6. Zum Schluß wies ich auf die Unwiderruflichkeit derartiger Experimente hin, da die neu erzeugten Lebewesen auf keine Weise wieder abgeschafft werden können. Meine Frage, ob wir das Recht haben, »unwiderruflich der evolutionären Weisheit von Jahrmillionen zuwiderzuhandeln, um den Ehrgeiz und die Neugier einiger Forscher zu befriedigen«, trug mir später den Vorwurf ein, ich sei ein Vitalist: wohl das Ärgste, was man jetzt einem Naturforscher nachsagen kann, denn wir sind ja alle stramme Reduktionisten.

V

Erziehung und Erfahrung haben aus mir einen Chemiker gemacht. Mein Interesse für die Chemie der Zelle, die Struktur ihrer Bestandteile und deren Wechselwirkung und metabolisches Schicksal schien keine moralischen oder rechtlichen Fragen aufzuwerfen. Da ich meinen Lebensunterhalt als Lehrer verdiente, war ich nicht genötigt, die Früchte meiner Forschung zu verkaufen. Hätte man mich gefragt, so hätte ich geantwortet, daß es sich bei meiner Arbeit um die Suche nach Wissen handelte und nur insoweit, als Wissen etwas Gutes ist, auch um die Wohlfahrt der Menschheit. Dieser Standpunkt, ich gebe es zu, ist schwer vereinbar mit dem gegenwärtigen Massenbetrieb und der durch ungeheure öffentliche Mittel unterstützten Forschung; aber ich halte ihn für ehrlicher als das heuchlerische Geschrei, man arbeite für das Wohl der Menschheit. (Die wenigen, die das wirklich tun, würden es nie laut sagen.) Daß unsere Art, die Natur zu erforschen, ernste moralische Fragen aufwirft, dessen wurde ich mir erst anläßlich der Atomspaltung und des Abwurfs der ersten Atombombe bewußt[9].

Ob es so etwas gibt wie verbotenes Wissen, weiß ich nicht; sicherlich gibt es verbotene Anwendungen des Wissens, wie aus allen Strafgesetzbüchern hervorgeht. Diese Art von Regelung oder Verbot hat nichts mit Forschungsfreiheit zu tun. Tatsächlich ist diese in den Naturwissenschaften schon längst verschwunden, nämlich als Forschung ohne äußere, gewöhnlich öffentliche Hilfe undenkbar geworden war. Jetzt, da es sich meistens um Steuergelder handelt, könnte man eigentlich fragen, wie viele Steuerzahler die Verwendung ihres Geldes zur Förderung genetischer Basteleien gutheißen. Wenn die Themenwahl in den Naturwissenschaften plebiszitär wird, haben diese es sich selbst zuzuschreiben: Wes Geld ich esse, des Haut ich bürste.

Neben der Freiheit der Forschung werden gewöhnlich noch zwei weitere faule Argumente vorgebracht. Das eine könnte mit »das Leben ist gefährlich« übersetzt werden, das andere mit »die Medizin ist gefährlich«. Beide entbehren jeglicher Stichhaltigkeit. Der erste dieser Einwände ist häufig zur Entschärfung der Proteste gegen übermäßige Strahlung angewandt worden, wobei er die Form von »aber die kosmische Strahlung ist noch ärger« annimmt. Dies ist mir immer höchst töricht vorgekommen, denn für den Kosmos sind wir nicht verantwortlich, wohl aber für den Atommüll; ganz abgesehen davon, daß die von uns erzeugte Strahlung die kosmische nicht ersetzt, sondern sich ihr zugesellt. Aus diesem Grunde hat es mir besonders leid getan, den gleichen Einwand — daß es ohnedies in der Natur pathogene Mikroorganismen und Viren gebe — im Falle der *recombinant DNA* wieder zu hören[10]. Ich hätte nicht gedacht, daß die Naturwissenschaften sich damit brüsten dürfen, daß sie das menschliche Elend nur geringfügig vergrößern.

Der zweite Einwand ist nicht weniger dumm. Allerdings bringen alle Medikamente und jede Art von medizinischem oder chirurgischem Eingriff gewisse Risiken mit sich, aber nur für den Einzelnen, der sich freiwillig der Behandlung unterwirft. Die Vorstellung, daß ein Volk sich nicht nur in Geduld fassen, sondern auch zu Duldern werden muß, während die Wissenschaft zu aller Heile experimentiert, ist zu einfältig, als daß sie Erwägung verdiente.

Überhaupt ist es bedauerlich, daß die Debatte über diese Fragen sich fast nur auf das Problem der Sicherheit beschränkt hat. Obwohl ich die ganze Sache keineswegs für ungefährlich halte, gibt es einen noch viel wichtigeren Gesichtspunkt. Ich möchte nämlich die folgende Frage stellen: Gesetzt den Fall, daß der Mensch einen Weg vor sich sieht, um seine genetischen Anlagen zu verändern, sollte er diesen Weg gehen? Ist es wünschenswert, daß die Biologie ihn einschlägt? Wird sie jemals wieder aus den vielfachen Scheußlichkeiten, in die sie sich eingelassen hat, herausfinden? Kann die Wissenschaft einen Feldzug gegen das, was Millionen von Jahren hervorgebracht haben, gewinnen? In dem hier besprochenen Fall wären weisere und reifere Überlegungen, als wir von den Befürwortern dieser Methoden gehört haben, fraglos am Platz gewesen.

Ein weiteres, besonders sinnloses Argument besteht in der Behauptung, alle wahren, mit der DNS-Spleißtechnik vertrauten Fachleute seien einmütig für das Vorantreiben dieser Untersuchungen, während die Warnungen von Leuten kämen, die derartige Experimente nie unternommen hätten. Ein alter, aber dadurch nicht gescheiter gewordener Einwand: die Agitation gegen den Fleischkonsum kam sicherlich zuerst von den Vegetariern, nicht von den Menschenfressern.

VI

In diesem Abschnitt will ich mich mit einigen wissenschaftlichen Einwänden befassen, die man gegen die Methodik im allgemeinen anführen könnte. Allzu Technisches soll dabei vermieden werden. Gegen den Versuch einer Auseinandersetzung mit den wildgewordenen Lebensverbesserern könnte allerdings vorgebracht werden, daß er eine Konzession an das Unsägliche ist. Es besteht die Gefahr, daß eine Diskussion mit Kannibalen damit endet, daß die Frage erwogen wird, ob Menschenfleisch mit Lorbeer zubereitet schmackhafter ist als mit Knoblauch. Trotzdem will ich es versuchen. Die Zahl der kritischen Bemerkungen, die man machen müßte, ist so beträchtlich; die Grundlage vieler Behauptungen so wackelig; die Beweisführung für einen exakten Wissenschafter so ungenügend, daß ein dickes Buch zur Aufzählung kaum ausreichen würde. Wer könnte es schreiben und wer es lesen? Außerdem war das Tempo der Molekularbiologie so hektisch, ihre Dogmen, Theorien und Hypothesen veränderten sich so häufig und so plötzlich, alles wurde in so übertriebener Weise verallgemeinert, daß kein Einzelner — und am wenigsten ich — imstande wäre, darüber ein Buch zu schreiben, das strenger Kritik standzuhalten vermöchte.

Zuerst zwei Punkte, auf die ich nicht im einzelnen eingehen kann: (a) Ein Großteil der Folgerungen basiert auf den sogenannten Hybridisierungsmethoden, deren Gültigkeit und Aufschlußvermögen oft sehr zweifelhaft sind. (b) Die

dem »Wiedervereinigungs«-Prozeß ausgesetzten DNS-Bruchstücke werden durch eine Reihe von Endonukleasen, den »Restriktionsenzymen«, geliefert, deren spezifische Eigenschaften in vielen Fällen nicht hinreichend nachgewiesen sind. Vielzuviel wird in blindem Glauben für wahr gehalten. Wenn die Grundlagen wirklich so wankend sind, wie ich fürchte, so werden die riesigen und einander aufrechterhaltenden Gebilde, die auf diesem unsicheren Fundament ruhen, mit der Zeit einstürzen. Naturwissenschaft war immer die Kunst, das Komplizierte zu vereinfachen, und oft ist sie höchst erfolgreich gewesen; aber es gibt komplizierte Systeme, die durch Unterteilung nicht vereinfacht werden können, und das schwierigste, das am wenigsten reduzierbare System ist wahrscheinlich das Leben selbst. Wenn ich mir den Gedanken klarzumachen suche, der hinter dem Spiel mit dem genetischen Baukasten steckt, gewinne ich den Eindruck, daß es Leute gibt, die meinen, daß die Eukaryoten *)
sich von den Prokaryoten nur durch sichtbare Geschlechtsorgane unterscheiden. _Lebewesen mit einfacher Zellorganisation_

Nun zu einigen Gegenständen, die ich etwas ausführlicher besprechen möchte. → _z.B. Bakterien, Blaualgen_

1. *Unser mangelhaftes Verständnis der Chemie der Genetik.* Im Gegensatz zur allgemeinen Euphorie muß ich betonen, daß in Wirklichkeit die für genetische Spezifität verantwortlichen biochemischen Mechanismen wenig verstanden sind, besonders in höheren Lebewesen. Es gibt zwar viele Arbeitshypothesen, aber wenig schlüssige Beweise dafür, daß die gesamte sogenannte biologische Information in der Nukleotidsequenz der DNS des Zellkerns und vielleicht manchmal auch des Zytoplasmas gespeichert ist. Heißt das also, daß der Elefantenrüssel und der Känguruhbeutel, das mathematische oder musikalische Genie einer Familie, aber auch die Habsburgerlippe, im Grunde nur auf Veränderungen in der Nukleotidsequenz und auf Schwankungen im relativen Gehalt an vier verschiedenen Desoxyribonukleotiden zurückzuführen sind? Es gibt sicher Molekularfundamentalisten, die das

158   *) _Lebewesen, deren Zellen durch einen Zellkern charakterisiert sind._

bejahen würden. Für mich ist es hingegen evident, daß es zahlreiche, ja fast unzählige, miteinander verbundene Schichten von Abtastung und Anpassung, von Erkennung, Regelung und Reaktion geben muß, von denen die DNS und die sie »lesenden« Enzyme nur eine sind.

In meiner Meinung stößt das lineare Informationsmodell gleich am Anfang auf große Schwierigkeiten, wenn es auf eines der hervorstechendsten Kennzeichen vielzelliger Lebewesen, die Zelldifferenzierung, angewandt werden soll. Ein weiteres ungelöstes Problem bleibt, trotz vielem Gerede, der Verlauf der Immunitätsvorgänge. All dies kann hier nicht ausführlich behandelt werden; aber ich bezweifle es durchaus, daß die Art von reduktionistischer Vereinfachung, die jetzt in der Molekulargenetik und der Zellbiologie vorherrscht, jemals zu einem wirklichen Verständnis der lebenden Zelle führen wird.

Eine Antwort auf meine Einwände wird natürlich im Hinweis darauf bestehen, daß die mit Hilfe von DNS-Collagen geplanten Versuche zur Entscheidung der gerade angeführten Ungewißheiten beitragen sollen. Das ist wahrscheinlich in beschränktem Umfang richtig; man muß aber fragen: ist der Gewinn das Risiko wert?

2. *Das schwer zu fassende DNS-Molekül.* Es ist in der Tat beides: unfaßbar und unerfaßbar. Für jemanden, der als Chemiker erzogen wurde, also z. B. für mich, hatte der Molekülbegriff eine genaue Bedeutung. Ein Molekül hatte eine bestimmte Masse, eine unwandelbare Elementarzusammensetzung, unter bestimmten Bedingungen unveränderliche physikalische und chemische Eigenschaften usw. Anfangs, als die organische Chemie daran ging, sich mit den Bestandteilen der lebenden Zelle zu befassen, ergaben sich große Schwierigkeiten, hauptsächlich wegen unzureichender Methodik. Dieser Mangel ließ sich in vielen Fällen überwinden, und man erwarb die Fertigkeit, so komplizierte und hochmolekulare Substanzen, wie die Proteine und Polysaccharide, herzustellen. Viele komplizierte Verbindungen zel-

lulären Ursprungs sind kristallisiert und in ihrer dreidimensionalen Struktur erforscht worden.

Wenn zwei Verbindungen aufeinander einwirken, versuchen wir die Reaktion und das Reaktionsprodukt zu definieren, aber wir sprechen gewöhnlich nicht von »Vereinigung«. Nur wo Sekundärkräfte vom van der Waals-Typus, Wasserstoffbindungen und ähnliches im Spiel sind, also z.B. bei der Bildung eines konjugierten Proteins durch Bindung einer prosthetischen Gruppe an ein Apoprotein, kann man davon reden, daß zwei Moleküle sich vereint haben. Irgendwie deutet schon das Schlagwort *recombinant DNA* darauf hin, daß man wenig Ahnung davon hat, was hier vor sich geht.

Die Nukleinsäuren, sowohl DNS als RNS, bieten jedoch begriffliche Schwierigkeiten, wie wir ihnen bei anderen Riesenmolekülen nicht begegnen. Daher habe ich vor einigen Jahren einen ganzen Aufsatz dem Begriff des DNS-Moleküls gewidmet[11]. Wenn man das Problem vom Gesichtspunkt des Chemikers betrachtet, muß man schließen, daß nur sehr wenige DNS-Moleküle isoliert und hinreichend charakterisiert worden sind; am ehesten vielleicht im Falle einiger kleiner Bakteriophagen.

Nur wenige der beschriebenen DNS-Präparate können demnach als Moleküle betrachtet werden; die meisten sind Gemische von Polynukleotiden, die aus der Zersetzung eines labilen Makromoleküls oder mehrerer hervorgegangen sind. Daher ist *recombinant DNA* eine höchst ungenaue Beschreibung von Hack- und Klebeprozessen, die viel eher an eine Art von Tischlerei erinnern als an die Chemie. Es ist unangebracht, das sogenannte Bakterienchromosom als ein Molekül zu bezeichnen; dies widerspricht der Definition eines Chromosoms ebenso wie der eines Moleküls. Wenn neue Termini für Funktionsträger ohne Rücksicht auf ihre Form oder ihre chemischen Eigenschaften benötigt werden, so muß man eben diese neuen Ausdrücke vorschlagen. Die babylonische Sprachverwirrung, einschließlich des Mißbrauchs der griechischen Mythologie, ist in den hier besprochenen Forschungen zum äußersten getrieben worden; und verwirrte Rede reflektiert verworrenes Denken.

Die Verwendung in der Chemie üblicher Fachausdrücke dient hier nur dazu, den undefinierten Stücken von DNS, die in ebenso nebelhafte Fragmente von Plasmiden oder Phagen eingeflochten werden, Ehrbarkeit zu verleihen. Die angewandten Isolierungs- und Trennungsmethoden sind notgedrungen so indirekt, daß an eine wirkliche Charakterisierung gar nicht zu denken ist. Die chemische Reinheit der manipulierten DNS-Stücke ist nicht nur nicht nachgewiesen, sondern auch nicht nachweisbar, da Gelelektrophorese und Hybridisierung von Pico-Quantitäten die Hauptmethoden darstellen; Verfahren, die sich der Handhabung größerer Substanzmengen versagen.

3. *Was ist ein Gen?* Die Wörterbücher definieren diesen Ausdruck als eine Bezeichnung für den Bestandteil des Keimplasmas, der zur spezifischen Übermittlung erblicher Eigenschaften dient. Heutzutage fügen sie gewöhnlich hinzu, daß die Gene linear und an bestimmten Stellen angeordnete Teile der DNS sind, welche die Funktion ausüben, die Synthese spezifischer Polypeptidketten zu überwachen.

Selbstverständlich kann die Kontrolle der Proteinsynthese durch die Transkription von *messenger RNA* nicht die einzige Aufgabe eines solchen Aufgebots von Genen sein. Zum Beispiel müssen manche als Matrizen für die Erzeugung anderer RNS-Typen dienen (Ribosomen-RNS, Transfer-RNS usw.). Andere Portionen der enormen DNS-Ketten werden wahrscheinlich überhaupt nicht transkribiert, sondern sind Erkennungselemente für eine ganze Reihe von der Regulierung dienenden Eiweißstoffen und andern Substanzen. Viel versteht man von alldem nicht, und nur in wenigen Fällen kann man von einem Gen als einer chemischen Substanz oder von einem isolierten Gen sprechen. Eigentlich ist das Gen eine operationelle Einheit und keine chemische, und der ihm zugewiesene Platz an einer bestimmten Stelle der DNS-Kette ist wahrscheinlich nicht zufällig.

Will man sich davon überzeugen, ob es gelungen ist, das ein bestimmtes Gen enthaltende DNS-Stück dem Träger einzuverleiben, so stellt man der rekonstruierten Mikrobenzelle eine Frage, die sie vor der Transplantation nicht hätte bejahen können. Antwortet sie nun mit Ja, so schließt man auf den Erfolg der Gen-Übertragung. Aber wie viele andere ungefragt gebliebene Fragen hätte sie gleichfalls bejaht? Darauf gibt es keine Antwort, denn mit Ausnahme der nur selten möglichen und unsäglich mühsamen chemischen Synthese gibt es keinen Weg zur ausschließlichen Herstellung eines einzelnen Gens. Was gewöhnlich einverleibt wird, ist ein unbestimmbarer Fetzen von DNS, von dem man gar nicht sagen kann, welche unerkannten Informationen er mit sich schleppt. Auch steht es keineswegs fest, daß unter verschiedenen Umständen immer dieselbe Information herausgelesen wird. Darüber habe ich schon weiter oben gesprochen. Ich finde die über diesem Verfahren liegende Ungewißheit furchterregend, besonders wenn es sich um die Vermischung eukaryotischer und prokaryotischer DNS handelt. Versicherungen, daß nichts geschehen kann, sollten nicht leichtfertig gegeben werden.

VII

Im vierten Abschnitt habe ich die von mir ursprünglich erhobenen Einwände kurz zusammengefaßt. Hier möchte ich einige, z. T. unerwähnt gebliebene Punkte etwas eingehender besprechen.

1. *Die Verwendung von E. coli als Wirtszelle.* Der Entschluß, diesen weitverbreiteten Symbionten des menschlichen Organismus als Wirt für die genetisch rekonstruierten Plasmide und Viren zu verwenden, ist leicht zu verstehen. *E. coli* und seine Parasiten sind in den letzten dreißig Jahren bis ins letzte Detail untersucht worden. Was aber das öffentliche Gesundheitswesen angeht, hätte man sich keine schlechtere

Wahl denken können. Dabei kann man es nicht von der Hand weisen, daß eine ernsthafte Suche nach geeigneteren Wirtsorganismen erfolgreich gewesen wäre. Leider ist es jetzt zu spät dafür. Denn während des sogenannten Moratoriums in den Vereinigten Staaten und der Abfassung der offiziellen Richtlinien ist die genetische Hack- und Klebearbeit keineswegs stillgestanden und hat zu vielen, meist mittelmäßigen Publikationen Anlaß gegeben. Gegenwärtig scheinen Untersuchungen dieser Art, wie gesagt, in etwa 300 amerikanischen Laboratorien vorgenommen zu werden: hinreichende Gelegenheit zur Verschmutzung der Außenwelt. Dabei muß noch in Betracht gezogen werden, daß die Mehrzahl der daran beteiligten Forscher niemals den Umgang mit pathogenem Material gelernt hat.

2. *Schranken für das Nichtnachweisbare.* Wenn eine Tätigkeit für so gefährlich gilt, daß sie besondere Beschränkungsmaßnahmen erfordert, müßte man erwarten, daß der eventuelle Ausbruch des überwachten Materials leicht zu entdecken sein sollte. Im Falle der Radioaktivität ist dies auch der Fall, nicht aber, wenn es sich um modifizierte Colibakterien handelt. Jedenfalls kann ich mir keine einwandfreien Überprüfungsmaßnahmen vorstellen. Die Richtlinien bieten vielleicht den Beteiligten selbst einen minimalen Schutz, geben aber der Außenwelt wenig Zuversicht. Weil unsere Wissenschaft leicht zur Reklame neigt und unser dummes Jahrhundert darauf hereinfällt, haben sich einige Gelehrte bereit erklärt, die von ihnen zubereiteten unappetitlichen Cocktails öffentlich zu verschlingen, um ihre Unschädlichkeit zu beweisen. Leider wurden sie vorläufig nicht beim Wort genommen. Auch wäre das Publikum nicht in der Lage, zwischen dem genetischen Gebräu und einem unschuldigen Tomatensaft zu unterscheiden. Nur wenn Harvard den Heldentrunk für Stanford bereiten könnte, und umgekehrt, wäre ich überzeugt.

3. *Die Geldvergeudung erzeugt eine Forschungslawine.* Die wirtschaftliche Krise der letzten Jahre hat die für reine For-

schung verfügbaren Mittel empfindlich verkürzt. Ist es angebracht, einen so großen Bruchteil des vorhandenen Geldes für eine momentane Modeströmung zu verwenden? Dies ist tatsächlich in Amerika geschehen. Da es gar nicht schwierig ist, sich mittelmäßige Experimente auf dem Gebiet der *recombinant DNA* auszudenken, und da der Besitz eines geeigneten Laboratoriums (sagen wir, der als P3 bezeichneten Überwachungsklasse) nicht nur ein Symbol des Rangs einer Universität geworden ist, sondern für diese auch sehr profitlich (etwa 60 % Unkostenbeitrag), ist das Überhandnehmen solcher Laboratorien nicht verwunderlich. Bald werden sie in keiner Lehranstalt mehr fehlen. Je mehr über diese leicht zu finanzierenden Probleme gearbeitet wird, je größer die Anzahl der Orte, an denen das geschieht, um so größer wird die Wahrscheinlichkeit von Unfällen. Dazu kommt noch, daß die Sicherheitsnormen in verschiedenen Laboratorien von überaus wechselnder Qualität zu sein scheinen, wie bereits jetzt aus den veröffentlichten Arbeiten hervorgeht.

4. *Industrielle Forschung und Erzeugung.* Hier ist das Gefahrenmoment besonders groß. Über das Ausmaß solcher Tätigkeit ist wenig bekannt, aber ich glaube, daß mindestens sieben oder acht Firmen in USA daran beteiligt sind. Zur Herstellung pharmazeutisch wertvoller Produkte — vorläufig eine höchst nebelhafte Aussicht — werden natürlich Riesenmengen von Bakterien nötig sein, weit über den von den Richtlinien gestatteten Quantitäten. Es sollte eine Selbstverständlichkeit sein, ist es aber leider nicht, daß die Arbeit fern von dicht besiedelten Örtlichkeiten unter strikter Kontrolle und nur von Freiwilligen geleistet werden dürfe. Sogar dann wird das Problem hinreichender Versicherung nicht leicht zu lösen sein. Man muß nur an Seveso denken, um einzusehen, was ein einziger Unfall bedeutet. Wie eine öffentliche Überwachung und Überprüfung der »genetischen« Massenproduktion vorgenommen werden kann, weiß ich nicht. Außerdem ist es wahrscheinlich zu spät: Was geschehen kann, hat schon angefangen zu geschehen.

5. *Der Schleier der Ungewißheit*. In tausend, ja in zehntausend Fällen mag nichts geschehen, und dann ein Mal etwas sehr Unangenehmes. In welcher Form dies vor sich gehen wird, kann man nicht voraussagen, noch auch, ob es je möglich sein wird, eine eventuelle Wirkung auf die richtige Ursache zurückzuführen. Es mag sein, daß unsere gegenwärtige Medizin, in »biomedizinischen« Spielchen befangen und schwer an Expertitis leidend, sich zu dieser Art von Detektivtätigkeit weniger eignet als es vor 50 oder 75 Jahren der Fall gewesen wäre. So viele verrückte Kombinationen sind denkbar und die sich mit ihnen Befassenden so schlecht in klassischer Bakteriologie geschult, daß es ein Wunder wäre, wenn nicht gelegentlich ein lebensfähiger Organismus mit höchst unerwünschten Eigenschaften entschlüpfte. Auch eine abgeschwächte Bakterienzelle könnte ihre modifizierten Episomen an eine lebensfähige Zelle abgeben. Wer kann die Bilder eines Riesenkaleidoskops voraussagen? Eines jedoch erscheint sicher: was ein Trottel verbrochen hat, werden hundert Genies nicht ungeschehen machen können; das Leben, selbst das Leben dieser elenden verkrüppelten Art, ist unabruflich. Wir leben ohnedies im mutagenischsten aller Jahrhunderte. Was von den genetischen Ingenieuren geplant und zum Teil bereits ins Werk gesetzt wurde, wird die Biosphäre unwiderruflich verschmutzen; und kein Commis voyageur der Wissenschaft — und sei er selbst der Präsident einer wichtigen Akademie — soll uns das vergessen machen.

6. *Kleiner Vorschlag zu einem Ruhmestempel*. Jahraus, jahrein lesen wir in den Zeitungen und Fachzeitschriften oder hören auf wissenschaftlichen Tagungen von den zu erwartenden Segnungen des wissenschaftlichen oder technischen Fortschritts; wie das eine oder andere unfehlbar eintreffen werde und wieder anderes keineswegs zu befürchten sei. Dabei wird das Leben ringsum immer elender. Anfangs war ich voller Ehrfurcht vor den Fachleuten und bewunderte ihre, meinen unbewaffneten Augen unzugängliche Weitsicht. Später erkaltete mein Enthusiasmus, besonders da fast nichts von

dem, was sie voraussagten, eintraf. Auf dem Gebiet, mit dem sich dieser Aufsatz befaßt, sind die Versprechungen der Fachleute besonders dicht gesät. Ich denke, es wäre an der Zeit, den Fachmann zu verewigen. Wie es jetzt ist, entschlüpft er zu leicht, da das Erinnerungsvermögen der Öffentlichkeit durch Fernseh- oder Bleivergiftung geschwächt ist. Was ich gerne sehen möchte, ist die Gründung einer Ehrenhalle — in USA spricht man von *hall of fame* —, einer permanenten Liste also, in der jede wichtige Voraussage eines Fachmanns mit Namen, Datum und Wortlaut eingetragen wird. (Er könnte durch eine elegant gravierte Karte von dieser Ehrung benachrichtigt werden.) Diese Äußerungen sollen dann alle fünf Jahre wieder publiziert und mit der Wirklichkeit verglichen werden. Ich verspreche mir davon eine heilsame Wirkung auf unsere falschen Cartesianer, die den Beweis ihrer Existenz und ihres Denkvermögens aus dem Motto zu schöpfen scheinen: *Scribo ergo cogito*.

VIII

Meines Wissens hat eine wirkliche Debatte über die Zulässigkeit dieser Art von genetischer Forschung nur in den Vereinigten Staaten stattgefunden. Warum das so ist, kann ich nicht sagen. Vielleicht kommt es daher, daß Spuren des alten Bürgergeistes noch überleben. Vielleicht geschah es, weil die weitverbreiteten Naturschutzbestrebungen die Geister aufmerksam gemacht haben auf die unerträgliche Verhunzung unserer Welt. Vielleicht war es der im unseligen Vietnamkrieg erweckte Protesttrieb einer mutigen Minorität. Jedenfalls ist es wieder still geworden. Die überwiegende Mehrzahl aktiver Naturwissenschaftler war natürlich auf der andern Seite, denn kleine Fische schwimmen immer in Schwärmen. Auch haben die mit der Verteilung staatlicher Forschungskredite betrauten Körperschaften sich keineswegs neutral verhalten. Die Verfilzung von Ehrgeiz und

Klagelied
Trauergesang

Geldgier, die in der gegenwärtigen Naturforschung eine so große Rolle spielt, hat sich wieder einmal als unbesiegbar erwiesen. Dieser Aufsatz ist daher eine Threnodie, und hoffentlich die letzte über diesen Gegenstand aus meiner Feder.

Einige Zeit bestand die Aussicht, daß der amerikanische Senat ein Gesetz zur Regelung und Überwachung aller sich mit genetischen Manipulationen befassenden Laboratorien einbringen würde. Diese Versuche scheinen beiseite gelegt worden zu sein. Ein derartiges Gesetz hätte wahrscheinlich vor allem eine symbolische Wirkung gehabt, denn die Art der dazu nötigen Inspektoren, welche die zu erwartenden Mogeleien und Schlampereien hätten entdecken können, wäre nicht zu haben gewesen. So gut ausgebildete Molekularbiologen hätten sich lieber selbst an dem gewinnbringenden Wettlauf um die Zukunft der Menschheit beteiligt. Es war jedoch lehrreich, den Mechanismus zu erkennen, mittels dessen eine rasch konstituierte wissenschaftliche Lobby ihre Zerklärungsarbeit zur Verhinderung eines Gesetzes betrieb. Je näher ein Gesetzentwurf seiner Vollendung zu sein schien, desto lauter wurde der Lärm über die zunehmende Harmlosigkeit der geplanten Verfahren. Zu geeigneten Zeitpunkten wurden noch nicht publizierte Manuskripte zirkuliert, die immer rechtzeitig beruhigende Antworten auf die gerade diskutierten Gesetzespunkte anzubieten hatten. Als die eingeschüchterten Gesetzgeber die Lust verloren, ein Gesetz auszuarbeiten, hörten die plötzlichen Entdeckungen wieder auf. Es sieht also so aus, als wenn wir uns damit abfinden müßten, daß eine weitere Last mit noch nicht abzuschätzenden Folgen auf unser Leben und unsere Welt gelegt worden ist. Wie ich vor einigen Jahren geschrieben habe, »der Fortschritt ist immer auch ein Wegschritt«[12]. Was für die Molekulargenetiker gut ist, mag dem Rest der Menschheit schaden.

Leider hat die Debatte über die Zulässigkeit dieser Art von Versuchen niemals das philosophische und moralische Niveau der im Sammelband *Menschenzüchtung*[7] vereinigten

Beiträge erreicht. Sie hat sich viel zu sehr auf die Frage der Sicherheit beschränkt. Nur in wenigen Fällen wurden die grausigen Endziele dieser Forschung auch nur erwähnt. Alles in allem war die Zahl der Diskussionsteilnehmer nicht groß, und die draufgängerische Majorität verwendete den fast nie versagenden politischen Trick, sich als Kämpfer für die Freiheit der Forschung aufzuspielen. Daß diese mit der Unumgänglichkeit öffentlicher Unterstützung schon längst verschwunden ist, wurde übersehen. Wie immer siegte auch hier das heuchlerische politische Pathos. Denn die Leute haben noch immer nicht gelernt, daß es zwar das Ziel der Forschung ist, die Wahrheit zu finden, aber daß nicht alles, was der Forscher findet, Wahrheit ist; manchmal ist es nur des Teufels Visitenkarte, die er vom Boden aufhebt.

[1] *Research with Recombinant DNA* — An Academy Forum, March 7—9, 1977, National Academy of Sciences, Washington, D. C., 1977 (295 Seiten).

[2] E. Chargaff, »Vorwort zu einer Grammatik der Biologie«, *Experientia, 26*, 810—816 (1970).

[3] E. Chargaff, »Nützliche Wunder, *Scheidewege*, 6, 309—322 (1976).

[4] »Amphisbaena«, in E. Chargaff, *Essays on Nucleic Acids*, Elsevier Publishing Co., Amsterdam, London, New York, 1963, 174—199.

[5] »A Few Remarks on Nucleic Acids, Decoding and the Rest of the World«, *ibid.*, 161—173.

[6] G. Wolstenholme (Herausgeber), *Man and His Future*, Little, Brown and Co., Boston, Toronto, 1963 (410 Seiten).

[7] F. Wagner (Herausgeber), *Menschenzüchtung*, C. H. Beck, München, 1969 (255 Seiten).

[8] E. Chargaff, »On the Dangers of Genetic Meddling«, *Science*, 192, 938—940 (1976).

[9] E. Chargaff, *Das Feuer des Heraklit*, Klett-Cotta, Stuttgart, (1979).

[10] S. N. Cohen, »Recombinant DNA: Fact and Fiction«, *Science*, 195, 654—657 (1977).

[11] E. Chargaff, »What Really Is DNA?«, in J. N. Davidson and W. E. Cohn, *Progress in Nucleic Acid Research and Molecular Biology*, Academic Press, New York and London, Bd. 8, 297—333 (1968).

[12] E. Chargaff, »Bemerkungen über Evolution aus der Sicht des Biochemikers.« *Nova Acta Leopoldina N.F.*, Bd. 42, Nr. 218, 248—252 (1975).

Variationen über Themen der Naturforschung nach Worten von Pascal und anderen

Vom heiligen Franziskus von Assisi wird erzählt, daß er jedes Fetzchen beschriebenen Pergaments, das er auf den Gassen fand, aufgehoben, geglättet und sorgfältig aufbewahrt hat. Geschriebenes durfte nicht untergehen, auf ihm ruhte der Schein einer Heiligkeit, die allerdings in späteren Jahrhunderten verlorengegangen ist. Ich denke nicht gerne daran, was die Straßen von New York mir an Papier anbieten. Dennoch hebe auch ich manchmal Zettel auf, aber die sind besonderer Art. Manche enthalten Antworten auf Fragen, die ich niemals hätte stellen können; andere stellen Fragen, die ich nicht beantworten kann. Manche regen zum Denken an, andere lassen es überflüssig erscheinen. Ich habe einige dieser Zettel wieder hervorgeholt und will sie mir noch einmal genauer ansehen.

I. Pascal oder Tiefe und Oberfläche

In seinen *Pensées*, die durch die Unordnung, in der sie überliefert sind, viel an Unerschöpflichkeit gewinnen, schreibt Pascal (Nr. 553 in der Lafuma-Ausgabe, Nr. 76 in der von Brunschvicg): »Écrire contre ceux qui approfondissent trop les sciences. Descartes.« Er nimmt sich also vor, gegen diejenigen zu schreiben, welche zu tief in die Wissenschaften eindringen, und als Beispiel nennt er Descartes.

Als ich diesen Satz zum ersten Mal las, war ich überrascht. Wie konnte der tiefe religiöse Denker, der große Physiker und Mathematiker, sich zum Anwalt der Oberflächlichkeit machen? Gibt es denn in den Wissenschaften Grenzen der Forschung? Gibt es zuviel des Guten? Ist die

Naturforschung nicht ein Tiefseeunternehmen, bei dem man auch ohne Sauerstoff gut atmet? Oder sind wir, die daran teilhaben, vielleicht gerade dabei, zu ersticken? Und dann dachte ich mir, daß Tiefe an sich kein Vorteil ist, es sei denn, daß es unter ihr einen Boden gibt. Vielleicht erkannte Pascal, daß dies nicht der Fall ist; daß wir immer tiefer und tiefer ins Bodenlose eindringen, uns schließlich nicht mehr der Fragen entsinnend, die diese endlose Expedition hätte beantworten sollen.

Es gibt Dinge auf der Welt, über die man tief nachdenken soll, und andere, deren Oberfläche man still bewundern muß. Aber wer den Spiegel ergründen will, muß ihn zerstören. Die Begierde des Kindes, das Spielzeug auseinanderzunehmen, wird gewöhnlich mit dem kindlichen Zerstörungsdrang erklärt oder mit liebenswerter Neugier, die ja angeblich auch am Ursprung der Forschung stand. Nur kommt das Kind nicht immer wieder und verlangt mehr Forschungsgelder.

Es sind nämlich die Dezimalen, mit deren Hilfe wir immer tiefer in die Natur einzudringen glauben, und jede Dezimale kostet zehnmal soviel wie die vorhergehende. Immer kleinere Quantitäten, immer schnellere Reaktionen, immer winzigere Strukturen erfordern immer riesigere und teurere Apparaturen, und in dem Maße, wie diese immer komplizierter werden, machen sie die Menschen, die sie betreiben, immer einfältiger. Am Ende laufen sie nur mehr mit Schraubenziehern herum und versuchen, die Geräte, die sich der Forschung widmen, bei guter Laune zu erhalten. Wir sind demnach bei der Absurdität angelangt, daß das einzig Tiefe an solcher Naturforschung die Technik ist. Ich glaube nicht, daß es so hat kommen müssen.

Diese Art von Tiefe in den Naturwissenschaften kostet also eine Menge Geld. Einige Jahre hindurch glaubte die westliche Welt es sich leisten zu können, und Unsummen sind in die Taschen der Konstruktionsfirmen und der Fabrikanten physikalischer Apparaturen oder radioaktiver Verbindungen usw. geflossen. Zur Ausnützung und mehr noch zur Wartung all dieser Maschinen waren zahlreiche Wissenschafter nötig, und auch diese sind schlecht und recht geliefert worden, so daß die elektronischen Moloche einer wohlgenährten Zukunft entgegensehen konnten. Leider, oder Gottseidank, ist neuerdings infolge allgemeiner Bankrottgefahr ein gewisser Stillstand eingetreten; aber wenn Katastrophen nur durch Blutstürze aufgehalten werden können, halte ich die Prognose nicht für günstig. Jedenfalls wird wenigstens für einige Zeit das Dezimalfieber nachlassen, und wir werden an den Strömen Babels sitzen dürfen und weinen, allerdings mit guter Aussicht auf den gleichnamigen Turm.

Einen kleinen Teil dieser Zeit könnte man vielleicht auf die Frage verwenden, ob diese Art von Tiefe — dieser Dezimalrausch, diese Sucht nach ewiger Verfeinerung der Werkzeuge, nach immer erfolgreicherer Überlistung einer zu diesem Zwecke erfundenen Pseudonatur — die einzig denkbare ist. Was zu meinen Lebzeiten in den Naturwissenschaften stattgefunden hat, war ja eher eine Verbreiterung als eine Vertiefung. Ohne daß man sich Rechenschaft darüber gegeben hätte, was der Sinn und Zweck reiner Naturforschung ist, wurde ein Feld nach dem andern kahlgefressen, so daß nicht das geringste metaphysische Grashälmchen stehenblieb. Der Endzweck mußte eine völlig erklärbare, wenngleich leider nicht mehr vorhandene Natur sein. Ob das, was wir dazugelernt haben, wirklich die Anstrengung wert war, wird eine spätere Zeit entscheiden müssen.

Es hat aber, auch zu meiner Zeit und mehr noch im vorigen Jahrhundert, einige wahrhaft große Naturforscher gegeben, denen ich das Attribut der Tiefe keineswegs vorenthalten möchte. Nur war das eine ganz andere Art von Tiefe. Jetzt will ich etwas Naives, etwas beschämend Simples sagen: jede menschliche Tätigkeit, die diesen Namen verdient, sollte den, der sie ausübt, besser, offener, gedankenreicher, leuchtkräftiger machen. Dies ist mir in meinen Kreisen fast nie begegnet. Großer Fleiß, schnelle Anpassungsfähigkeit, verbissener Ehrgeiz, hämischer Konkurrenzneid: dies sind die Eigenschaften erfolgreicher Forscher, die mir vertraut geworden sind. Am Ende waren es meistens stumpfe, unglückliche Menschen.

Mit seinem Rat, die Wissenschaften nicht zu tief zu machen, hat Pascal uns leider nicht gesagt, was er mit »zu« meint. Ich glaube, das Ende liegt im Anfang; und wie unsere Naturwissenschaften — so verschieden von denen der Griechen — einmal begonnen haben, so werden sie enden. Ob mit Knall oder Wimmern, weiß ich nicht. Zur Zeit Johann Wilhelm Ritters oder Franz von Baaders hätte es vielleicht noch anders gehen können, möglicherweise sogar noch zur Zeit Maxwells oder Boltzmanns. Oder wir hätten bei den alten Chinesen in die Lehre gehen sollen; aber die neuen wollen jetzt von uns lernen!

Übrigens hat es, wie ich schon angedeutet habe, mit den Kategorien der Tiefe und der Oberfläche in den Wissenschaften eine eigene Bewandtnis. Man wird nicht leugnen, daß zum Beispiel die Bluterkrankheit, das Muster eines Schmetterlingsflügels und das musikalische Genie der Bachfamilie wenig gemeinsam haben, außer daß bei ihnen allen eine hereditäre Komponente eine Rolle spielt. Sollen wir sie alle demselben Begriff von Tiefe unterordnen, alle mit derselben Methodik angehen, oder gibt es Fälle, wo der Begriff der Methode überhaupt nicht zutrifft? Unsere Zeit, in der sogar alttestamentarische Propheten sich in Laboratoriumsmäntel hüllen müssen, wird es nicht verstehen, wenn ich sage, daß der Hauptteil dessen, was den Menschen angeht oder angehen sollte, sich in Regionen abspielt, in denen die Naturwissenschaft überhaupt nichts zu suchen hat.

Was in der Biologie für Tiefe gilt — die Herausarbeitung der chemischen Ahnenreihe eines komplizierten Moleküls, die schwierige Bestimmung immer engerer Spezifitäten, die Neuschaffung nie gesehener genetischer Unholde —, scheint eher zum Haß des Lebendigen zu führen. Es ist lange her, 175 Jahre, seit Sokrates angesichts des wunderschönen Alcibiades sagen konnte: »Wer das Tiefste gedacht, liebt das Lebendigste.«

Die großen technischen Erfolge, deren sich manche Wissenschaften rühmen, haben dem Glauben weite Verbreitung verschafft, daß die Wissenschaften das einzige Werkzeug zur Lösung der die Menschheit bedrängenden Probleme sind. Da die Probleme überhandzunehmen scheinen, brauchen wir also mehr Wissenschaft. Da diese aber oft neue Probleme aufwirft, brauchen wir noch mehr Wissenschaft und so weiter. Ob eine solche fortschreitende Reihe nicht am besten zur banalen Feststellung integriert werden kann, daß der Krebs sein eigener bester Arzt ist, lasse ich dahingestellt.

Während die Physik — und vielleicht auch die Chemie — durch immer tieferes Nachdenken über die Struktur der Materie große, wenngleich keineswegs unproblematische Erfolge zu verzeichnen hatten, hat die Übertragung desselben Verfahrens auf die Biologie zu einer Verflachung geführt. Denn abgesehen von dem, was alle Naturwissenschaften gemeinsam haben, hat jeder Wissenschaftszweig seinen eigenen Kodex, und dem einen »sin Uhl« ist noch lange nicht dem andern »sin Nachtigall«. Darüber hinaus hat die Nachäffung der exakten Wissenschaften dazu geführt, daß jetzt alles auf der Welt, und auch das dazu am wenigsten Geeignete, in mathematisierter und quantifizierter Vermummung auftritt. Es wird bald der quantitativen Wortanalyse bedürfen, um mir zu beweisen, daß Präsident Ford nicht der Verfasser des »Hamlet« gewesen sein kann.

Was aber die Welt so bestrickt hat, ist die Verfügbarkeit einer festen Methodik, die ja wirklich in den Naturwissenschaften als eine Art von Gedankenersatz auftritt; etwas, was sich die anderen Wissenschaften erst mühsam zusammenstehlen müssen.

II. Heidegger oder Glück und Elend der Methode

In einer Sammlung von kürzeren Arbeiten Heideggers finde ich einige Sätze, die mich immer wieder überraschen (*Unterwegs zur Sprache*. Neske, Pfullingen, 1959, S. 178):

> In den Wissenschaften wird das Thema nicht nur durch die Methode gestellt, sondern es wird zugleich in die Methode hereingestellt und bleibt in ihr untergestellt. Das rasende Rennen, das heute die Wissenschaften fortreißt, sie wissen selber nicht wohin, kommt aus dem gesteigerten, mehr und mehr der Technik preisgegebenen Antrieb der Methode und deren Möglichkeiten. Bei der Methode liegt alle Gewalt des Wissens. Das Thema gehört in die Methode.

Mit dem Nachweis, wie nützlich der Begriff der *Methode* an sich sein kann, haben die Naturwissenschaften ihre größten Triumphe errungen; darin — und besonders in der Glorifikation der experimentellen Methodik, die bei gleichen Voraussetzungen zu gleichen Ergebnissen führen muß — sehe ich ihren hauptsächlichen Einfluß auf das Denken unserer Zeit. Hätte ich die Duden-Eindeutschung verwendet, so wäre die Zwiespältigkeit des methodischen Glücks klargeworden, denn Methode ist ein Weg, auf dem man sich leicht verfahren kann. Jede Wissenschaft verfügt demnach über eine große Anzahl erprobter Verfahren, mit deren Hilfe sie Erfahrungsgerüste errichtet hat, jede das ihre und verschieden von dem aller andern. Diese stehen jetzt in verschiedener Vollkommenheit herum, die meisten halbfertig und schon etwas zerbröckelnd, oben neu, unten alt. Es ist aber immerhin etwas Solides, das man der Nachwelt zeigen kann. Außenstehende wissen allerdings nicht recht, was damit anzufangen: es ist reines Gold, aber die Eingeborenen bestehen auf Muscheln.

Diese Erfolge haben, wie ich schon gesagt habe, nicht

verfehlt, einen tiefen Eindruck auf die der experimentellen Methodik nicht so leicht zugänglichen Wissenschaften zu machen. Historiker und Soziologen, Nationalökonomen und Linguisten, Psychologen und die vielen andern, ausgerüstet mit den jetzt so leicht erhältlichen elektronischen Rechenmaschinen, haben sich bereits an die Besteigung des Olymps der exakten Wissenschaften gemacht; und wenn manche in ihren ungewohnten Bergsteigerkostümen etwas komisch aussehen, so wird man sich bald daran gewöhnen.

Warum dies geschehen ist, ist nicht schwer zu ergründen. Früher lebten wenige Wissenschafter für die Wissenschaft, jetzt leben viele von ihr. Auf diese Weise ist die Wissenschaft in den ganzen Hexenfraß der allgemeinen Zersetzung der westlichen Welt hineingeraten. Überhaupt darf man die Ökonomie nicht unterschätzen; der Konkurrenzkampf ist schwer und die kleinste Abkürzung, wie sie die exakten Wissenschaften zu verheißen scheinen, ist viel wert. Auch wirken Kurven und Diagramme, wenngleich man sie besser mit Worten ausdrükken könnte, so viel wissenschaftlicher und ermöglichen die Erlangung von Forschungsgeldern; etwas, das dem armen Walter Benjamin mit seinem wundervollen Aufsatz über »Die Wahlverwandtschaften« sicher nicht geglückt wäre.

Eine Richtung geistigen Schaffens, der dieser Drang zum Szientismus besonders schlecht bekommen ist, ist die Philosophie. Indem die Philosophie den Naturwissenschaften immer mehr das Recht einräumte, ihr mit Messungen und Berechnungen zu helfen, hat sie sich ihrer eigensten Rechte begeben: dem Philosophen kann nämlich von andern nicht geholfen werden. Was andere auch können, davon muß die Philosophie ganz wegbleiben.

Es gibt keine Methode, um die Natur zu ergründen, und nicht einmal ein Arsenal von Methoden; wohl aber gibt es eine Methode, um den Silbergehalt eines Erzes zu bestimmen. Die meisten Naturforscher werden, was ich hier sage, nicht gutheißen und werden mir erwidern, daß es sehr wohl ein Arsenal geeigneter Prozeduren gibt, welche — gestützt auf die Erkenntnisse insbesondere der Physik und der Chemie, also mit Hilfe von Wägen und Messen — die Erforschung der Natur überaus erfolgreich weitertreiben. Darauf entgegne ich, daß dies für ein geschlossenes Universum mit festen Spielregeln, wie es die Physik und besonders die Chemie darstellen, gelten mag, denn hier liefern Methoden, welche Wege zu einem fest umrissenen, kleinen Ziel sind, eine Reihe von einander berührenden, teils übereinander geschichteten Ergebnissen, die fast ein Kontinuum bilden oder zu bilden scheinen. Aber im weit offenen Bereiche des Lebendigen ist dies nicht möglich. Die Dialektik des Lebens ist viel subtiler als die Logik der Materie; und die überall klaffenden Lücken des Verständnisses schießen zu einem Riesenloch zusammen. Über das Leben lerne ich mehr aus den großen Schriften der Vergangenheit, als aus dem *Journal of Molecular Biology,* welches mich bestenfalls darüber belehrt, woraus die Schrauben und Bolzen der Zelle bestehen würden, wenn es sie gäbe. Beiläufige aufgeblasene Viertelwahrheiten verderben den Charakter der Forscher, und der Weg ist lang, der sie zum Paradies des Wissens führen soll; meistens wird aus dem unterwegs vorgesehenen Zwischenaufenthalt in Stockholm das Endziel der Reise.

Während wir alles Wissenswerte über eine chemische Verbindung, und vielleicht auch über einen Strahl oder eine Welle, wissen können, wenn wir fleißig arbeiten, trifft dies selbst auf das primitivste Lebewesen nicht zu. Uns fehlen nicht nur genügend Antworten, sondern sogar häufig geeignete Fragen. Irgendwie weiß man nicht, wo man anfangen soll zu fragen; irgendwie ist das Ziel bei all diesem Hasten und Keuchen und Schreien verlorengegangen. Was will eigentlich die moderne Biologie? Einen Hund machen? Nun gut, wenn der erste synthetische Hund den letzten Molekularbiologen in die Wade beißt, will ich den Triumph dieser Wissenschaft anerkennen!

Die schwerste Schuld der Naturwissenschaften, wie sie im letzten Jahrhundert gehandhabt wurden, liegt wahrscheinlich in der Fragmentierung unseres Naturbildes: eine zwangsweise Folge der induktiven Verhaltensweise der Forschung. Gleichgültig ob die Natur in alten Zeiten lyrisch oder mystisch oder schamanisch betrachtet wurde, sie muß den Menschen als ein strukturloses Magma erschienen sein, als ein Kontinuum, von dessen Anfang und Ende man nur träumen konnte. Dieser Traum, wie alle andern, ist jetzt ausgeträumt. Die verschiedenen Naturwissenschaften, mit ihren immer mehr verfeinerten Methoden, haben diesem Kontinuum an einigen, häufig sehr entfernt voneinander gelegenen Stellen gleichsam einen Raster oder ein feinmaschiges Netz aufgezwängt. Dadurch haben sie es zustande gebracht, den Riesenstrom in kleine, nicht miteinander kommunizierende Bächlein aufzuteilen. Die Vertiefung der Naturforschung hat eine Zersplitterung der Naturanschauung bewirkt. Je feiner das Netz, desto schmäler die Resultate. Und niemand ist übrig, der fähig wäre, die Riesenmenge von Einzeltatsachen, jede allein gesehen höchst banal, zusammenzufassen: uns fehlen die Muskeln zu diesem dialektischen Sprung. Auch ist es keineswegs sicher, daß er sich lohnen würde.

Das Anrecht zu solchem Verfahren glauben die Naturwissenschaften aus dem Vorhandensein sogenannter Naturgesetze beziehen zu dürfen.

III. Wittgenstein oder Die sogenannten Naturgesetze

Im letzten Teil seines Erstlingswerks, des *Tractatus logico-philosophicus* (6.371), dort wo sich der Freund Russells und Schüler Freges in den Wiener Leser der »Fackel« und des »Brenner« zurückverwandelt — für mich eine viel liebenswertere Figur —, schreibt Wittgenstein: »Der ganzen modernen Weltanschauung liegt die Täuschung zugrunde, daß die sogenannten Naturgesetze die Erklärungen der Naturerscheinungen seien.«

Mehr sagt er leider nicht darüber. Als ich vor nicht allzu-langer Zeit erstmals auf diesen Satz stieß, fielen mir die Worte »Täuschung«, »Erklärung« und insbesondere die Qualifikation »sogenannt« auf. Auch dachte ich mir, daß ein Gesetz eigentlich nicht die Erklärung, sondern eher die Ursache einer Erscheinung sein könne. Oder daß die beiden gar nichts, oder wenig, miteinander zu tun haben könnten. Aber ich habe eine sehr bescheidene Meinung von meinen philosophischen Fähigkeiten und kann mich mit Wittgenstein sicherlich nicht messen. Mir fiel jedoch ein, daß ich selbst vor kurzem zu dieser Frage etwas gesagt hatte, und zwar in den »Scheidewegen« (Jahrgang 4, S. 328):

Ich bin gewiß, daß die meisten Naturforscher sagen werden, die Natur gehorche gewissen Gesetzen. Ich würde hingegen sagen, daß es die Gesetze sind, die der Natur gehorchen. Der heilige Thomas von Aquino hat es in einem anderen Zusammenhang besser ausgedrückt: *Ratio imitatur naturam.*

Es ist wahr, Gesetze werden im allgemeinen erlassen; und die Völker, die mit ihnen beglückt sind, müssen ihnen dann gehorchen. Aber wie steht es mit den Naturgesetzen? Kein Naturforscher, der seine Mitgliedskarte behalten will, würde es wagen zu sagen, daß Gott die Naturgesetze erlassen habe. Tatsächlich handelt es sich bei diesen mehr um das, was man als Regeln bezeichnen könnte. Und wie es Ordensregeln gibt, so gibt es auch Spielregeln. Wenn man gegen die letzteren verstößt, wird man nicht bestraft, man darf einfach nicht mitspielen.

Naturforscher gehören vor allen anderen zum »Volk des Buches«. Sie können nicht ohne feste Regeln, ohne Normen auskommen; sonst müßten sie jeden Tag die Welt von Anfang an neu erforschen. Die eine Art von Naturgesetzen ist demnach nicht mehr als eine konventionelle Vereinfa-chung. Dies sind die experimentellen Naturgesetze, die beispielsweise etwa die folgende Form annehmen können: Wenn ich den Siedepunkt reinen Wassers bei einem bestimmten Luftdruck als 100° bestimme, so wird jede Probe von reinem Wasser bei genau denselben Versuchsbedingungen bei dieser und bei keiner anderen Temperatur in die Gasphase übergehen. Viele der physikalischen und chemischen Gesetze sind von dieser Art; und wenn man es genau nimmt, enthält jede verifizierbare wissenschaftliche Beobachtung ein »Gesetz« dieser Sorte. Dies sind eigentlich keine Gesetze, sondern Voraussagungen auf mehr oder weniger breiter statistischer Grundlage. Jedenfalls würde der Chemiker, der einen andern Siedepunkt für Wasser fände, viel eher die Probe oder das Thermometer wegwerfen als die Konstante revidieren. Die Vorausbedingung für die Gültigkeit solcher Verallgemeinerungen ist natürlich, daß alle Variablen wirklich kontrollierbar sind; und dies ist in der Physik und der Chemie viel eher durchführbar als in der Biologie.

Gesetze dieser Art sind eigentlich keine Gesetze, sondern Tautologien. Wenn man voraussetzt, daß wir einer rationeller Forschung zugänglichen Natur gegenüberstehen, so sagen sie nicht mehr als »Wasser ist Wasser«, »Kupfer ist Kupfer«, »Cholesterin ist Cholesterin«. Es ist klar, daß sie nichts zur Erklärung, aber viel zur Beschreibung der Naturerscheinungen beitragen.

Als ein Beispiel für einen andern Typus von »Naturgesetzen« können wir z.B. die Keplerschen Gesetze über die Laufbahnen der Planeten ansehen; auch sie sind Induktivschlüsse, in denen jedoch experimentelle Beobachtungen theoretisch verarbeitet werden. Bei solchen Gesetzen können die Genauigkeit der Beobachtungen und die Gültigkeit der mathematischen Grundlagen überprüft werden, aber Parallelversuche im wahren Sinn des Wortes sind undurchführbar: denn Kepler verfügte weder über eine zweite Sonne noch über andere Planeten. Es sind also Versuche am selben, und nicht nur am gleichen Objekt.

Wiederum anders stellt sich der zweite Lehrsatz der Thermodynamik dar, der eigentlich eine Theorie ist und kein Gesetz. Aber er ist sicherlich viel besser fundiert als z. B. das Prinzip der Evolution: ein frühes Beispiel für die Arroganz der Kompetenzüberschreitungen, die das anmaßende Wesen unserer gegenwärtigen Wissenschaften kennzeichnen. Was bewiesen ist und was behauptet wird, ist besonders in der Molekularbiologie oft durch eine riesige Kluft getrennt, die nur der nachtwandlerische Ehrgeiz oder die wahre Erleuchtung überschreiten können. Jener ist in den Naturwissenschaften höchst gefährlich, diese entbehrt jeglicher Evidenzkraft. Ob es sich nun darum handelt, daß der eine das »Zentraldogma« verkündet oder der andere die Evolution eines Virus im Reagenzglas durchgeführt zu haben vorgibt, wobei die einzige Beziehung zur Wirklichkeit eben das Reagenzglas selbst ist: die Mischung von Intuition und Reklamesucht gibt einen betäubenden Cocktail ab, und viele haben von ihm zu ihrem Schaden getrunken.

Wenn Wittgenstein gegen Ende unserer Epoche den Begriff des Naturgesetzes mit Mißtrauen betrachtete, so waren auch am Anfang der modernen Phase der Naturforschung stille warnende Stimmen zu hören, zum Beispiel die des erstaunlichen Novalis. Hier eine Stelle aus den Fragmenten und Studien 1799—1800, No. 291 (Schriften, 2. Aufl., 3. Bd., S. 600, 601):

Allgemeine Behauptungen gelten in der Naturlehre nicht. Ihr Vortrag muß *practisch, technisch, real* seyn — Schritt vor Schritt entwickelnd — construierend, wie die Beschreibung einer technischen Arbeit . . . Alles geht nach Gesetzen und nichts geht nach Gesetzen. Ein Gesetz ist ein einfaches, leicht zu übersehendes Verhältniß. — Aus Bequemlichkeit suchen wir nach Gesetzen . . .

Überhaupt ist das Gestrüpp von Axiomen, Dogmen, Gesetzen, Theorien, Hypothesen und Impertinenzen höchst undurchsichtig. Viel Unheil ist damit geschehen und wenig

Gutes; denn was den Menschen verwirrt, macht ihn schlechter. Auch haben es die Befunde der Naturwissenschaften an sich, daß sie alles, was sie verkünden, irgendwie überschärfen. So wahr ist nichts in der Welt, wie die Naturgesetze es wahr haben wollen. Die Mathematik hat eine hypnotische Wirkung auf den Erforscher der lebenden Natur. Er muß einen starken Charakter haben, um sich nicht zur Übervereinfachung und Übertreibung verführen zu lassen. Ich würde sagen, daß es zwar Regelmäßigkeiten gibt, daß aber der Begriff des Naturgesetzes mit größter Vorsicht und Ehrfurcht gehandhabt werden muß, besonders wenn damit etwas erklärt werden soll. Was aber ist Erklärung?

IV. Claudel oder Die Erklärung

Der Briefwechsel zwischen Paul Claudel und dem fast gleichaltrigen André Gide ist umfangreich. Die zwischen diesen so verschiedenen bedeutenden Schriftstellern im Zeitraum von 1899 bis 1914 gewechselten Briefe füllen einen starken Band. Dann entstand ein Bruch, der schließlich zu einem völligen Versiegen des Austausches führte. Wie Claudel in seinem Aufsatze *Ma conversion* es schildert, war er in seiner Jugend, bevor er sich mit 18 Jahren dem Katholizismus zuwandte, ein treuer Anhänger der »monistischen und mechanistischen Hypothesen« gewesen; er glaubte an die Gültigkeit der »Gesetze« und »daß diese Welt eine starre Verkettung von Wirkungen und Ursachen ist«. Als er jedoch am 7. August 1903, zu jener Zeit Vizekonsul in Futschou, an Gide schrieb, hatte er den Glauben an die Wissenschaft längst verloren.

Ma grande joie est de penser que nous assistons au crépuscule de la Science du XIXe siècle. Toutes ces abominables théories qui ont opprimé notre jeunesse, celle de Laplace, celle de l'évolution, celle des équivalents de force,

s'écroulent l'une sur l'autre. Nous allons enfin respirer à
pleins poumons la sainte nuit, la bienheureuse ignorance.
Quelle délivrance pour le savant lui-même qui pourra se
livrer désormais en toute liberté à la contemplation des
choses sans avoir le cauchemar d'une »explication« à
soutenir! Quelle absurdité, quand on y réfléchit, de prétendre jamais expliquer quoi que ce soit, de prétendre à
l'épuiser en tant que source de connaissance alors que le
nombre des accords d'où naît celle-ci est infini!

Dieser Jubel über das Ende der Bedrückung durch das
mechanistische Denken der Naturwissenschaften, wahrhaft
ein Schrei *de profundis*, wie naiv, wie voreilig mutet er uns
jetzt an. Claudel irrte sich: die heilige Nacht glückseliger
Unwissenheit war nicht angebrochen; der Gelehrte war keineswegs frei geworden, sich der Betrachtung der Natur zu
widmen; der Alpdruck ewiger Erklärungen war nicht zu
Ende. Tatsächlich sollte er immer schwerer, immer bedrük-
kender werden; unsere letzten zwanzig Jahre wurden zu
einer wahren Apotheose der naturwissenschaftlichen Bestrebungen des 19. Jahrhunderts. Immerhin hatte diese Epoche
auch Platz für Goethe, Kierkegaard, Dostojewski, Tolstoi
und viele andere.

Die Vorstellung, daß das Erklären und das Verstehen der
Natur ein und dasselbe sind, hat der Naturforschung immer
Schwierigkeiten bereitet. Wir verbringen unser ganzes Leben
damit, alles zu erklären. Aber man könnte sagen — und dies
mag Claudels so verfrühten Jubelschrei bewirkt haben —,
daß das Verstehen oft zum Schweigen führt, aber das Erklären zum fortwährenden Reden, zum Zerreden der Naturerscheinungen. Nun kann die Welt mit Schweigern wenig
anfangen. Man stopft sie in einen Kasten, auf dem »Weisheit« steht, und dort werden sie vergessen. Unsere Zeit
gehört den Erklärern; niemals vorher wurde so viel erklärt,
und nie gab es weniger wahres Verständnis. Die Menschheit,
die weiß, daß alles erklärbar ist, ist stumpf geworden und

wartet auf die Injektion von Mysterien, die jetzt nur von der falschesten Seite kommen können: Pseudoreligionen kämpfen gegen Pseudowissenschaften.

Erklärungen erfordern das Vorhandensein übersichtlicher Mechanismen; sie sind erfolgreich bei der Betrachtung einzelner, klar gekennzeichneter Naturerscheinungen. Der Blutkreislauf kann erklärt werden, so daß ich ihn verstehe, aber nicht das Phänomen der Individualität. Warum die Vereinigten Staaten zehn Jahre lang Vietnam zerfetzen mußten, kann mir erklärt werden, aber ich verstehe es nicht. Ich bin durchaus davon durchdrungen, daß wir die Natur nicht verstehen können, wohl aber winzige und wenig wichtige Teile derselben. Trotzdem hat sich der Wahn durchgesetzt, daß mit Erklärungen etwas getan ist und daß sie die Hauptaufgabe der Wissenschaften sind. Es war dieser Qualm pedanto-didaktischen Geschwätzes, über dessen Verschwinden Claudel aufatmen zu dürfen vermeinte. Ob er später seines Irrtums gewahr wurde, weiß ich nicht.

Ich fürchte, daß ich mit meiner Unterscheidung zwischen Verständnis und Erklärung in der Wissenschaft alleinstehe. Jenes ist ein Akt der Aufnahme von seiten des Empfängers, diese befriedigt meistens nur den Redner. Mit anderen Worten, zum wirklichen Erklären gehören zwei: einer, der erklärt, und einer, der versteht. In der üblichen Philosophie der Naturwissenschaften werden die beiden Kategorien vermischt, als wenn es sich um dasselbe handelte. Nehmen wir z. B. eines der besten Bücher auf diesem Gebiete: *The Structure of Science* von Ernest Nagel, ein trockenes, aber ehrliches Buch; der Untertitel lautet *Problems in the Logic of Scientific Explanation*. Das Register ist voll von Hinweisen auf *explanation; understanding* fehlt hingegen völlig, mit einer trivialen Ausnahme.

Der seichte Riesenstrom der Erklärungen hat alles überschwemmt, so daß man sich nur mehr mit skeptischen Galoschen bewegen kann; besonders in den biologischen Wissenschaften hat er viel Schaden angerichtet. In geschlossenen Systemen, wie in der Chemie, ist der Weg vom Erklären zum Verstehen meistens nicht lang, und man verliert nur selten den Atem. Aber in der weit offenen Biologie steht es anders. Induktion hat meistens nur einen kurzen Strick; aber der Abstand zwischen dem, was gezeigt wird, und dem, was gezeigt werden sollte, ist ungeheuer. Eine Wissenschaft, die ihr Objekt nicht einmal richtig definieren kann, wie es der Biologie gegenüber dem Leben geht, sollte bescheidener sein. Aber in ihrer modernen Aufmachung, als Molekularbiologie, ist sie zur überheblichsten aller Wissenschaften geworden. Sie lebt — und lebt sehr gut — von nicht eingehaltenen Riesenversprechungen oder von nicht schlüssigen Globalerklärungen. Diese nehmen häufig die Form von sogenannten Modellen an. Ähnlich wie in der Lyrik Rilkes ist alles wie etwas anderes; aber unterdessen haben viele Forscher ein hinreichendes Auskommen. Insbesondere in Deutschland, aber auch in Amerika und England, ist die Unterschiebung windiger physikalischer Modelle als Erklärung der kompliziertesten Lebensvorgänge eine blühende Industrie geworden. Wenig lernt man daraus über die Natur, viel aber über den moralischen und intellektuellen Zustand der Schaufensterdekorateure, die die Modelle entworfen haben.

Dazu finde ich einen treffenden Satz Friedrich Schlegels in den Athenaeumsfragmenten.

Es giebt drey Arten von Erklärungen in der Wissenschaft: Erklärungen, die uns ein Licht oder einen Wink geben; Erklärungen, die nichts erklären; und Erklärungen, die alles verdunkeln.

Die »heilige Nacht«, in der die frühe Menschheit lebte, war eine Welt der Dunkelheit, der Geheimnisse. Nun gibt es Geheimnisse, die nur eine Folge der Unwissenheit sind, und andere, die zur Wesenheit des Menschenlebens gehören. Ja, es gibt sogar Geheimnisse, die zu erkennen viel Weisheit erfordert. Die Wissenschaft, die auszog, um das Fürchten zu verlernen, um die Gespenster der Nacht zu vertreiben, hat gleichzeitig der Menschheit das wesentlich Geheimnisvolle des Lebens abspenstig gemacht. Es hat aber Leute gegeben, die den Zusammenhang dieser beiden Wirkungen leugneten.

V. Valéry oder Das Geheimnis

Der große Dichter Paul Valéry führte zeit seines Lebens eine Art von Tagebuch. Es ist ein Sammelsurium von Einfällen, Beobachtungen, Entwürfen, mathematischen und philosophischen Fragmenten: ein sich über 50 Jahre erstreckender, sehr umfassender Wetterbericht eines überaus lebhaften Gehirns. Manches davon ist in Valérys Bücher aufgenommen worden; das meiste mußte auf die posthume Veröffentlichung eines Faksimiles durch den C. N. R. S. warten, die 29 Bände umfaßt. Vor kurzem erschien eine zweibändige Auswahl in der Sammlung der »Pléiade« unter dem Titel *Cahiers*, der ich den folgenden Abschnitt, aus dem Jahre 1929, entnehme (2. Bd., S. 870).

> Nous ne sommes point sur terre pour annuler le mystère du monde; mais au contraire pour le créer et le compliquer, en ajouter — Pour que la nature s'y perde! Quand on y regarde bien on voit que c'est le grand œuvre de la science. Son progrès peut se marquer par l'accroissement du nombre des problèmes. Chaque nouveau pouvoir ouvre une table nouvelle de questions.

Valéry sah demnach die Aufgabe der Wissenschaft darin, den Bestand an Welträtseln zu vergrößern; in dieser Beziehung trat er als eine Art von Anti-Haeckel auf. Ich glaube jedoch, daß das, was an Welträtseln von der Wissenschaft freigelegt und vermehrt werden kann, nicht das ist, was man als *mystère du monde*, als Weltgeheimnis, anerkennen möchte.

Das verschleierte Bild von Sais mag nur ein Spiegel gewesen sein, aber der Jünger, der seiner ansichtig wurde, sah mehr darin abgespiegelt als nur sich selbst. Die Rätselhaftigkeit des Menschenlebens, der Menschengeschicke wird nie von einer Formel erfaßt werden. Wenn die Brutfabriken des 21. Jahrhunderts einmal richtig angelaufen sind, wird das nicht ein Mensch sein, was da erzeugt wird, sondern eine vielfache Kopie — *homo multiplex* — der Mißgeburten, die sich das ausgedacht haben.

Ich habe einmal geschrieben, daß die großen Biologen der Vorzeit ihre Arbeit im Lichte der Geheimnisse — oder besser, im Lichte der Finsternis — ausführten. Sie taten dies mit einer Ehrfurcht vor dem Leben, die heutzutage undenkbar geworden ist. Der flotte Angriff auf die Erbanlage des Menschen — hier ein bißchen Salz und dort ein bißchen Pfeffer, und dann vielleicht noch eine winzige Prise Karzinogen! — hätte sie sicherlich mit Abscheu erfüllt. Vielleicht irre ich mich aber, und ich bin der einzige, der Gott nicht einmal in den Topf gucken und sicherlich nicht in den Topf spucken möchte.

Nur kleine Rätsel können gelöst werden; und diese Aufgabe könnte die Wissenschaft noch für lange Zeit voll beschäftigen. Viele Forscher haben die moralische Statur, die sie dazu berechtigt, Chloridbestimmungen im Urin auszuführen; und dabei sollten sie bleiben. Selbst die Messung sehr schneller Enzymreaktionen erfordert keine ethischen Giganten. Aber von Leben und Tod soll man die Finger lassen, und die Zukunft der Welt ist in besten Händen, wenn sie in niemandes Händen ist. Die viel diskutierten und zum Teil schon in Angriff genommenen grauenhaften Experimente in *genetic engineering* und in künstlicher Befruchtung zeigen mir, daß wir uns auf einer furchtbar schiefen Ebene befinden, auf der wir die Zielkraft des Sisyphus mit der Sauberkeit des Augias vereinigen.

Ein anderer Umstand, den Valéry berührt, ist sicher zutreffend: die Naturwissenschaften sind eine Vorrichtung zur Erzeugung von immer neuen und immer zahlreicheren Fragen; wobei freilich offen bleibt, ob sie alle in gleicher Weise Antworten verdienen.

VI. Rousseau oder Frage und Antwort

»Fragen ist leicht, antworten ist schwer«, sagt der Weise, wenn er den Narren trifft. Aber in der Wissenschaft ist es oft umgekehrt, vielleicht weil sich so wenige Weise ihr widmen. Die folgende Stelle entnehme ich Rousseaus langem, allzulangem Roman *La Nouvelle Héloïse* (5, III).

> L'art d'interroger n'est pas si facile qu'on pense. C'est bien plus l'art de maîtres que des disciples; il faut avoir déjà beaucoup appris de choses pour savoir demander ce qu'on ne sait pas.

Ich glaube nicht, daß Rousseau hier besonders die Naturwissenschaften im Sinne hat. Aber es gilt sicherlich auch für sie, daß es die Kunst des vielwissenden Meisters ist, richtig zu fragen.

Dies berührt ein Gebiet, über das ich oft, und erfolglos, nachgedacht habe. Was heißt das eigentlich, die Natur befragen? Die Himmel sind, wie Konfutse uns gelehrt hat, stumm. Auch die Natur antwortet nur auf sehr verschwiegenen Wegen. Oft ist sie ein Spiegel, in dem wir nur uns selbst reflektiert sehen. Auch ist die Natur viel zu gewaltig, als daß wir eine Frage unmittelbar an sie richten könnten; wir müssen sie zersplittern, bevor wir sie untersuchen können. Ich habe schon davon gesprochen.

Der Naturforscher ist also ein Erforscher eines winzigen Natursplitters. Ob der Splitter, den er auswählt, wirklich den Kosmos enthält oder ob er nur ein Stäubchen ist auf den unzugänglichen Kristallen der Welt, dies ist öfter eine Sache des Glückes als die einer vernünftigen weitblickenden Entscheidung. Leider ist es auch manchmal eine Sache der Mode; aber in diesem, recht häufigen, Falle werden die Fragen und Antworten, die einer Epoche als richtig, d. h. als zeitgerecht, erschienen sein mögen, von einer andern als banal abgetan und vergessen. Die meisten von den Naturwissenschaften zutage gebrachten Tatsachen sind tot geboren; und viele andere, mögen sie auch noch so kräftig strampeln, erreichen nicht das Alter des Patriarchen. Unsere Literatur ist voll von verschimmelten und verstaubten Tatsachen, in die manch ein Forscherleben verronnen sein mag. Wenn es nur ein glückliches Leben war, während der Forscher schaffte oder schuf, so will ich nichts dagegen bemerken. Aber wie oft sind Energie und starres Zielbewußtsein nur eine andere Form von *rigor mortis?*

Die Kunst der Naturbefragung ist eingestandenermaßen nicht leicht zu erlernen. Die meisten von uns haben es nie zur notwendigen Meisterschaft gebracht. Stumme Diener der Wissenschaft, drehen wir uns langsam im Winde der Mode, immer die Speise servierend, die gerade verlangt wird. Manchmal ist es auch die falsche Speise, und dann bekommen wir beim nächsten Anlaß keine Forschungsgelder, denn der Honig der Zeit ist Wermut der nächsten.

Ich habe noch niemals die Frage erörtert gesehen, wie die Themen der Wissenschaft eigentlich gewählt werden. Die Richtlinien sind wahrscheinlich beiläufig die folgenden:

1. Publizierbarkeit: Ein Naturforscher, der seine Beobachtungen nicht veröffentlicht, existiert weder für die Mit- noch für die Nachwelt. Sogar wenn das *corpus mysticum* der Welt alles, was jemals gedacht oder geschaffen wurde, in sich einschließt und enthält, gleichgültig ob es überlebt hat oder verlorengegangen ist, so gilt noch immer für einen, der der Gilde angehören will, daß er publizieren muß. Um zu publizieren, muß man aber die Herausgeber betören; und das kann man nur, wenn die Arbeiten eine gewisse, von der Gegenwart tolerierte Beschaffenheit haben. Was veröffentlicht werden kann, lernt man bald aus der Erfahrung und durch Lektüre; und die Tyrannei des Gangbaren beeinflußt die Stoffwahl aufs entschiedenste. Gangbar ist, was die meisten tun, welches hinwiederum der Mode unterworfen ist.

2. Wiederholungsforschung: Was A mit a getan hat, kann B mit b versuchen. Der Erfolg der Arbeit ist fast gewährleistet, Neues kann dabei kaum herauskommen; aber die meisten Herausgeber und Verleger scheuen das Neue. Und wenn man Glück hat, findet man doch etwas nicht ganz Triviales, aber es darf nicht zu neu sein. Die meisten wissenschaftlichen Arbeiten gehören dieser Klasse an. Ich will in der nächsten Variation etwas mehr darüber sagen.

3. Finanzierbarkeit: Dies ist ein Kriterium, das, sagen wir, im letzten Jahrhundert noch undenkbar gewesen wäre. Aber heute ist es von entscheidendem Einfluß auf die Themenwahl. Die naturwissenschaftliche Forschung ist unglaublich teuer geworden. Wo das Geld nicht fließt, fließen auch nicht die Gedanken. Ich spreche nicht von den oft sehr schäbigen Gehältern der Naturwissenschafter, sondern von den Kosten der fortwährend erneuerungsbedürftigen Einrichtungen und Materialien. Erneuerungsbedürftig sind die Apparaturen, nicht nur weil heutzutage sehr schlecht gebaut wird, sondern mehr noch, weil der aus dem spätkapitalistischen Verschleißbetrieb entstehende geheimnisvolle Druck, der auch die Mode macht, immer neue Verfeinerungen der Methodik und der dazu benötigten Apparate unabdingbar werden läßt; so daß ein Laboratorium, das nicht über große und ansteigende Geldmittel verfügt, bald ins Hintertreffen gerät und schließlich in den Bankrott getrieben wird. Irgendwie sollte all dies nichts mit Wissenschaft zu tun haben; aber ich muß sagen, daß ich aus dem inhaltsreichen Buch von W. F. Haug, *Kritik der Warenästhetik* (Frankfurt, 1972), mehr über Molekularbiologie gelernt habe als aus Watsons *Molecular Biology of the Gene.* Man wählt also ein Thema, das »verkauft« werden kann. So wie sich der Minirock in den »Maxi« verwandelt hat, sind Kolibakterien plötzlich unmodern geworden; und alles, was etwas auf sich hält, arbeitet nur mehr über onkogene Viren. (Die in den beiden Fällen resultierenden Kurven sind jedoch fast austauschbar, denn es werden immer dieselben Methoden angewendet; und die Methodik bestimmt meistens das Ergebnis.)

4. Informierte Voraussage: Ein halb induktiver und halb deduktiver Denkprozeß führt manchmal zur Wahl eines nicht wertlosen Themas. Auf Grund gesammelter Erfahrungen und anerkannter Gesetze werden gewisse Vorgänge oder Verbindungen als wahrscheinlich vorausgesagt. Wenn Versuche die Prophezeiung bestätigen, so entsteht eine Arbeit von etwas höherem Rang als dem einer gewöhnlichen Analogiearbeit.

5. Blendender Einfall: Leider ist der Gedankenblitz meistens nicht von einem Beifallsdonner gefolgt. Während Analogiearbeiten, wie ich sie früher erwähnt habe, meistens nicht von großem Werte sind, kommt es, wie wohl selten, vor, daß eine ungewöhnliche Analogie — ein Kurzschluß zweier, einander nicht berührender Ströme — zu einer unerwarteten und fruchtbaren Idee führt. Daß sie, wenn sie wirklich gut ist, bald gestohlen und der Entdecker totgeschwiegen wird, bedarf nicht der Erwähnung.

6. Zufall: Selten geschieht es, daß einer, auf der Straße spazierengehend, von einem goldenen Ziegelstein getroffen wird. Wenn er wehschreiend weiterläuft, hat er alles verscherzt. Hat er hingegen die Intelligenz, den Stein zu betrachten und seine ungewöhnliche und erhabene Qualität zu konstatieren, so wird ihn die Welt als Genie preisen, und er wird eine »Persönlichkeit«. Passiert ihm dies mehr als einmal, so gehört er wahrscheinlich in die nächste und letzte Kategorie.

7. Traum: Wenige Male im Jahrhundert geschieht es, daß einem die großen Ideen, als wie im Traum, zufallen. Ich will den Geniebegriff nicht übertreiben; und ich glaube, daß wenige geistige Betätigungen so arm an Genies sind wie die Naturwissenschaften. Aber es kommt vor. Vor diesen kann

ich nur meinen etwas deformierten Hut ziehen und weitergehen. Ich habe in meinem Leben vielleicht einen oder zwei
dieser Art getroffen. Auch bin ich nicht sicher, daß die Welt
ohne sie nicht besser ausgekommen wäre, was man von Bach
oder Mozart nicht sagen kann.

Diese Liste ist sicherlich nicht vollständig; aber auf diese
oder eine ähnliche Art unternehmen wir die Befragung der
Natur. Was betont werden muß, ist der aleatorische Charakter der Stoffwahl. Die Hoffnung, daß aus so vielen zufällig
ausgerupften Blumen ein richtiger Strauß entsteht, wird
meistens enttäuscht. Da in den Naturwissenschaften die
Antwort sehr oft bereits in der Frage vorgebildet oder enthalten ist, ist unser Wissen, besonders in der Biologie, infolge
der spasmodischen und regellosen Befragungsart höchst
zersplittert und die Geräuschkulisse oft lauter als die Melo-
die. Daher kommt auch die immer zunehmende Fragmentierung unseres Naturbildes und unserer Vorstellung vom
Leben. Man sagt mir manchmal, daß der reißende Zustrom
von neuen Erkenntnissen die Ursache der gegenwärtigen
Verwirrung sei. Aber was ist neu, was ist alt?

VII. Lichtenberg oder Alt und Neu

Der sehr bedeutende Schriftsteller Lichtenberg war auch ein
(weniger bedeutender) Physiker. Vielleicht habe ich unrecht
mit dieser Einschränkung; vielleicht besagt sie nur, daß
Verstand, Witz, Gedankenreichtum, blitzschneller Brücken-
schlag zwischen einander fremden Einfällen, und Fähigkeit
zur schärfsten Disjunktion nicht zur unbedingten und ausschließlichen Ausrüstung des großen Naturforschers gehören, sondern daß dieser auch Glück benötigt und das richtige
Geburtsdatum. Jedenfalls stelle ich diesen Abschnitt unter
den Schutz einiger Sätze Lichtenbergs, die sich in seinen
»Sudelbüchern« erhalten haben (J 688, J 1310, E 463).

Sehr viele und vielleicht die meisten Menschen müssen, um etwas zu finden, erst wissen, daß es da ist.

Man muß etwas neues machen, um etwas neues zu sehen.

Leute die sehr viel gelesen haben machen selten große Entdeckungen. Ich sage dieses nicht zur Entschuldigung der Faulheit, denn Erfinden setzt eine weitläuftige Selbstbetrachtung der Dinge voraus, man muß mehr sehen als sich sagen lassen.

Der erste dieser Aussprüche liefert die beste Erklärung für die Häufigkeit der Wiederholungsforschung, die im vorhergehenden Abschnitt erwähnt wurde. Aber jemand muß doch einmal etwas gefunden haben, von dem er nicht wußte, daß es da ist; und je weniger »da ist«, desto größer die Wahrscheinlichkeit, »etwas« zu finden. Dies trifft bis zu einem gewissen Maße zu, und die frühesten Naturforscher müssen die größten gewesen sein, wenn wir auch ihre Namen nicht kennen. Was kann sich mit solchen Konzepten wie Zeit und Kraft vergleichen? Und jemand muß sie ja formuliert haben. Der zweite, der sie nachplapperte, war eigentlich schon ein Esel; aber wahrscheinlich war er es, der als der wahre Entdecker gefeiert wurde.

Mit dem Neuen wird die Welt schon immer Kult getrieben haben: das spätlateinische Adjektiv *modernus* geht auf das Jahr 500 zurück. Die zahlreichen Streitigkeiten zwischen *anciens* und *modernes* endeten jedoch meistens mit einem Unentschieden; und das Neue an sich als ein unbedingtes Gut darzustellen, war unserem profitwütigen und reklameversponnenen Konsumzeitalter vorbehalten. In den meisten geistigen Betätigungen wird die Überlegenheit des Neuen nur von den Allerdümmsten aufrechterhalten. Ein Gibbon, ein Burckhardt, ein Mommsen mögen in den ihnen zur Verfügung stehenden Unterlagen und auch in ihrer zeitgebundenen Blickrichtung als überholt gelten, aber ersetzbar sind sie sowenig wie ein Thukydides oder ein Tacitus. Und auch der Wettstreit zwischen Bach und Stockhausen, zwischen Greco und Warhol kann noch nicht als entschieden angesehen werden. Daß unserer Jugend die Großen ihrer Sprache, Swift wie Pope, Goethe wie Claudius, schon ganz entfremdet erscheinen — die romanischen Sprachen halten sich anscheinend besser —, muß mit der geistigen Auspowerung unserer Zeit zusammenhängen, die das Sprechen schneller angreift als das Hören oder Sehen. Ob die ansteckende progressive Aphasie, die jetzt ein Volk nach dem andern überkommt — so sprachlos vor Nichtstaunen war noch keine Epoche! —, irgendwie durch die Hegemonie der Naturwissenschaften und der Technik mitbedingt ist, weiß ich nicht. Aber daß das »technoromantische Abenteuer«, wie Karl Kraus es nannte, an der Vergiftung des Sprachgefühls, und daher auch der Denkkraft, der Menschheit schuld ist, davon bin ich überzeugt. Die Aufsätze aus den Kriegsjahren 1914 bis 1918, die Kraus unter dem Titel *Weltgericht* zusammenfaßte, bieten überzeugende Beispiele.

Jedenfalls sind es die Naturwissenschaften, in denen die Übermacht der Modernität den größten Schaden angerichtet hat. In den mir halbwegs zugänglichen Wissenschaften ist die Tradition völlig unterbrochen worden. In den meisten Arbeiten wird fast nichts zitiert, was älter als etwa fünf Jahre ist. Von der gewaltigen Leistung der letzten hundert Jahre scheint nur das Wenige übriggeblieben zu sein, das in mittelgroßen Lehrbüchern Platz hat; und der immense Betrieb spielt sich auf einer drei Jahre schmalen Bühne ab: die Handlung nimmt nur den Vordergrund ein, ähnlich der Börsenspekulation oder der Fremdenverkehrswerbung.

Die Gründe dafür habe ich zum Teil schon früher erwähnt. Das Überhandnehmen der Methodik; das Übergewicht des Wie über das Was; der von der Industrie angezettelte und von der wissenschaftlichen Konkurrenz angefeuerte Bedarf an immer leistungsfähigeren Apparaten: all dies bringt es mit sich, daß die neuen Resultate mit den vor kurzem auf andere Weise erhaltenen überhaupt nicht vergleichbar sind. So legt sich Schicht auf Schicht, und die Geschichte der Naturwissenschaften wird ein langweiliges archäologisches Unternehmen. Die sich immer wieder nach vorne verschiebende Szene schafft immer neue Hintergründe, welche bald ganz verschwinden. Heerhaufen von Draufgängern, welche selbst bald draufgehen müssen, erheben immer wieder neue, und rasch ermordete, Soldatenkaiser auf die Schilde; und während der Rummel immer lauter wird, haben alle vergessen, worum es sich eigentlich gehandelt hat. Auch im Turm zu Babel kümmerte man sich nur um das was darüber war; was darunter lag, war völlig gleichgültig.

Das alles hätte nicht geschehen können, wären die Wissenschaften so klein geblieben, wie ich selbst sie noch in meiner Jugend angetroffen hatte. Ich habe darüber schon geschrieben und möchte mich hier nicht wiederholen. Jedenfalls ist es so, daß die Megawissenschaft alles vergröbert: die Qualität der Ergebnisse ebenso wie den Charakter der Forscher. Hatte ich früher noch öfters das Gefühl, daß die Arbeit, die ich las, von Menschen geschrieben war — manchmal sogar von solchen, die ihre Worte wägten —, daß die auf menschliche Art geplanten Versuche menschliche Fragen beantworteten oder zu beantworten versuchten, so habe ich dieses Gefühl schon lange nicht mehr. Welche Spezies jetzt am Werke ist, kann ich allerdings nicht sagen.

Die Vermassung der Wissenschaften hat seltsamerweise dazu geführt, daß sie ihr Publikum verloren haben. Buffon, Alexander von Humboldt und insbesondere Darwin hatten eines; und bis zu einem gewissen Grade traf dies auch auf Virchow, Helmholtz oder Maxwell zu. Dann aber wuchsen die Mauer der Esoterik und der Gleichgültigkeit: König Lear und sein Narr sprachen nicht mehr die gleiche Sprache. Wenn es auch manches Mal einigen Gelehrten gelang, diese Mauer durch absichtliche oder unbewußte Reklametricks zu durchbrechen, so bestand das Publikum, auf das sie stießen, ausschließlich aus Sammlern von Kuriositäten oder Zelebritäten, aus dem was Canetti so schön »die Namenlecker« genannt hat.

Was den Naturforschern heute noch als Publikum geblieben ist, besteht aus ihren engsten Kollegen oder, besser gesagt, aus ihren Konkurrenten. Die meisten organischen Chemiker finden es schwer, zeitgenössische Arbeiten auf dem Gebiet der physikalischen Chemie zu verstehen, und die meisten biologischen Untersuchungen sind ihnen sicherlich völlig verschlossen. Selbst das wissenschaftliche Publikum ist demnach amorph; nur besitzt jeder dieser Laien ein einzige hochgeschliffene Facette. Die fortschreitende Verengung des Interesses und Verkleinerung des Teilnehmerkreises kann ein jeder, der einige Jahrzehnte wissenschaftlich gearbeitet hat, an der Qualität und Quantität der ihn erreichenden Bitten um Sonderdrucke und auch von seiner sonstigen Korrespondenz ablesen. Während es früher, in weniger übervölkerten Zeiten, vielleicht tausend waren, die eine Arbeit mit mildem Interesse und manchmal mit Anerkennung lasen, sind es jetzt hundert, die genau schauen, wo sie etwas stehlen können.

Die Vereinsamung des einzelnen Forschers mitten in der wachsenden Massengesellschaft, sein Wunsch, das von ihm bewohnte Miniaturtürmchen gegen alle andern zu verteidigen und insbesondere zu finanzieren, haben es mit sich gebracht, daß in den Wissenschaften eine Tätigkeit so wichtig geworden ist, welche man, in einem kurzen Interludium, das Geschrei nennen könnte.

VIII. Jean Paul oder Das Geschrei

Seinem schönen, langen, nicht allzulangen Roman *Titan* ließ Jean Paul einen philosophisch-kritischen Anhang folgen, die *Clavis Fichtiana*. Ein Satz daraus lautet: »Im Reiche des Wissens kommt — anders als im physischen — der *Schall* immer früher an als das *Licht*.«

Ob Leonardo da Vinci Reklame betrieben hat, weiß ich nicht, bezweifle es jedoch. Pressekonferenzen konnte er schon darum nicht veranstalten, weil es keine Presse gab. Auch Galilei beschränkte sich vermutlich auf Vorlesungen und Veröffentlichungen. Ein großer Teil der naturwissenschaftlichen Publikation ging sogar in Form von Privatbriefen vor sich. Ich erinnere mich hingegen sehr deutlich an meine Erschütterung, als ich vor etwa vierzig Jahren den Anfang einer von Einstein fertiggestellten Arbeit als Photographie auf der ersten Seite der *New York Times* abgebildet sah. So etwas hätte mir nie glücken können: erstens, weil es mir nicht eingefallen wäre, mein Manuskript an den Redakteur einer Zeitung zu senden; und zweitens, weil dieser es nicht gebracht hätte, denn ich war niemals eine »Persönlichkeit«, von der die Welt alles wissen will, was sie nichts angeht.

Einstein mag die schlaue Arglosigkeit des zukünftigen Heiligen besessen haben; die nach ihm kamen, waren weniger arglos und noch viel schlauer. Sie wußten, was sie wollten. Man kann darüber streiten, ob die Fälle, in denen Tapferkeit und Aufopferungsbereitschaft geehrt werden, eine Ausnahme bilden, aber zumindest in der Wissenschaft halte ich Preise und Medaillen für schädlich — ebenso wie der Nobelpreis für Heiligkeit nur den Teufel zum Stifter haben könnte. Ich bin zu lange an den Quellen, aus denen das Gold strömt, gesessen, um nicht zu wissen, wie das gemacht wird.

Als ich zum Beispiel vor einigen Monaten die Fanfaren hörte, die den Aufruf einiger auserwählter genetischer Manipulatoren begleiteten, daß es für sie, die Brandstifter, nun Zeit sei, der freiwilligen Feuerwehr beizutreten, wobei sie die Kollegen davor warnten, den bisher von ihnen selbst eingeschlagenen Weg zu betreten — als ich das hörte, sagte ich zu mir: Jetzt wollen sie sogar einen Preis dafür, was sie zu tun unterlassen haben. Denn der Lärm war genauso groß, als wenn es ihnen bereits gelungen wäre, einen Menschen zu züchten, der Wasser trinkt und Petroleum pißt.

Mit anderen Worten, unsere Zeit ist von der Reklame durchtränkt und vergiftet. Aber wenn es schon so ist (was ich bezweifle), daß die Menschen ohne Werbung keine Unterhosen tragen würden — in der Wissenschaft sollte es anders zugehen. Daß es aber hier nicht besser zugeht, dafür bietet J. D. Watsons aufrichtiges Buch *The Double Helix* ein gutes Beispiel. Der hier in Gang geratene wissenschaftliche Böse-Buben-Ball ist in der Zwischenzeit noch unangenehmer geworden. Wegen des bereits erwähnten Fehlens eines weiteren Publikums erfaßt die Propaganda zuerst lediglich andere interessierte Naturwissenschafter, welche für die Verbreitung der Botschaft sorgen. Ist aber der bittere Kampf um den *grand prix* erfolgreich, so strömt auch das Publikum herbei, welches sich für Champions jeder Art erwärmt, weil es irrigerweise annimmt, daß dort, wo ein Lorbeerkranz ist, auch ein Kopf darunter sein muß.

Die Vermischung der wissenschaftlichen und der Kommerzwelt mag schon früher begonnen haben; das wirkliche Geschrei brach aber erst in den letzten 25 Jahren aus. Dem friedlichen Beobachter ihrer Anfänge erschien jedoch die Naturforschung in einem sanften, friedlichen Licht.

IX. Stifter oder Der Optimismus

In den »Historischen Fragmenten« des so erfrischend unoptimistischen Jacob Burckhardt finde ich eine fesselnde Bemerkung: »Wir möchten gerne die Welle kennen, auf welcher wir im Ozean treiben, allein wir sind diese Welle selbst.«

Aber schon früher hatte Stifter, als er den wunderschönen *Nachsommer* schrieb, diese Welle zu erkennen geglaubt. Ich muß mich für die Länge des Zitats, welches ich dem 4. Kapitel des 2. Bandes entnehme, entschuldigen.

Unsere Zeit . . . erscheint mir als eine Übergangszeit,
nach welcher eine kommen wird, von der das griechische

und römische Altertum weit wird übertroffen werden. Wir arbeiten an einem besonderen Gewichte der Weltuhr, das den Alten . . . noch ziemlich unbekannt war, an den Naturwissenschaften. Wir können jetzt noch nicht ahnen, was die Pflege dieses Gewichtes für einen Einfluß haben wird, auf die Umgestaltung der Welt und des Lebens. Wir haben zum Teile die Sätze dieser Wissenschaften noch als totes Eigentum in den Büchern oder Lehrzimmern, zum Teile haben wir sie erst auf die Gewerbe, auf den Handel, auf den Bau von Straßen und ähnlichen Dingen verwendet, wir stehen noch zu sehr in dem Brausen dieses Anfanges, um die Ergebnisse beurteilen zu können, ja wir stehen erst ganz am Anfange des Anfanges. Wie wird es sein, wenn wir mit der Schnelligkeit des Blitzes Nachrichten über die ganze Erde werden verbreiten können, wenn wir selber mit großer Geschwindigkeit und in kurzer Zeit an die verschiedensten Stellen der Erde werden gelangen, und wenn wir mit gleicher Schnelligkeit große Lasten werden befördern können? Werden die Güter der Erde da nicht durch die Möglichkeit des leichten Austausches gemeinsam werden, daß allen alles zugänglich ist? . . . Welche Umgestaltungen wird aber erst auch der Geist in seinem ganzen Wesen erlangen? Diese Wirkung ist bei weitem die wichtigste. Der Kampf in dieser Richtung wird sich fortkämpfen, er ist entstanden, weil neue menschliche Verhältnisse eintraten, das Brausen, von welchem ich sprach, wird noch stärker werden, wie lange es dauern wird, welche Übel entstehen werden, vermag ich nicht zu sagen; aber es wird eine Abklärung folgen, die Übermacht des Stoffes wird vor dem Geiste, der endlich doch siegen wird, eine bloße Macht werden, die er gebraucht, und weil er einen neuen menschlichen Gewinn gemacht hat, wird eine Zeit der Größe kommen, die in der Geschichte noch nicht dagewesen ist. Ich glaube, daß so Stufen nach Stufen in Jahrtausenden erstiegen werden. Wie weit das geht, wie es werden, wie es enden wird, vermag ein irdischer Verstand nicht zu ergründen. Nur das scheint mir sicher, andere Zeiten und andere Fassungen des Lebens werden kommen, wie sehr auch das, was dem Geiste und Körper des Menschen als letzter Grund innewohnt, beharren mag.

Wie rührend optimistisch sich diese Voraussagung jetzt liest! Dabei ist alles genau so eingetroffen, aber auch ganz anders. Da der »Nachsommer« ein langes, schönes Märchen ist — kein Hauch der Hölle oder auch nur der Not erreicht diese friedlichen Blumenhäuser —, weiß ich nicht, ob seine Prophezeiungen ernst genommen werden wollen. Jedenfalls hat die strahlende Vision einer befriedeten Glückseligkeit, erwachsen aus dem trostlosen Leben eines großen Dichters, auch auf seine Darstellung des Glücks und der Glorie der Naturwissenschaften abgefärbt. Wäre alles andere anders gekommen, so hätte dieses — der Segen der Wissenschaft — so kommen können, wie er es beschrieben hat. Stifter — nie war ein stilles Wasser tiefer, und nie weniger still — hatte sich in der Jugend mit den Naturwissenschaften beschäftigt und war einige Zeit Privatlehrer von Metternichs Sohn, dem er Physik und Mathematik beizubringen hatte. Als er den »Nachsommer« schrieb, waren die Unruhen der Achtundvierzigerjahre, welche auf ihn einen so tiefen Eindruck gemacht hatten, vorbei, aber nicht verwunden. Die große Erzählung vom alten Mann und vom schönen jungen Paar inmitten blühender Rosen und wohlerhaltener Altertümer stellt sich als eine in die nahe Vergangenheit zurückverlegte Utopie dar, als sollten stille feste Atemzüge das Herzklopfen einer in das Verderben stürzenden Zeit übertönen. So sind denn die Wissenschaften, die hier überhaupt nicht von der Technik unterschieden werden, ebenso fest und problemlos in die Zeit eingebaut wie alle andern geschilderten Vorgänge. Katastrophen werden einfach nicht zugelassen; sie haben ebensowenig in dieser Welt zu suchen wie Giftgase in einem Grimm-Märchen. Nur hätte dieses auch für jene

Platz, während Stifters edler Traum schon durch eine Staubschicht auf dem erlesenen Hausgerät entwertet wird.

Dabei hätte sich Stifter als ein weiser Mann sagen können, daß Wissenschaft und Technik nicht dasselbe sind; daß, wenn die stillen und friedlichen Entdeckungen der Wissenschaft den so viel weniger stillen und friedlichen Ansprüchen der Technik zu dienen gezwungen werden, Katastrophen eintreten können; und daß die große Geschwindigkeit des Verkehrs die Güter der Erde nicht nur zugänglich, sondern auch vergänglich machen muß. Andere Männer derselben Zeit, zum Beispiel Burckhardt oder der von mir in meinem Aufsatz »Vorwort zu einer Grammatik der Biologie« ausführlich zitierte Peacock, haben die Fragwürdigkeit des Fortschrittsrummels viel klarer erkannt. Was auch sie nicht vorhersehen konnten, war die Wirkung zweier ungeheurer Weltkriege und die Erschütterungen des Weltgefüges, an denen die Naturwissenschaften aktiv und passiv teilhatten.

Man könnte sagen, daß die früher angeführten Zeilen ein Idealbild von der Zusammenarbeit zwischen Wissenschaft, Technik und Ökonomie entwerfen. In diesem Sinne sind sie vorbildlich für den viktorianischen Glauben an Fortschritt und Entwicklung, immer nach vorne, immer nach oben, *ad astra*. Dieser häufig nur vorgeschützte Glaube bildet den Vorwand für die vielen Missetaten der Wissenschaft und Technik unserer Zeit. Tatsächlich hat er nicht mehr mit dem zu tun, was sich jetzt abspielt, als der hippokratische Eid mit dem gegenwärtigen medizinischen Kommerz.

Energiekrise, Luftverschmutzung, Wasserverschmutzung: alle diese Wörter hätten Stifter aufs unbehaglichste überrascht. Auch die Verwandlung der Montgolfiere in eine Mondgolfiere hätte der Dichter des herrlichen »Condor« nicht freudig zur Kenntnis genommen. Hätte er es für möglich gehalten, daß der wilde Wirbel von Entdeckung und Ausbeutung, von Naturforschung und Raubbau, von Heilmittel und Waffe, daß all dies und noch viel mehr in der von ihm geschnittenen Silhouette enthalten waren?

Der Charakter und die Gemütsart des die Natur Befragenden bestimmen Frage und Antwort. Ein Vauvenargues und ein Marquis de Sade können nicht dieselben Versuche machen und dieselben Ergebnisse erhalten. Alle Wege führen nach Rom; aber es ist immer ein anderes Rom. Wahrscheinlich wußte dies auch Stifter, denn in einer späten Erzählung finde ich die folgenden Worte: »Nur die Naturdinge sind ganz wahr. Um was man sie vernünftig fragt, das beantworten sie vernünftig.« Aber ein Größerer wußte dies vielleicht noch besser.

X. Goethe oder Die gefolterte Natur

Daß einer der größten Dichter der Weltgeschichte sich zeit seines Lebens auch als Naturforscher betrachtet hat, ist wohlbekannt. Und ebenso bekannt ist das Fiasko, das er angeblich mit seiner »Farbenlehre« erlitten hat: Generationen von Studenten sind eingeladen worden, den bedauernswerten Fall des großen Mannes zu begrinsen. *»Nature, and Nature's Laws lay hid in Night. / God said, Let Newton be! and All was Light.«*

Dabei ist dieser Zusammenstoß zwischen physikalischer Abstraktion und menschlicher Beobachtung nicht leicht zu ergründen, da zwei völlig inkommensurable Formen der Naturbetrachtung im Spiele sind. Jedenfalls hat Goethe schwer an der fast allgemeinen Ablehnung getragen, die seinen Bemühungen zuteil wurde. Er wollte es nicht hinnehmen, daß es nur eine einzige approbierte Form der Naturbefragung, die man die analytisch-quantitative nennen könnte, geben solle. Niederschläge dieser Befremdung finden sich an vielen Orten.

So lautet ein Ausspruch aus den *Maximen und Reflexionen* (Nr. 115): »Die Natur verstummt auf der Folter; ihre treue Antwort auf redliche Frage ist: Ja! ja! Nein! nein! Alles übrige ist vom Übel.«

Dies ist noch immer eine gute Maxime in der Naturforschung; nur muß man darüber ins reine kommen, was das heißt: die Natur foltern. Ist zum Beispiel die Zerlegung des Lichtes durch ein Prisma eine Folterung der Natur? Goethe hätte Ja gesagt. Aber es kommt nicht nur auf die Experimente an, sondern auch darauf, was man mit den Resultaten anfängt. Wenn man innerhalb der Grenzen dessen bleibt, was die Ergebnisse wirklich gezeigt haben, also bei dem »Ja! ja! Nein! nein!«, so hat man sich keiner Übertretung der von Goethe geforderten Redlichkeit schuldig gemacht. Aber ich habe schon früher von den Kompetenzüberschreitungen als schweren Sünden unserer heutigen Naturwissenschaften gesprochen. Es ist möglich, daß eine gewisse Art von unbefugtem Grenzübertritt immer zur Naturforschung gehört hat; aber wo alles klein ist, sind auch die Sünden klein. Die philosophischen Flurhüter waren den experimentellen Marodeuren gewachsen.

Jetzt stehen wir einer völlig anderen Situation gegenüber. Die Naturwissenschaften sind groß und fett und mächtig geworden. Ihre Macht, könnte man sagen, beruht auf der fortdauernden Folterung der Natur. Die Atomspaltung, die Mondlandung, die abscheulichen genetischen Experimente: so viel Tränen haben die Dinge nicht, wie sie jetzt weinen müßten. Das große Erbe der griechischen Weisheit, das Maßhalten, ist uns verlorengegangen. Ratlos und haltlos werden wir von gewaltigen Winden getrieben, von denen wir nicht wissen, woher sie kommen, noch wohin sie fegen. Zufall oder Notwendigkeit? Aber diese ist ein Zwang geworden und jener eine Laune.

Goethe mißtraute der Mathematisierung der Natur, er vertraute auf seine »sonnenhaften« Augen. In mancher Beziehung war er ein in die moderne Zeit verirrter spätgriechischer Naturforscher. Obwohl er vielleicht verkannte, daß es durchaus legitime wissenschaftliche Anwendungsgebiete der Mathematik gibt — auch wurde das herrliche Gebäude der organischen Chemie erst nach seiner Zeit errichtet —, hatte er doch das richtige Gefühl. Denn die gefolterte Natur ist nicht nur verstummt, wir haben ihr die Zunge ausgerissen. Der einzelne ist machtlos, er wird von der Riesenwelle mitgerissen. Auch im Lande der Lüge wohnen lauter ehrliche Leute.

XI. Kafka oder Die Welt der Lüge

»In einer Welt der Lüge wird die Lüge nicht einmal durch ihren Gegensatz aus der Welt geschafft, sondern nur durch eine Welt der Wahrheit.«

Diese Bemerkung trug Kafka in eines seiner Notizhefte ein, das als »viertes Oktavheft« von Max Brod in seiner Ausgabe von Kafkas *Hochzeitsvorbereitungen auf dem Lande* abgedruckt wurde (New York, 1953, S. 108). Lüge und Schuld, Wahrheit und Gerechtigkeit: immer wieder hat Kafka über diese Begriffe nachgedacht. Sie haben eine unmittelbare Beziehung auch zu unserer, von der Wissenschaft durchsetzten Welt.

Wäre Schwindel ein Synonym von Lüge und Genauigkeit eines von Wahrheit — aber sie sind weit davon —, so müßte man sagen, daß die meisten wissenschaftlichen Ergebnisse dem Bereich der Wahrheit angehören, denn richtiger Schwindel, und sogar grobe experimentelle Ungenauigkeiten, sind nicht häufig. Aber das Land der Lüge ist voller Ehrenmänner; und jemand kann wissenschaftlich durchaus zuverlässig und doch, ethisch gesehen, völlig verlogen sein. Und so muß ich es denn nach Jahren stiller Beobachtung — »Ja, Spaziergäng' zu machen, das ist eine Pracht, / Wenn man so den stillen Beobachter macht«, heißt es bei Nestroy —, so muß ich es denn sagen, daß die Wissenschaften keineswegs arm sind an Spitzbuben und solchen, denen bloß die Intelligenz dazu fehlt. Die Häufigkeit ist sicherlich nicht größer als z. B. im Geschäftsleben, aber da es sich um geistige Unredlichkeiten handelt, ist der dauernde Schaden schwerer. Denn heutzutage sind sogar die experimentellen Wissenschaften spekulativ geworden, und zwar nicht im Sinne des Strebens nach Erkenntnis, sondern wie etwa der Häuserbau in New York.

Wenn ich bei dem mir naheliegenden Gebiet, der Biochemie, bleibe, so kenne ich Beispiele dafür, daß Forscher, denen die höchsten Anerkennungen zuteil geworden sind, Beobachtungen, welche die Reichweite ihrer Entdeckungen eingeschränkt hätten, viele Jahre lang verschwiegen, solange sie ein Monopol zu haben glaubten; oder daß andere wesentliche Einzelheiten ihrer Versuche nicht veröffentlichten, um es der Konkurrenz schwer zu machen, sie einzuholen. Solcher Gaunereien gibt es viele, aber sie sind es nicht, an die ich denke, wenn ich sage, daß unsere heutigen Naturwissenschaften in der Welt der Lüge wohnen. Da dies vermutlich nicht ihr ursprünglicher Aufenthaltsort gewesen ist, könnte man sich fragen, wie es dazu gekommen ist.

Meine Meinung ist sicherlich nicht unbeeinflußt von der Tatsache, daß ich mein Leben im höchstentwickelten kapitalistischen Land der Gegenwart verbracht habe, in welchem Reaktionen, die normalerweise Jahrzehnte beansprucht hätten, in kurzer Zeit verlaufen. Dies soll nicht heißen, daß ich von einer Hochdruckoase spreche. Der Widerspruch geht durch die ganze Welt, die sich ja schnell angleicht, obwohl ich den Eindruck habe, daß die sozialistischen Länder, vielleicht gerade durch ihre relative Langsamkeit, aber auch durch die völlig verschiedene Art, in der Forschung gefördert wird, vor dem Ärgsten bewahrt geblieben sind.

Wenn ich Kafka recht verstehe, so meint er, daß in der Welt der Lüge auch Wahrheiten zu Lügen werden. Zum Beispiel werden sie es durch die Übertreibung ihrer Tragweite, aber besonders dadurch, daß wir uns des Unterschiedes zwischen »Wahrheiten« und »Wahrheit« nicht mehr bewußt sind. Auch eine von Wahrheit entfernte Wissenschaft kann »Wahrheiten« am laufenden Band produzieren. Deshalb bleibt sie nicht weniger verlogen.

Bei keiner andern geistigen Betätigung ist der Abstand zwischen dem, was tatsächlich ausgeführt wird, und den Folgerungen, die daraus gezogen werden, so gewaltig wie in der Naturwissenschaft der Gegenwart. Ein Komponist, ein Maler, ein Dichter, aber auch ein Sprach- oder Geschichtsforscher, so bedeutend ihre Leistungen auch sein mögen, werden sich nicht erfrechen zu erwarten, daß ich aus Bewunderung für ihre Großtaten meine Weltanschauung oder meinen Glauben revidiere oder fallen lasse. Sie haben hingestellt, was zu erzeugen sie nicht umhin konnten, sie haben es mir gezeigt, und dann lassen sie mich in Ruhe. Anders geht es in den Naturwissenschaften zu, denn sie wollen uns Weisheit beibringen. Ich konstruiere ein völlig fiktives Beispiel. Nehmen wir also an, daß es einen Bakteriologen gibt, der seine Zeit damit verbracht hat, einen relativ trivialen Vorgang im Leben eines Darmbazillus zu studieren. Er hat einige Erfolge zu verzeichnen und unser Verständnis dieses Vorgangs wirklich um ein Picometer vorwärtsgebracht. Aber er ist ein Verpackungskünstler — also ein Angehöriger einer Branche, welche, aus der Reklameindustrie hervorgegangen, jetzt auch schon die Kunst kolonisiert — und er schreibt ein populär-philosophisches Buch. Dieses ist eine Art von Schnell-Lesekurs der letzten Gründe, von denen es sich natürlich herausstellt, daß es sie nicht gibt; alles geht am DNA-Schnürchen. Das Buch hat einen großen Publikumserfolg, denn die Menschheit, aufgefordert, sich mit dem Stand der Dinge im Jahre 1965 zu begnügen, ist froh zu hören, daß man jetzt schon alles weiß. Da dieses »alles«, mit Geschwätz auf etliche hundert Seiten verdünnt, leicht faßlich ist, abgesehen von den paar chemischen Formeln, die niemand anzusehen braucht, endet man in Bewunderung der schlauen Forschung, die der Natur auf ihre Schliche gekommen ist; und wenn jetzt auch noch der Tod abgeschafft ist, werden wir ewig leben. Wenn ich an die kalte Verachtung denke, mit der Schopenhauer den wahrscheinlich höherstehenden Ludwig Büchner abgefertigt hat, ermesse ich, wie tief wir gesunken sind. Die großen Philosophen der Vergangenheit als erledigt zu betrachten, weil sie nichts von DNS gehört hatten, ist doch der Gipfel der Blödheit; aber ein höherer wird zweifellos in einigen Jahren erklommen werden, wenn es sich herausstellt, was sonst alles Plato nicht gewußt hat.

Die Welt der Lüge ist nämlich angebrochen, als die Naturwissenschaften zu einer Art von Religions- und Philosophieersatz wurden. Entstanden als ein Zweig der Philosophie, von den Jahrhunderten mit großer Spannung und größerer Scheu betrachtet, hielt sich die Naturforschung lange Zeit in den ihr angemessenen Schranken. Wenn auch Galilei im »Saggiatore« sagte, daß die Natur in mathematischer Sprache geschrieben sei, so glaube ich nicht, daß er die Schrift für den Text genommen hätte. Allerdings begann man schon damals, sich auf die Texte zu beschränken, die mit Hilfe dieses besonderen Wörterbuches entziffert werden konnten. Erst langsam gab der Erfolg Anlaß zu Ansprüchen auf Ausschließlichkeit, zu einer Art von Unfehlbarkeitsdogma, das in unserm Jahrhundert zu einer wahren Diktatur führte. Dabei haben wir, das Gefäß über den Inhalt stellend, vergessen, daß der von der Wissenschaft erfaßbare Naturbereich nur ein kleiner Teil dessen ist, was uns bewegt (so wie es nicht das Wesentliche an einem Stuhl ist, daß er aus Holz besteht).

Die im Irrgarten der Nukleinsäuren herumtaumelnden Kavaliere verstricken sich immer mehr in Gespinste materieller Endlosigkeiten. Ob jedoch die Gegenwelt — die von Kafka erhoffte Welt der Wahrheit — vor der Türe steht, weiß ich nicht.

XII. Rimbaud und Simone Weil oder Liebe, Schönheit, Gott

Wer das Paradies beschreibt, wird als Utopist verschrien. Obwohl viele von uns wissen, daß Hoffnung und Sehnsucht wichtiger für das menschliche Leben sind als der genetische

Code, blickt unsere Profit- und Konsumwelt scheel auf jeden, der sich außerhalb der von ihr gesetzten Grenzsteine aufhält. Dennoch muß diese letzte Variation von solchen Nirgendländern handeln, nach denen, solange es Träume gibt, sich einige Menschen ewig sehnen werden.

In seinem am Anfang der modernen Lyrik stehenden Prosagedicht *Une saison en enfer* schreibt Rimbaud: »L'amour divin seul octroie les clefs de la science.« Ist es die göttliche Liebe, ist es Gott, der liebt, oder Gott, der geliebt wird, welcher uns die Schlüssel zur Wissenschaft anvertraut? Vielleicht sind es alle drei; aber die Wissenschaft, die sich uns derart eröffnet, kann nicht diejenige sein, mit der wir täglich in Berührung sind.

In Simone Weils letztem, von ihr selbst zusammengestellten, wenngleich nicht völlig ausgearbeiteten Buch *L'enracinement* findet sich unter vielen anderen auf die Wissenschaft bezüglichen Stellen auch die folgende: »La vraie définition de la science, c'est qu'elle est l'étude de la beauté du monde.«

Schon früher habe ich auf tiefreichende Sätze aus einem andern ihrer Bücher, *La pesanteur et la grâce,* hingewiesen.

»La science, aujourd'hui, cherchera une source d'inspiration audessus d'elle ou périra.

La science ne présente que trois intérêts: 1° les applications techniques; 2° jeu d'échecs; 3° chemin vers Dieu. (Le jeu d'échecs est agrémenté de concours, prix et médailles).«

Dieser Aufsatz wäre nicht geschrieben worden, wenn ich nicht davon überzeugt wäre, daß die Untergangsprophetie im Begriffe ist, wahr zu werden. Die Naturwissenschaften — und zu einem geringeren Grade vielleicht alle Wissenschaften — sind in einer Krise, deren Ursachen nicht allein soziologisch, ökonomisch oder politisch erklärbar sind. Es ist vielmehr ein metaphysischer Brechreiz. Dieses Herumstöbern in den Aschen einer finster gewordenen Aufklärung, das uns immer mächtiger und immer ärmer macht, hat seine Anziehungskraft fast völlig eingebüßt. Das durch eine Armee von Nutznießern getragene Beharrungsvermögen ist natürlich groß; aber man braucht nur mit jungen Leuten zu sprechen, um zu sehen, wie gründlich sich die Lage in den letzten 25 Jahren verändert hat.

Der Reiz dessen, was Simone Weil als Schachspiel bezeichnet, ist noch immer nicht ganz verschwunden. In Physik, Chemie, Astronomie, Geologie, Biologie usf. gibt es noch viel zu tun, und in manchen Wissenschaften wahrscheinlich sogar mehr als früher. Neugier, vielleicht nicht eine der edelsten menschlichen Leidenschaften, kann noch immer befriedigt werden. Dies ist es aber nicht, worum es sich hier handelt.

Was die von mir für dieses Kapitel gewählten Motive fordern, ist eine Rückkehr zu den Anfängen der Naturwissenschaft. Die Erforschung der Schönheit der Welt, des Kosmos, der Ordnung höchster Art, wie sie der Schöpfer verfügte: ist es nicht das, was einen Mann wie Kepler bewegte? Die göttliche Liebe als Schlüssel zur Wissenschaft: hätte dies einen Böhme oder Hamann, einen François de Sales oder Blake überrascht? Nur weiß ich nicht, ob Rückkehr jemals verordnet werden kann, und noch dazu in einer Zeit, in der die Quelle der Eingebung fast versiegt ist und die Phantasie völlig eingetrocknet oder ganz verwildert. Man braucht nur die Sätze Galileis oder Pascals in ihren wissenschaftlichen Arbeiten mit denen zu vergleichen, die man jetzt antrifft, um zu ermessen, was mit uns geschehen ist,

Ich erwarte nicht, daß ein Molekularbiologe neben seinem Szintillationszähler niederkniet und Gott dankt, wie einst Haydn neben seinem Klavier. Aber er sollte sich manchmal fragen, was eigentlich der Sinn dessen ist, was er tut. Wenn genug Wissenschafter auch nur das täten, anstatt über die alten Esel zu lachen, denen »was nicht recht ist«, so wäre schon der erste kleine Schritt getan. Auch benötigen die Wissenschaften dringend eine Abmagerungs-, ja sogar eine Hungerkur, die mit einer strengeren Trennung von Forschung und Unterricht beginnen könnte. Es wird viel zuviel Mist produziert, weil das Volk, indem es den Unterricht finanziert, auch die viel zu teuer gewordene Forschung mitunterhält. Wenn es unsere Naturforscher so schwer hätten wie unsere Maler oder Komponisten, ja, wenn sie vom Verkauf ihrer wissenschaftlichen Arbeiten leben müßten, wären viele Mißstände behoben. Aber wer würde diese Arbeiten kaufen?

Ich bin also für »größere Strenge gegen arme Leute« wie der Soldat Schwejk. Aber es ist ja gar nicht so lange her — und ich selbst gehöre noch zu jener Generation —, daß jeder, der sich der Wissenschaft widmen wollte, eine Art von Gelübde der Armut tun mußte. Dies gewährleistete, wenn nicht bessere Menschen, so doch bessere Arbeiten.

Wie die Wissenschaften zu menschenmäßigeren Dimensionen zurückgebracht werden können, weiß ich nicht. Vielleicht wird die Verarmung der Welt dazu beitragen. Jedenfalls glaube ich nicht, daß die Kur der durch die Technik, also eigentlich durch die Wissenschaft, verursachten Schäden in noch mehr Wissenschaft bestehen kann; eher in anderer Wissenschaft. Aber um eine andere Art von Wissenschaft zu erhalten, bedürfen wir einer anderen Erziehung und einer anderen Gesellschaft, also einer Umformung von nicht zu schildernden Ausmaßen. Ich sehe nichts in meinem Umkreis, was mir Hoffnung machen könnte. Es ist, als ob die ganze Menschheit einer langsamen Blei- oder Quecksilbervergiftung erliegen würde, die alle Einbildungs- und Entscheidungskraft lähmt. Zu großen Kunstwerken scheint unsere Welt unfähig geworden zu sein, aber wenige Trottel können einen Weltkrieg hervorrufen, wie sich 1914 und 1939 gezeigt hat; und in den geistlosen, verwirrten, zerknitterten Gesichtern unserer jetzigen Staatsmänner sehe ich schon die Andeutung künftiger Greueltaten. Wer kann hoffen, daß die Wissenschaft als einziger radioaktiver Phoenix geläutert wiederauferstehen wird?

Ich habe aber am Anfang dieses Abschnittes von Hoffnung und Sehnsucht gesprochen, und es kann auch anders kommen. Dazu wird es nötig sein, die Naturwissenschaften wieder näher an die Natur heranzubringen. Es muß stiller und leerer um sie werden. Es muß möglich werden, daß einer fünf Jahre über etwas nachdenken kann, ohne fortwährend kleine Publikationen ausscheiden zu müssen. Wenn der abscheuliche Konkurrenz- und Prioritätsneid durch die anonyme Veröffentlichung aller Entdeckungen und Beobachtungen ersetzt werden könnte, wäre viel gewonnen. Aber selbst das hier beschriebene unwirkliche Schlaraffenklima würde noch lange nicht ausreichen, um die Utopie einer entscheidend andersartigen Wissenschaft zu verwirklichen. Wunder kann man nicht schildern, bevor sie eingetroffen sind.

»Wissen ohne Gewissen ist der Ruin der Seele«, sagte der große Rabelais. Wir wissen immer mehr, und jetzt auch, daß es keine Seele gibt, sondern, wie ich höre, nur eine Nukleotidsequenz in der DNS. Wie häßlich das alles ist! Seit dem Ende der *aurea aetas* muß es immer Leute gegeben haben, die sagten, daß alles immer schlechter werde, und ich glaube, sie haben immer recht gehabt. Was man abwertend als »Kulturpessimismus« bezeichnet, ist sicherlich keine neue Erscheinung. Nur läuft jetzt alles viel schneller ab; und der entropische Imperativ »desorganisiere dich!« wird immer lauter. Leben ist hingegen ein ewiger Kampf gegen diesen Imperativ, das überwältigendste Beispiel prometheischen Trotzes. Die Naturwissenschaften, einst das mächtigste Instrument dieses Widerstandes, sind hinübergewechselt und zu Ausführungsorganen des endgültigen Chaos geworden. Wenn ich jedoch Simone Weil richtig verstehe, kann Gott den zweiten Lehrsatz der Thermodynamik stornieren. Wäre ich ein tieferer Optimist, so würde ich mehr sagen.

Spiegel im Abgrund

Vom Suchen und Finden

I

Mein Titel stammt von Jacob Böhme*. Ich will vom Forschen sprechen, davon, was den Naturforscher bewegt. Vorher sollte ich aber vielleicht sagen, warum ich mich auf den
philosophus teutonicus beziehe, denn nichts lag ihm ferner als
diese Art von Forschung, obwohl er sich häufig der alchimi-
stischen Nomenklatur bediente. Ich lese nämlich gerne in
Registern. Wenn sie gut gemacht sind, kann man viel aus
ihnen lernen. Eines der ausgezeichnetsten findet sich im
letzten Band der Böhme-Ausgabe, die 1730 erschien. Dort
gibt es mehrere Register, deren ausführlichstes »Register der
Theosophischen Materien« heißt. Anstatt also einen unserer
logischen Positivisten oder Forschungsfreibeuter zu befragen, nahm ich, auf der Suche nach einem Titel, meine
Zuflucht zu dem wundersamen Schuhfabrikanten aus Gör-
litz, und da begegnete mir unter dem Stichwort »Forschen«
die schöne Stelle: »Die Forschung muß von innen im Hunger
der Seelen anfangen«, oder eine andere: »Dann ein jeder
Geist forschet nur seine eigene Tieffe«. Ich ließ mir das
gesagt sein — und ich werde darauf zurückkommen —,
entschloß mich jedoch schließlich zu einem andern Titel, der
mir nicht aus dem Register zugeflogen ist.

Ich habe oft gesagt: Finden ist nur die halbe Freude,
Suchen die ganze. Aber trifft das auf die wissenschaftliche
Forschung zu? Ist das Forschen in der Natur, bzw. darin,
was der Forscher zur Natur erklärt, wirklich ein Suchen? Im
allgemeinen liegt die Antwort schon in der Frage verborgen;

---

* Also dann ein Spiegel im Abgrund ist, da sich die Qual selbst inne
beschauet . . .«. Viertzig Fragen von der Seelen, Fr. 1, 54.[1]

aber diese Fragen kann ich nicht schlüssig beantworten. Dies kommt daher, daß es so viele Arten von Naturforschung gibt. Wir sind dazu erzogen worden, die kalte Schnauze der Naturwissenschaft als ihre hervorstechendste Eigenschaft zu loben, als wäre sie ein gesunder Hund. Aber Naturforschung ist nicht nur das; sie ist eine menschliche Betätigung. Daher kommt es, daß dem Forscher die Natur ein Spiegel ist. Was er sieht, ist immer nur er selbst, wenn auch in proteischen Verwandlungen. Die Natur aber ist der höhnische Riese Baldanders, der, als Simplicius Simplicissimus ihn zu fassen glaubte, als Vögelchen aus dem Fenster flog. Natürlich gibt es Götter, die auch den Baldanders totschlagen können; und das ist es, was wir mit der lebenden Natur tun, bevor wir sie erforschen. Dem Leben gegenüber ist die Forschung eine Hieb-, Stich- und Schußwaffe. Aber neben dem Lebendigen gibt es ja auch noch viele andere Dinge in der Natur, die man untersuchen kann.

II

»Je ne cherche pas, je trouve«, dieser stolze Ausspruch wird Picasso zugeschrieben. Oder wollte er nur sagen, daß er »Pablo im Glück« war? Aber selbst für den Dichter kommt nur die erste Zeile von Gott, und dann fängt das Suchen an. Allerdings gibt es mindestens so viele verschiedene Arten von Dichtern, wie es Naturforscher gibt, und wahrscheinlich viel mehr. Denn für die Naturforscher spielt die Sprache eine geringe Rolle — sie denken alle in schlechtem Englisch —, während der Dichter aus seiner Sprache lebt, um es banal zu sagen. Daher sind zwischen einem, sagen wir, japanischen und russischen Lyriker die Unterschiede viel größer als zwischen den Naturforschern der beiden Völker. Dichtungen sind inkommensurabel, naturwissenschaftliche Ergebnisse sind es nicht. Für jene denkt eine immer anders gebaute Sprache, deren Phoneme und syntaktische Strukturen das Gebilde bedingen, während diese aus derselben Natur herauswachsen. Tatsächlich tun sie das auch nicht ganz, denn die Muttersprache bestimmt in geheimnisvoller Weise den Stil der Forschung; aber darauf kann ich hier nicht eingehen.

Was heißt das nun: Suchen, Finden? Ein Archäologe mag in einem Tumulus graben und diesen leer oder ausgeraubt antreffen; er hat also gesucht und nichts gefunden. In den exakten Naturwissenschaften geschieht das seltener. Von ihnen gilt im allgemeinen: wer sucht, der findet, wenn auch nicht immer, was er gesucht hat. Daher kommt es, daß die Zielsetzung oft so viel hochtrabender klingt, als die häufig recht bescheidenen Resultate. Diese Kluft zwischen Vorsatz und Leistung hat verschiedene Gründe; auch ist der eine hauptsächliche Typus von Naturforschern viel mehr von ihr betroffen als der andere.

Ich möchte nämlich, mit allen üblichen Vorbehalten und des stümperhaften Charakters solcher Gruppierungen wohl bewußt, zwei Hauptarten von Forschern unterscheiden. Die einen nenne ich die Kartesianer, die andern die Platoniker. Man könnte jene auch als die Induktiven bezeichnen, diese als die Deduktiven. Das soll selbstverständlich nicht heißen, daß Descartes oder Plato in irgendeiner direkten Weise die Stoffwahl oder die Verfahrensart dieser Forscher beeinflußt haben; noch auch, daß es überhaupt reine Typen dieser beiden Arten gibt. Wahrscheinlich ließen sich bessere Namen für diese beiden Arten finden, aber mir sind keine eingefallen. Daß weder Plato noch Descartes sich als Schutz-heilige wiedererkannt hätten, sei auch zugestanden. Ein kurzer Versuch einer Typologie mag immmerhin von Nut-zen sein.

III

Die Kartesianer wissen, was sie wollen. Es muß sie immer gegeben haben, lange vor Descartes, der nur einen alten Gemeinplatz zum Treffplatz aller unabhängig denkenden Einzelnen erhöhte. In den Naturwissenschaften waren sie wahrscheinlich früher in der Minderheit, jetzt besteht die überwiegende Mehrheit der Forscher aus ihnen. Zu wissen, was man will, bedeutet nicht immer, daß man es kriegt, aber es erleichtert das Finden. Da ein jeder sich selbst viel besser täuschen kann, als er es bei anderen vermag, kann er sich außerdem auch leicht einreden, daß, was er gefunden hat, wirklich das ist, was er gesucht hat. Wir leben ja alle, auch die Nichtkartesianer, von nachträglichen Rationalisierungen. Wenn wir nicht das haben können, was wir wollen, so bilden wir uns meistens ein, das zu wollen, was wir haben.

Der Kartesianer geht nach einem genauen Plan vor. Er hat ein Problem isoliert, das ihm erforschungswert und erforschbar erscheint, und jetzt schreitet er vorwärts, von Punkt zu Punkt — oder besser, von Knoten zu Knoten, denn naturwissenschaftliches Wissen ist ein Netz, an dem von unzähligen Spinnen gleichzeitig gesponnen wird. Die Art, in der der Forscher auf das Problem gestoßen ist, mag verschieden sein. Meistens hat es sich daraus ergeben, was er vorher getan hat; manchmal kommt es aus seiner Lektüre oder es ist ihm auf einer Tagung zugeflogen; manchmal hat er es gestohlen. Seinem systematischen Geist muß der im wesentlichen aleatorische Charakter der Problemwahl zuwider sein, aber dem ist nicht abzuhelfen. Alles weitere geht jedoch streng methodisch vor sich. Wenn er einmal zwischen den ersten selbstgesponnenen Fäden schaukelt, wird er in seinem wachsenden Netz bis ans Lebensende hausen. Die Wissenschaft, der er sich gewidmet hat, ist undenkbar geworden ohne ihn.

Der Sinn der Spinnwebe liegt jedoch in der Fliege, die sich darin fängt; und da kann der Erfolg nicht immer garantiert werden. So mag auch der genaueste Forschungsplan zu einem banalen Resultat führen oder zu gar keinem. Dann muß eben das Netz zum Selbstzweck umgemodelt werden; und das geschieht in zahlreichen viel bemerkten Publikationen. Daher die Kluft, die sich oft für den Kartesianer öffnet, die Kluft zwischen seinem Programm und dessen Ergebnis.

214

Daher auch der vielen Zufällen überlassene, fragmentarische Charakter der experimentellen Wissenschaften: die Prämissen sind fast immer winzig angesichts der Riesenhaftigkeit der aus ihnen gezogenen Schlüsse. Das auf den Erkenntnissen errichtete Weltgebäude ist morsch; aber gerade seine Gebrechlichkeit ist es, die den sogenannten Fortschritt der Forschung möglich macht.

Der Kartesianer leidet nie an schlechtem Gewissen, denn er weiß, daß das Netz des Wissens nicht brechen kann. Die Welt ist für ihn da und er für die Welt. Sie ist sein Acker, dessen Früchte er selbst zu verzehren hofft. Die Vergangenheit, die Geschichte sind für ihn das Überholte.

IV

Dem Platoniker hingegen ist das Suchen wichtiger als das Finden. Davon, was gefunden werden kann, hat er meistens keine klare Vorstellung. Seltsamerweise wird gerade dem großen Isaac Newton, sicherlich einem der Erzväter der Kartesianer, ein Ausspruch zugeschrieben, der ihn zum Platoniker stempelt.

> I do not know what I may appear to the world, but to myself I seem to have been only a boy playing on the seashore, and diverting myself in now and then finding a smoother pebble or a prettier shell than ordinary, whilst the great ocean of truth lay all undiscovered before me.[2]

Ich kann mir keine bessere Beschreibung dieser Art von Naturforscher vorstellen. Dem arachnoiden Charakter des Kartesianers steht also der lunatische des Platonikers gegenüber. Man könnte sagen, daß für jenen auch der Mond nur eine Beute ist, für diesen jedoch ein Gegenstand der Sehnsucht, deren Wesen in ihrer Unerfüllbarkeit besteht.

Der Kartesianer will erklären, der Platoniker hofft zu

verstehen. Für den Kartesianer sind die Welt und das Leben ein Gemenge zahlreicher Kräfte und Strahlen und Dinge, die man sortieren, beschreiben und miteinander in Beziehung bringen kann, für den Platoniker sind sie ein wunderschönes Rätsel, dessen Geheimnisfülle den Hauptteil seiner Schönheit ausmacht. Für den Kartesianer ist das Weltall vernünftig, verständlich und daher erklärbar, für den Platoniker ist es die Schöpfung des *Deus absconditus*; und wo der Schöpfer ist, kann der Forscher nicht sein. Erklärbarkeit ist das Grundbedürfnis des einen, Inkommensurabilität das Grundgefühl des andern. Der eine ist sich seiner Stärke bewußt, der andere seiner Schwäche. Die Menschheit braucht beide, ehrt aber nur jenen, denn mit Leuten, die sich eher verbergen als zur Schau stellen, die nur in Einsamkeit forschen können, kann sie wenig anfangen.

Für den Platoniker ist »der große Ozean der Wahrheit« groß, weil er unentdeckt ist. Daher ziehen junge, neu aufkommende Wissenschaften zuerst den Typus des Platonikers an; sind sie einmal herangewachsen, so werden sie von Kartesianern ausgebeutet. Jene entdecken die Blüte, diese verzehren die Frucht. Auch gilt das Verstehen immer nur für Einzelne, das Erklären jedoch richtet sich an die Vielen. Die Menge ist für jeden Zeitvertreib dankbar, besonders wenn sie dabei das Gefühl hat, daß er sie auf höhere Gedanken bringt. Daher sind wissenschaftliche Impresarios immer heruntergekommene Kartesianer, zu Unrecht bejubelt als Wohltäter der Menschheit, deren Henker sie in Wirklichkeit sind. Da ich im Fegefeuer nicht auch noch Fußstöße von meinen Vorgängern erleiden will, nenne ich keine Namen.

Unser Wissen bildet ein großes System. Und nur in
diesem System hat das Einzelne den Wert, den wir ihm
beilegen.

So Wittgenstein in seinem letzten Werk, *Über Gewißheit* (Nr.
410), über dem er starb — die letzte Eintragung zwei Tage
vor seinem Tod[3]. Tatsächlich ist jedoch für die meisten
Menschen »unser Wissen« kein Singular, und daran verblu-
tet der Westen, sondern es gibt unzählige Systeme, die nur in
der meistens scheinheiligen Hochachtung voreinander einig
sind: alle sind sie Gelehrte, alle Sucher, alle Finder. Von
außen sieht das ganze wie ein riesiger Turm aus und erweckt
Kindheitserinnerungen, als man noch in der Bibel las; aber
auf der einen Etage entziffert man sumerische Tonsplitter,
auf der andern konstruiert man Raumstationen oder schreibt
Gutachten über die Harmlosigkeit tödlicher Strahlungen,
denn bei uns auf der statistischem Alm gibt's ka Sünd'!
Man könnte sagen, daß es heutzutage kaum mehr Forscher gibt, sondern nur Fachleute. Ein Fachmann ist
jemand, der die Erlaubnis erworben hat zu finden, was er
sucht. Dazu gehört, daß er wenig gesucht hat, aber den Wert
des Gefundenen vor der Welt, und sogar vor sich selbst,
übertreibt. Der Wert besteht, wie Wittgenstein sagt, nur
innerhalb des engen Systems seines Wissens. Er ist aber
gezwungen — sonst könnte er seine Miete nicht bezahlen —,
sich zu einem Grotius oder Leibniz, zu einem Montesquieu
oder Mommsen aufzublasen. Wie bescheiden waren, verglichen mit den Molekularbonzen und Elementarteilchen-
Laufburschen unserer elenden Tage, die großen Begründer
neuer Wissenschaften! So zum Beispiel Friedrich Wöhler in
einem Brief an Justus Liebig vom 12. November 1863.

. . . Dazu kommt mein sehr schlechtes Gedächtniß; ich
behalte nur den Eindruck vom Ganzen . . . Meine Phanta-

sie ist ziemlich beweglich, aber im Denken bin ich ziemlich schwerfällig. Niemand ist weniger zum Kritiker gemacht als ich. Das Organ für philosophisches Denken fehlt mir gänzlich, wie Du längst weißt, so gänzlich wie das für Mathematik. Nur zum Beobachten habe ich, wie ich mir einbilde, eine passable Einrichtung in meinem Gehirn, womit auch eine Art Instinct, thatsächliche Verhältnisse vorauszuahnen, verbunden sein mag. . . .

Es gehören dazu selbst Leute wie *Steffens*; ich habe diesen sogenannten geistreichen Mann bei *Berzelius* kennen gelernt. Ich denke noch immer an eine mineralogische Excursion, die er mit *Berzelius* machte, und zu der auch ich mitgenommen war, an die ungeheure Langeweile und den fast in Grobheit sich äußernden Widerwillen, die er bei dem nüchternen *Berzelius* durch sein hohles, naturphilosophisches Geschwätz erregte. Nachher kam ich als junger Doctor öfter mit ihm in Berlin zusammen. In seinen Vorlesungen trug er unter anderem vor, der Diamant sei nichts anderes, als ein zu sich selbst gekommener Quarz. Ich traf ihn einmal beim Essen im Café royal und erzählte ihm von Untersuchungen, von Thatsachen, mit denen ich beschäftigt war. »Das ist alles ganz gut, lieber Doctor«, sagte er, »aber es ist nicht der wahre Weg in der Naturforschung; verlassen Sie diese Richtung und schlagen Sie sich zu uns, da werden Sie zu anderer Erkenntniß kommen.« Zu derselben Zeit wurden auch von den *Hegelianern* einige Versuche gemacht, mich zu werben (ich wohnte sogar mit *Hegel* in einem Hause und habe mit ihm Whist gespielt). Du hast ganz Recht, diese Naturphilosophie war nichts anderes als die alte todte Scholastik. . . .[4]

Die trocken zurückhaltende Schilderung seines Charakters, die Wöhler hier gibt, mag von Interesse sein, denn sie beschreibt einen der großen Pioniere der modernen Chemie. Darüber hinaus beziehe ich jedoch einiges Vergnügen aus der Konfrontation eines Platonikers der neuen Observanz,

Wöhlers, mit dem typisch romantischen Naturphilosophen Henrich Steffens, dem Freund und Bewunderer Schellings. An der hartnäckigen Chemie scheitern nämlich auch die höchstfliegenden Phantasien. Hören zu müssen, daß der Kohlenstoff ein zu sich selbst gekommenes Siliciumdioxyd ist, mußte in einem Chemiker das Ärgste herausbringen. Dabei dachte der arme Steffens nur an die Idee des Quarzes und interessierte sich nicht für seine Zusammensetzung. Die alten Griechen hätten ihn besser verstanden.

Hätte man Wöhler gefragt, wie er suche, wie er finde, so hätte er vielleicht mit Newtons Worten geantwortet. Unterdessen ist die organische Chemie zu einem imposanten Riesengebäude herangewachsen, dessen Fundamente, wie in allen Naturwissenschaften, das Schwächste vom Ganzen sind, und aus den vielen Fenstern blicken unzählige Köpfe und blinzeln vielverheißend. Daß sie Gasmasken tragen müssen, wird gerne übersehen.

Daß die Grundsteine oft so viel bröckeliger sind als der auf ihnen errichtete Bau, hat mit dem Mechanismus wissenschaftlicher Denkprozesse zu tun; es ist ein Mechanismus, der gleichsam notgedrungen aus Hypothesen Axiome macht. Lichtenberg schreibt, wie früher erwähnt: »Sehr viele und vielleicht die meisten Menschen müssen, um etwas zu finden, erst wissen, daß es da ist.«[5] Ist einmal das Suchen und Finden eine Massenbeschäftigung geworden, so geschieht es leicht, daß man aus der Tatsache des Findens auf die Existenz des Gesuchten schließt. Bald ist man so fern vom Ursprung, daß man sich darüber keine Rechenschaft mehr zu geben braucht; und ist der Zusammenhalt des Gebäudes nicht der beste Beweis für die Festigkeit der Fundamente? Er ist es, bis zum nächsten Erdbeben.

VI

> Forschet aber im Lichte der Natur, ob ihr das möget
> gründen; So ihr das im Lichte der ewigen Natur könnet
> gründen und erreichen, so möget ihr wol fortfahren: Aber
> stellet es uns auch dar, daß wir es sehen; sonst kann unser
> Gemüthe nicht darauf ruhen, es finde dann den Grund.

Das ist die Stelle (§ 55:4) in Jacob Böhmes »Von den letzten
Zeiten, 2. Theil«, die das Register in eigenmächtiger Originalität wiedergibt als »die Forschung muss von innen im
Hunger der Seelen anfangen«[6]. In derselben Schrift findet
sich auch die zweite, von mir früher angeführte Stelle (§ 3):
»dann ein jeder Geist forschet nur seine eigene Tieffe«[7].

Ich glaube nicht, daß wir überhaupt noch die Augen
haben, um diese Sätze so zu lesen, wie sie es verdienen.
Sehen wir denn das Licht der ewigen Natur? Geht hier die
Rede davon, was unsere Naturforscher als Natur bezeichnen? Als diese Worte geschrieben wurden, hatte der Abfall
der menschlichen Vernunft vom »Gemüthe« noch kaum
begonnen. Zwar waren Galilei elf Jahre und Kepler vier
Jahre älter als Böhme, aber ich denke nicht, daß er, was jene
taten, als Forschung verstanden hätte*.

Dennoch habe ich den Eindruck, daß die Aufforderung
Böhmes, in Ehrfurcht zu suchen, mit Klarheit zu beschreiben, auch auf die frühen Naturforscher zutrifft. Von For-
schungsprogrammen konnte man kaum reden; die Gelehrten
waren dem näher, was ich als Platoniker bezeichnet habe;
selbst Descartes war als Naturwissenschafter kein Kartesianer. In der gegenwärtigen Forschung allerdings findet unser
Gemüt nicht den Grund, darauf es ruhen könnte. Genauso
wie man von der »Qualität des Lebens« erst zu sprechen
begann, als sie sich rapid verschlechterte; genauso wie man

---

* Mit viel mehr Recht als der arme Julian Apostata hätte Papst Urban
VIII. ausrufen können *Vicisti Galilee!* Denn Galileis folgenreicher Sieg ließ
nicht auf sich warten.

aufhörte, die großen Schriftsteller zu lesen, als ihre Interpretation ein Massengewerbe wurde, ist die Natur verschwunden, als die Vorherrschaft der Naturwissenschaften anhub. Auf den wissenschaftlichen Hexensabbat unserer Zeit wird nie mehr ein stiller heller Sonntag folgen.

VII

Wie wird heutzutage gesucht und gefunden, oder sind wir alle kleine Picassos? »Im Hunger der Seelen« wird sicherlich nicht mehr geforscht, eher im Hunger des Ehrgeizes und der Gewinnsucht. In den Naturwissenschaften spielt gewiß auch die Neugier eine große Rolle und der Reiz des Unbekannten, selbst wenn es meistens nur ein winziges Unbekanntes ist. Man tut, was alle andern tun; man läuft in einer großen Herde. Der Wind, der die Herde treibt, heißt Mode.

In allen naturwissenschaftlichen Disziplinen gibt es immer etwas, was in diesem Herbst getragen wird. In die tonangebenden Laboratorien und Institute strömen die jungen Forscher, um wissenschaftliche Überlebensart zu lernen. Allerdings ist der Strom dünner geworden, denn die vielen Triumphe haben die Wissenschaften etwas atemlos und blutarm gemacht. Auch sind die Völker es müde geworden, dem Gesang immer heiserer werdender Sirenen zu lauschen und mehr und mehr Geld in ein im wesentlichen verlorenes Unternehmen zu schütten. Trotzdem geht alles noch mehr oder weniger weiter, denn die Wissenschaften leben noch von ihrem im vorigen Jahrhundert unter falschen Vorspiegelungen angehäuften Kredit, und Forschen ist noch immer das Höchste, was ein Kind der mittleren Klassen anstreben kann.

In der ältern Geschichte der Naturwissenschaften, also etwa bis zum Jahre 1940,* spielte die unvorhergesehene Beobachtung eine höchst wichtige Rolle. Immer noch lagen

---

* Das ist kein Druckfehler für 1840.

Newtons glattere Kiesel, hübschere Muscheln auf dem Strande; man mußte nur ein Auge dafür haben, und dann führte das eine zum andern und man war eingesponnen. Soweit ich die Dinge übersehen kann, habe ich den Eindruck, daß das fast völlig aufgehört hat. Wenig liegt auf der Meeresküste, höchstens ausgeronnenes Öl. Jetzt fängt man mit einer gerade fashionablen Methodik an, und dann geht es dürftig weiter, wie es der alte Ausspruch beschreibt: »They earn a precarious living by taking in one another's washing« (Sie fristen ein kümmerliches Dasein, indem sie füreinander die Wäsche waschen.) Unterdessen arbeitet man in einer der zahlreichen Molekularwäschereien und wartet auf den Tod der Professoren, um selbst einer zu werden.

Es wäre falsch zu denken, daß es in den sogenannten Geisteswissenschaften anders zugeht. Es ist eher noch ärger als in den exakten Wissenschaften, denn das Gebiet ist schmäler, das Brot dürftiger, das Publikum schmähsüchtiger. Wenn also z. B. die Experimentalpsychologie und die Sprachwissenschaft einander in die Haare oder die gewesenen Haare geraten, kann es geschehen, daß ein Schimpanse, dem man mit Müh und Not eine angebliche Zeichensprache beigebracht hat, die Frechheit aufbringt, sich den Namen Neam Chimpsky beizulegen, ausschließlich um einen berühmten Linguisten zu verhöhnen. Die Verbitterung, mit der Altphilologen um eine Aspirata streiten, hat mich immer erheitert; weniger vielleicht die Mühle, durch die das kritische Stroh gedreht wird, denn meine Aufnahmsfähigkeit für neue Interpretationen der Symbolik von Kafkas Sängerin Josefine oder von Rilkes Duineser Engeln ist beschränkt*.

---

* Man könnte vielleicht sagen, daß die Interpretation von Dichtungen unangebracht ist, denn wer jene benötigt, hat kein Recht, diese zu lesen. Aber ich bin wahrscheinlich ungerecht: wir wissen aus der Geschichte der Überlieferung der antiken Literatur, wie oft verlorene Dichtungen nur in der Gestalt ihrer Interpretationen überlebt haben. Die Interpretation der Natur ist jedoch eine andere Sache: sie ist weit davon entfernt, der Natur zum Überleben zu verhelfen.

Die Ödigkeit der Wissensindustrie, über die ich schon an einer anderen Stelle dieses Buches einiges gesagt habe, wird durch die Erhabenheit der Gegenstände, die sie zerredet, nicht gemildert. Allenthalben regnet das Wissen vom Himmel, und es ist keine Manna.

VIII

Mit mir ist es anders gegangen, denn in den ersten 35 oder 40 Jahren meines Lebens habe ich die Wissenschaft noch gekannt, als sie klein war. Auch rechnete ich mich zu den verhältnismäßig wenigen übriggebliebenen Platonikern. Es mag mehr davon geben, als mir bewußt ist; aber das ist eine leicht eingeschüchterte Art von Menschen, und sie sind schwer zu erkennen. Außerdem arbeitet der ganze Wissenschaftsbetrieb gegen sie, und sie müssen oft eine kartesianische Schutzfärbung annehmen, um überhaupt zu überleben.

Jedenfalls hat das Suchen einen viel tieferen Eindruck auf mich gemacht als das Finden. Den Ort des Suchens habe ich mehr den Göttern überlassen, als ich es wahrhaben möchte. Mir war die ganze Welt gleich lieb, und ich kroch weiter, wo der Wirbelwind mich abgesetzt hatte. In dieser Beziehung forschte mein Geist, in Böhmes Worten, »seine eigene Tieffe«. Daß diese Tiefe hätte tiefer sein können, muß ich mir zuschreiben, und nicht dem, was man einst Schicksal zu nennen pflegte und was jetzt, in einer der gedankenlosesten Beschwörungsformeln unserer Zeit, »Zufall und Notwendigkeit« heißt.

Aber gibt es so etwas wie Tiefe in den Naturwissenschaften? Die Antwort ist Ja: sogar in der experimentellen Forschung, gar nicht zu reden von den abstrakten Fächern wie der theoretischen Physik, gibt es tiefe und flache Denker. Nur ist man allzu leicht geneigt, Tiefe mit Unverständlichkeit zu verwechseln, denn zur Einschätzung einer wissenschaftlichen Erkenntnis ist das Verständnis zahlreicher Vor-

stufen notwendig, und zu diesem ringt sich der Nichteingeweihte nur mit großer Schwierigkeit durch. Manches Ergebnis der Wissenschaften mag dem Laien viel tiefer erscheinen,
als es in Wirklichkeit gewesen ist. Dieser Gefahr ist der Leser
Pascals oder Kierkegaards nicht ausgesetzt.

Was mich angeht, so muß ich gestehen, daß ich mich in
den langen Jahren meiner experimentellen Arbeit wenig um
die Tiefe oder Banalität, den Wert oder Unwert des Gefundenen bekümmerte. Ich war immer der Überzeugung, daß
der geringe Glanz, der auf unseren Arbeiten ruhen mochte,
nur von den Strahlen der ewigen Natur herrühren konnte;
und diese waren ja von unserem auf Kraft und Stoff, Maß
und Gewicht bedachten Getue so vielfach gebrochen und
gehemmt, daß auch im besten Fall nur ein geringer Schimmer übrigblieb. Die Wonne des Suchens war jedoch unver-
mindert. Immer zeigten sich neue Türen, an die man klopfen
konnte. Manchmal öffneten sich einige in ein geheimnisvol-
les Innere, das allerdings, je weiter man in ihm vordrang, um
so alltäglicher auszusehen begann. »Mit den zweiten Dezimalen hört Gott auf«, pflegte ich zu sagen.

IX

Ein Schatzgräber, der darauf beschränkt ist, nur dort zu
graben, wo die Landkarte anzeigt »Hier sind Schätze vergra-
ben«, wird keine großen finden, es sei denn, sie hätten schon
immer in seinem Innern geruht. Wozu dann die Landkarte,
wozu der Spaten? Aber das ist unser aller Los, die wir in
Fächern wühlen. Um eine bestimmte kleine Sache zu finden,
müssen wir immer den ganzen Wust ausleeren.

Auf die Frage »was ist der Mensch?« konnte Pindar
antworten: eines Schattens Traum. Aber die Frage »woraus
besteht der Mensch?« hätte er nicht beantworten können,
noch auch wollen. Das war uns vorbehalten: aus Eiweiß und
Fett, Nukleinsäuren und Zuckern. Was wir jedoch nicht

begriffen haben, ist, daß die Aufstellung solcher Listen zu denen des Teufels gehört. Wenn man ihm den kleinen Finger reicht, gibt er einem seine ganze Hand.

Jedenfalls ist, seit es die Wissenschaft als Lebensberuf gibt — als ein Beruf, dem man lebt, aber auch, von dem man lebt — die Arbeitsteilung immer bedrohlicher fortgeschritten. Die Landkarten werden immer detaillierter, und es gibt viel mehr davon. Waren es früher ganze Kontinente, die als weiße Flecke verzeichnet waren, so handelt es sich jetzt um die Zusammensetzung eines einzelnen Zauns oder, um beim Jargon zu bleiben, um seine »Struktur und Funktion«. Was man suchen soll, wird einem vorgeschrieben, und daher auch, was man finden soll. Wer schreibt vor? Natürlich der Zeitgeist, der allerdings mit einem vollen Tropfen ökonomischen Öles gesalbt ist.

Dabei ist der wahre Sinn des Forschens verlorengegangen. An die Stelle der Gelehrtenrepublik ist ein Ameisenstaat getreten, und die Weisheit, die zutage gefördert wird, ist Ameisenweisheit. Wir werden elender, wie wir wissender werden, denn was wir Wissen nennen, ist nicht das rechte. Der lydische Tantalus dürstete nach Wasser. Wonach aber dürsten wir?

Da es dieses »wir« natürlich nicht gibt, wird die Antwort vielfältig ausfallen. Die einen werden sagen »nach Erdöl, nach Energie«, die andern »nach Macht«, sehr wenige »nach Verständnis« oder »nach Seelenruhe«. Und manche werden leugnen, daß es sie überhaupt dürstet. Die meisten jedoch werden wahrscheinlich im rührenden Glauben verharren, daß die Suche, auf welche die Naturforschung in den letzten 150 oder 200 Jahren gesandt worden ist, erfolgreich war und mit allen Kräften fortgesetzt werden soll. Ich habe diese Strafexpedition gegen die Natur als den größten Kolonialkrieg der Menschengeschichte bezeichnet, und ich habe meine Meinung nicht geändert.

Manche Naturforscher werden sich, alt geworden, vielleicht sogar fragen, wie sie in diese Gesellschaft von Menschenfressern geraten sind. Sie werden alles beschuldigen — das Schicksal, die Gesellschaft —, nur nicht die Stumpfheit ihrer eigenen Einsicht. Am Ende werden sie vielleicht zu dem Schluß kommen, daß Picasso recht gehabt hat: man sucht nicht, wenn man finden will; und daß das fieberhafte Suchen ein glückliches Finden unmöglich macht. Nur im Hunger der Seelen darf man forschen; aber wo gibt es noch Seelen, außer in der Hypothekenbank des Mephistopheles?

[1] Jacob Böhme, *Sämtliche Schriften*, 11 Bände, Frommann, Stuttgart, 1955-60 — Faksimile-Neudruck der Ausgabe von 1730: THEOSOPHIA REVELATA. Oder: Alle Göttliche Schriften Jacob Böhmens, von Altseidenberg.

[2] Ich entnehme diese aus Brewsters *Memoirs of Newton* (2. Bd., 27. Kap.) stammende Stelle dem *Oxford Dictionary of Quotations* (Oxford Univ. Press, 1941, S. 289). — »Ich weiß nicht, wie ich der Welt erscheinen mag, aber mir selbst bin ich nur wie ein Knabe vorgekommen, der an der Meeresküste spielte und sich damit vergnügte, hie und da einen glatteren Kiesel oder eine hübschere Muschel als üblich zu finden, während der große Ozean der Wahrheit völlig unentdeckt vor mir lag.«

[3] Ludwig Wittgenstein, *Über Gewißheit*, Suhrkamp, Frankfurt, 1970, S. 105.

[4] Aus *Justus Liebigs und Friedrich Wöhlers Briefwechsel* (Hrsg. R. Schwarz) Verlag Chemie, Weinheim, 1958, S. 294.

[5] G. C. Lichtenberg, *Schriften und Briefe* (Hrsg. W. Promies), Hanser, München, 1968, 1. Bd., S. 752.

[6] Siehe Anmerkung 1, 5. Bd., S. 438.

[7] Siehe Anmerkung 1, 5. Bd., S. 425.

Erwin Chargaff:

»Zwei verhängnisvolle wissenschaftliche Entdeckungen haben mein Leben gekennzeichnet: erstens die Spaltung des Atoms, zweitens die Aufklärung der Chemie der Vererbung. In beiden Fällen geht es um Mißhandlung des Kerns: des Atomkerns, des Zellkerns. In beiden Fällen habe ich das Gefühl, daß die Wissenschaft eine Schranke überschritten hat, die sie hätte scheuen sollen.«

Das Feuer des Heraklit
Skizzen aus einem Leben
vor der Natur
290 Seiten, Leinen,
ISBN 3-12-901611-2

**Unbegreifliches
Geheimnis**
Wissenschaft als Kampf
für und gegen die Natur
230 Seiten, Leinen,
ISBN 3-608-95452-X

Zeugenschaft
Essays über Sprache und
Wissenschaft
244 Seiten, Leinen,
ISBN 3-608-95373-6

Warnungstafeln
Die Vergangenheit spricht
zur Gegenwart
266 Seiten, Leinen,
ISBN 3-608-95004-4

Bemerkungen
170 Seiten, engl. brosch.,
ISBN 3-12-901631-7

**Abscheu
vor der Weltgeschichte**
Fragment vom Menschen
Cotta's Bibliothek der
Moderne, Band 77
112 Seiten, Pappband,
ISBN 3-608-95616-6

Kritik der Zukunft
Cotta's Bibliothek der
Moderne, Band 18
144 Seiten, Pappband,
ISBN 3-608-95217-9

Klett-Cotta

Postfach 10 60 16, 7000 Stuttgart 10

Unsere Zukunft ist unsere Sache

Luchterhand Literaturverlag

Peter Bichsel
Geschichten zur falschen Zeit
Kolumnen 1975–1978
SL 347

Irgendwo anderswo
Kolumnen 1980–1985
SL 669
»Ein Schriftsteller ist immer ein Risiko für den Staat und die bestehende Gesellschaft. Aber mehr noch sind die Leser ein Risiko. Man wird nicht durch Lesen staatstreu, das wird man nur durch Nicht-Lesen.«
Peter Bichsel

Lothar Bönisch/Klaus Blanc
Die Generationenfalle
Von der Relativierung der Lebensalter
SL 853. Originalausgabe
Der Generationenkonflikt in den Familien findet nicht mehr statt.
Der gesellschaftliche Generationenaufbau ist aus den Fugen geraten.
Die daraus für die Politik entstehenden Probleme werden uns täglich deutlich vor Augen geführt.

Franz Fühmann
Saiäns-fiktschen
Erzählungen. SL 632
»Die Welt dieser Geschichten ist irreale Endzeit . . .; aber alle diese Enden haben auch ihre Anfänge gehabt, und es sollte gelten, denen zu wehren, vor allem da, wo alles anfängt: im persönlichen Bereich.« *Franz Fühmann*

Günter Grass
Die Rättin
512 Seiten. Geb.
Ein Bericht aus den Zeiten, in denen die Ratten alles anders machen wollten, als endlich die Menschen fort waren.

Peter Härtling
Das Windrad
Roman. SL 599
Mit diesem Roman wehrt sich Peter Härtling gegen Sprachlosigkeit und Unfrieden, Verwüstung der Natur und bürokratische Verplanung.

Helga Königsdorf
Respektloser Umgang
Erzählung
116 Seiten. Geb. Auch als SL 736
Die Ich-Erzählerin, in ihrem Hauptberuf Naturwissenschaftlerin denkt nach, wie sie geworden ist, was sie ist: eine Frau, der die Zukunft genommen ist, in einer Welt, deren Zukunft in der Folge weitreichender Entdeckungen täglich mehr in Frage steht.

Kurt Marti
Ruhe und Ordnung
Aufzeichnungen · Abschweifungen 1980–1983. SL 641
Entschlossen beschäftigt er sich mit den politischen Entwicklungen, mit der Fahrlässigkeit, mit der Politiker z. B. Atomkraftwerke planen im fragwürdigen Dienst am Fortschritt.

Michael Winter
Rückkehr in die Metropolen
Roman. 352 Seiten. Geb.
Eine rasante Reise gegen die Zeit.

Sammlung Luchterhand
zu Fragen der Zeit

Georg Lukács

im Luchterhand Literaturverlag

Georg Lukács
Werke
Hg. Frank Benseler

Band 2: Frühschriften II
733 Seiten. Leinen

Band 4: Probleme des Realismus I
678 Seiten. Leinen

Band 5: Probleme des Realismus II
571 Seiten. Leinen

Band 6: Probleme des Realismus III
642 Seiten. Leinen

Band 8: Der junge Hegel
703 Seiten. Leinen

Band 10: Probleme der Ästhetik
811 Seiten. Leinen

Band 13: Zur Ontologie des gesellschaftlichen Seins I
692 Seiten. Leinen

Band 14: Zur Ontologie des gesellschaftlichen Seins II
768 Seiten. Leinen

Band 15: Entwicklungsgeschichte des modernen Dramas
600 Seiten. Leinen

Band 16: Frühe Schriften zur Ästhetik I
248 Seiten. Leinen

Band 17: Frühe Schriften zur Ästhetik II
280 Seiten. Leinen

In der *Sammlung Luchterhand* sind lieferbar:

Geschichte und Klassenbewußtsein
Studien über die marxistische Dialektik
Politische Aufsätze
SL 11

Die Theorie des Romans
Ein geschichtsphilosophischer Versuch über die Formen der großen Epik
SL 36